LES
POUVOIRS
INCONNUS
DE
L'HOMME

LES   EXTRA-SENSORIELS

ES
XTRA-SENSORIELS

lculateurs prodiges | Les surdoués | Génie et folie | Hallucinations et clairvoyance
émoires fabuleuses | L'être humain et son double | Visions mystiques | La créativité
Les énigmes du rêve | L'écriture automatique

Anzieu | R. Chauvin | G. Cordonnier | R. Desoille | X. Francotte | G. Geley | J. Graven
Hemmert | J. Lhermitte | A. L. Luria | M. Masson | A. Michel | J. Mousseau
. Roudène | F. Rougeoreille-Lenoir | E. Servadio | P. Sollier | R. Tocquet
G. et B. Veraldi | S. Voronoff

Les pouvoirs inconnus de l'homme
Collection dirigée par Michel Damien et René Louis

Tchou-Laffont

Sommaire

Les extra-sensoriels utilisent des forces paranormales qui les mettent en contact avec une autre dimension de l'univers.

Introduction

Ces
extra-sensoriels
qui nous entourent...

Un chef-d'œuvre achevé, cela impose le respect. Même M. Kossy-
guine le comprend, qui consacre six minutes de sa vie à contempler
la Joconde. *Il est vrai que Vinci consacra quatre ans de la sienne*
à la peindre. Quatre années de méditation, pinceau en main, devant
un visage de femme : qu'est-ce donc qu'un visage ? Mais qu'est-ce
plutôt qu'un homme ?

Léonard, qui était Léonard, a pu scruter le mystère d'un sourire
pendant quatre révolutions solaires. Qui donc est dans le vrai, de
lui ou de nous qui regardons sans les voir tous ces sourires vénaux
acharnés à nous vendre leur dentifrice ?

C'est Léonard, bien entendu. Il a mis quatre ans pour peindre la
Joconde, *mais la nature a travaillé près de quarante millions de*
siècles pour inventer Mona Lisa. Si l'on se rappelait sans cesse
que tout homme est le résultat de quatre milliards d'années de
recherches du grand laboratoire cosmique, sans doute aurait-on
pour lui plus de respect encore que M. Kossyguine pour les peintures
du Louvre. L'homme est dévalué parce qu'il existe à plus de trois
milliards d'exemplaires qui ne cessent de se reproduire. Que
deviendrait la Joconde *multipliée en autant de copies, toutes authen-*
tiques ? Nous n'aurions plus un regard pour elle. Inversement, on
ne se met pas sans tremblement à la place du médecin qui tiendrait
dans ses mains la vie du dernier homme de la planète.

Il me semble pour ma part que si j'étais ce dernier homme, l'an-
goisse m'écraserait de manquer au respect de mon être fragile,
résumé de tant d'aventures et de peines.

Eh bien, en fait, tout homme est ce dernier homme et tout médecin
ce dernier médecin. C'est par une concession pragmatique à la
faiblesse de notre imagination que les hôpitaux sont organisés comme

11

des usines à fabriquer de la santé. C'est parce qu'il faut bien que l'hôpital marche avec des hommes médiocres comme nous sommes tous, animés par des sentiments médiocres et agitant des pensées médiocres. Si l'hôpital exigeait dans ses mécanismes une sublime conscience de ce qu'il est vraiment, il se mettrait aussitôt en panne et les malades mourraient. Le soin des hommes fonctionne comme la guerre, sur des règles toutes prosaïques : il n'est pas question d'héroïsme dans les manuels d'infanterie. Il n'est question que de discipline, de corvées, de labeurs. Mais de même que l'observance de la discipline militaire exige parfois l'héroïsme et que le sublime procède alors du médiocre, de la même façon la manipulation routinière de la misère physique peut, moyennant l'intervention d'un certain truchement, ouvrir sur les dimensions invisibles de l'homme.

Nous igorons jusqu'au mécanisme de la sensation la plus brute. Nous suivons bien, par exemple, l'influx nerveux résultant de l'excitation de la rétine le long du nerf optique, à travers le chiasma, les bandelettes optiques *jusqu'au* corps genouillé externe, au tubercule quadrijumeau antérieur, *et jusqu'à l'écorce cérébrale dans la région du* lobe occipital, *mais comme le remarque Grasset, « seule la nécessité d'entrer dans la même orbite rapproche dans le même trou optique les fibres des deux nerfs hémioptiques », si bien que le nerf optique n'existe pas comme unité physiologique et clinique (Rimbaud). Il n'y a pas, comme on pourrait s'y attendre, de centre cortical pour le nerf optique droit et pour le nerf optique gauche. Tout ce que nous arrivons à faire dans ce fouillis de neurones et de cylindraxes — et cela, il est vrai que les physiologistes le font admirablement — c'est déceler des cheminements de signaux. Mais dans nos mécanismes artificiels (par exemple en télécommunication), un signal suppose quelqu'un ou quelque chose pour le recevoir.* Dans le cerveau, tout ce qu'on voit, ce sont des signaux qui se déplacent et se transforment en déclenchant d'autres signaux, ou bien qui disparaissent sans laisser de traces apparentes. *A quel moment et où se forme la représentation de l'objet extérieur qui excite la rétine et provoque ce remue-ménage ? Non seulement on n'en sait rigoureusement rien, mais les physiologistes déclarent volontiers que c'est là une question de nature philosophique et par conséquent dénuée de signification scientifique.*

Il ne faut pas s'en laisser imposer par cette fin de non-recevoir. Les savants comme les autres hommes préfèrent affirmer qu'une question n'a pas de sens tant qu'ils n'en ont pas trouvé la réponse. Le médecin, le praticien, est sur ce point précis plus objectif que l'homme de science, tenu qu'il est de respecter la réalité même incompréhensible plutôt que le système logique où s'organisent ses connaissances. Le chercheur a parfois le devoir de négliger certains faits dont l'élu-

12

cidation ferait obstacle à son progrès : par hygiène mentale, il lui est alors plus commode de déclarer que ces faits n'existent pas. Dame ! s'ils existaient, ce serait irritant et l'on réfléchit mal quand on se gratte. C'est du moins l'opinion générale, car d'autres, dont je suis, préfèrent se gratter. Et quant au médecin, s'il est un vrai thérapeute, peut-il feindre d'ignorer le mystère quand c'est le corps de son patient et parfois le mal même qu'il soigne qui l'enfante sous ses yeux ? Tous les médecins ont des histoires incroyables à raconter. Beaucoup pensent obscurément qu'ils ne pourraient leur faire une place sans compromettre l'édifice de la médecine, sinon même celui de la raison. Un certain nombre s'engagent avec mille précautions mais sans crainte de l'inconnu dans le labyrinthe ouvert devant leur curiosité professionnelle par un type de faits impossibles à intégrer dans le Système. Et ceux-là ne tardent pas à reconnaître que le problème n'est pas de trouver le moyen de les intégrer, mais bien de se forger un nouvel outil de connaissance pour relayer l'outil classique et accéder à des certitudes tout aussi assurées que celles de la science quoique obtenues par des voies différentes.

Le paranormal voilé par le pathologique

Quand, en 1965, j'eus publié le Mystère *des rêves en collaboration avec les docteurs Moufang et Stevens* [1], *je reçus de nombreuses lettres de médecins et de « malades » à propos des pages consacrées aux états de veille mentale dans le corps endormi. J'écris le mot « malades » entre guillemets, car j'avançais dans mon livre l'opinion (fondée sur de nombreuses observations) que l'éveil de la pensée au fond du rêve dans un corps profondément endormi était un phénomène sortant des normes assurément, mais nullement pathologique.*

« Comment ! m'écrivait une " malade ", serait-il possible que ces expériences qui m'angoissent tant et pour lesquelles on me soigne vainement à force de drogues ne fussent point pathologiques ? Alors, je ne serais pas malade ? »

La correspondance que nous échangeâmes à la suite de cette lettre est très instructive. D'après les drogues que lui donnait son médecin, je compris qu'il s'efforçait de « guérir » ce qu'il tenait pour une névrose. Je demandai à la patiente de m'expliquer bien en détail ce qu'elle avait dit à son médecin.

« Oh, me répondit-elle, ce n'est pas compliqué, je lui ai dit que je m'éveillais pendant mon sommeil sans que mon corps, lui

1. A. Michel, W. Moufang, W. O. Stevens, *Le Mystère des rêves.* Editions Planète, Paris, 1965.

s'éveille, que ma pensée seule s'éveillait et qu'alors je sortais de mon corps. *Il m'a expliqué que l'expression « sortir de son corps » ne correspondait à rien de réel, que je faisais simplement un cauchemar, que je croyais, en rêve, sortir de mon corps, comme parfois on rêve que l'on vole ou que l'on est reçu à la table de la reine d'Angleterre ; j'ai contesté cette explication, disant que j'étais parfaitement lucide pendant ma « sortie du corps », qu'il ne s'agissait donc ni de rêve ni de cauchemar.*

— *Alors, m'a-t-il dit, pourquoi venez-vous me voir ?*

— *Parce que l'expérience, agréable au début s'achève de façon terrifiante quand, essayant vainement de réintégrer mon corps, je me mets à craindre que l'on ensevelisse ce corps inerte et qui refuse de revenir à la vie.*

— *Vous voyez bien qu'il s'agit d'un cauchemar !*

— *S'il s'agissait d'un cauchemar, comment finirait-il immanquablement ? Par l'éveil en sursaut avec les symptômes connus du cœur qui bat, de la respiration haletante... ce qui n'est pas le cas ; même me disant avec épouvante que je rêve, je ne m'éveille pas et quand je réintègre mon corps, c'est pour me retrouver rêvant, et d'un rêve sans rapport avec l'expérience précédente, tout à fait ordinaire, quelconque, un rêve qui n'est même pas un cauchemar. Inversement, l'expérience de " sortie* du corps *" commence, elle aussi, par une sorte de déclic mental en plein rêve. A un moment je rêve et tout à coup, hop ! je ne rêve plus, je suis éveillée, pleinement éveillée et flottant au-dessus de mon corps endormi. Du reste, ai-je dit à mon médecin, peu importe de quoi il s'agit vraiment : je vous ai raconté ce que j'éprouve et je ne veux plus endurer cela. Sortie du corps ou cauchemar, tout ce que je demande, c'est d'en être débarrassée. »*

Tel fut le récit de cette dame.

N'étant pas médecin, je la laissai suivre son traitement, me bornant à lui faire subir quelques tests qui, comme je le prévoyais, m'apprirent que la prétendue malade « souffrait » tout simplement de remarquables facultés paranormales. Elle aurait pu avec un peu d'entraînement faire un excellent calculateur prodige. Elle aurait pu aussi devenir ce qu'on appelle maladroitement un médium, c'est-à-dire un être humain sujet à des états de conscience autres que ceux de la veille, du sommeil et du rêve et accédant par là à certains pouvoirs. Je présume que son médecin l'a préservée de tous ces périls en la guérissant comme on guérit un oiseau du vertige en lui coupant les ailes ; on guérirait aussi l'athlète qui court trop vite en lui cassant un peu les jambes.

Pourquoi ne casse-t-on pas les jambes des athlètes ? On se rappelle la réflexion de ce neurologue russe, venu, du temps de Staline, à un congrès où un savant occidental avait évoqué le cas de

Thérèse Neumann, la fameuse mystique allemande qui vivait depuis trente ans sans prendre de nourriture : « Dans mon pays, on aurait guéri depuis longtemps cette malheureuse. » Sans doute ! mais s'il est avéré qu'une « malheureuse » privée de nourriture depuis trente ans se porte comme le Pont-Neuf et enterre l'un après l'autre ses médecins, vaut-il mieux la guérir au plus tôt de cette horrible infirmité ou bien étudier un peu la façon dont elle s'y prend ?

Les médecins soviétiques, remarquons-le, ont fait bien des progrès depuis, eux qui ne craignent pas de compromettre leurs instituts académiques dans l'étude de la suggestion télépathique et de la vision dactyloptique [1].

L'emploi de la méthode scientifique

Si ces faits de mauvaise réputation sont exclus, balayés, effacés de la conscience psychologique de notre siècle, ce n'est nullement en raison de leur rareté ni de la difficulté de les observer, mais bien parce que nos mécanismes mentaux, fruits apparents d'une méthode qui a fait ses preuves et qui donc s'impose à notre respect, la méthode scientifique, ne leur ménagent aucune place dans notre pensée. Loin d'être rares, loin de se refuser à l'observation, les phénomènes qu'étudient les parapsychologues apparaissent en toute clarté si on leur accorde quelque attention : il suffit par exemple d'enregistrer ses rêves un mois d'affilée pour que l'effet Dunne, concernant les rêves paranormaux, se manifeste de façon convaincante. Seulement ces faits si faciles à mettre en évidence par la méthode scientifique n'ont aucune place dans le système philosophique implicitement répandu dans la psychologie contemporaine. Pourtant, l'inévitable et depuis toujours prévisible entrée de la réflexion scientifique dans ce que l'on appelle l'irrationnel est aujourd'hui en train de s'effectuer. Certaines choses, croyait-on, étaient impossibles, absurdes, contraires à la raison. En demeurant fidèle à la méthode scientifique, c'est-à-dire à l'observation objective, on voit en dépit de tout surgir certains de ces phénomènes impossibles.

Mais alors comment expliquer que notre époque pétrie de science et de technique soit si rebelle aux « certitudes irrationnelles [2] » ? En d'autres termes : d'où notre temps tient-il cette philosophie oblité-

---

1. Perception des couleurs ou des caractères de journaux, de partitions musicales ou d'images par les doigts. Voir *La Vision parapsychologique des couleurs*, Yvonne Duplessis, éditions de l'Epi, 1974.
2. Voir le livre du docteur A. Cuénot, *Les Certitudes irrationnelles* (éditions Planète, 1967), qui est consacré à la recherche d'une nouvelle conception du monde incluant le paranormal.

rante que, par un comble d'absurdité, il va jusqu'à identifier avec la Science elle-même ? Il y a là, on doit l'avouer, quelque chose de confondant.

Le même Einstein qui, dans un raisonnement célèbre (le Paradoxe d'Einstein), *montrait que l'on peut déduire des lois les mieux assurées de la physique quantique la possibilité pour une particule de se trouver simultanément en deux points différents de l'espace ou encore de se trouver et de ne pas se trouver, à la fois et sous le même rapport, en un même point donné, ce même Einstein déclarait à un physicien de mes amis qui était son voisin à Princeton : « La parapsychologie est impossible, c'est une insulte à la raison et les phénomènes qu'elle prétend étudier ne peuvent pas exister. »*

Einstein ne s'était jamais demandé si la pensée peut exister, si la conscience d'être peut exister.

Notre époque se retrouve à l'égard des faits paranormaux exactement dans la même situation psychologique que les savants d'il y a trois siècles ont connue à l'égard de la physique (celle de Galilée, Pascal et Newton). Quand le père Kircher, ayant pointé une lunette à objectif fumé vers le soleil, découvrit que l'astre divinisé ouvertement par tant de religions et inconsciemment par tant de systèmes philosophiques était en réalité largement maculé de taches noires, un savant éminent invité à jeter un coup d'œil dans l'oculaire refusa en haussant les épaules :

— Nettoyez votre instrument ou faites-vous soigner les yeux, dit-il d'un ton méprisant. J'ai lu attentivement tout Aristote et n'y ai jamais rien vu de tel. Des taches sur le soleil, c'est impossible.

C'était impossible dans le système de pensée tiré de la science d'Aristote et que les épigones de ce dernier identifiaient à la science tout court. Il serait temps de découvrir que tous les systèmes de pensée sont en réalité des systèmes pour éviter de penser.

— Ah, mais pardon, rétorque-t-on généralement à ces considérations, ce n'est pas du tout la même chose. La physique moderne est fondée sur des principes démontrés par mille et mille expériences. Toutes les expériences et observations nouvelles viennent s'insérer docilement dans le cadre déduit de ces principes, que vos prétendus faits viennent, eux, contredire. Quel accueil voulez-vous que nous leur fassions ? S'ils contredisent des principes si bien prouvés, c'est qu'ils n'existent pas, c'est qu'ils résultent tout simplement d'observations mal faites et d'expériences boiteuses.

On remarquera tout d'abord que l'interlocuteur du père Kircher ne disait pas autre chose. Aristote et ses principes étaient démontrés par tout ce qu'on savait à l'époque, à l'exclusion bien entendu de quelques allégations suspectes telles que l'existence prétendue de satellites au tour de Jupiter, les taches du soleil, etc. Nous savons mainte-

nant que ces quelques faits-là étaient d'une importance fondamentale. Nous le savons depuis qu'on a déduit un nouveau système du monde, une nouvelle cohérence bien confortable à l'esprit, apprise dès l'enfance et qui explique tout. Mais au XVIIe siècle, les satellites de Jupiter et les taches du soleil, cela n'avait aucune importance. C'étaient pour les tenants d'Aristote et de Ptolémée de petits détails sans portée, à supposer même qu'on les admette, ce qui n'était pas nécessaire.

De plus, les Diafoirus qui vont répétant leur leçon apprise à l'école sur l'admirable cohérence de la science moderne sont des ignorants.

Si l'on avait trouvé une cohérence entre la théorie des quanta et celle de la relativité, cela se saurait, depuis le temps qu'on la cherche. Si vous savez comment déduire ces deux théories l'une de l'autre, ne vous gênez pas, ô mes maîtres. Hâtez-vous d'éclairer notre lanterne.

Depuis qu'Einstein lui-même s'y est en vain échiné sa vie durant, nous avons failli attendre. Et le jury du Prix Nobel de physique n'est pas plus avancé que nous, qui tient en réserve des tombereaux de récompenses pour le génie capable d'opérer enfin la science de cette tumeur. Sur les relations existant entre les diverses interactions nucléaires, sommes-nous plus avancés ? N'est-il pas étrange que ces problèmes, et surtout le premier qui est un problème théorique fondamental, résistent depuis si longtemps à la patience, à la sagacité, à l'imagination créatrice de tant d'esprits éminents ?

Si, c'est étrange. Tout se passe comme si la solution n'existait dans aucune des directions où on l'a cherchée, encore qu'on l'ait cherchée dans toutes les directions. C'est pourquoi je me risque à émettre ce pronostic scandaleux : on ne la trouvera qu'en mettant en cause l'un de ces principes sacrés « démontrés par toutes les observations faites à ce jour », à l'exception, bien entendu, des observations que l'on refuse de faire parce qu'elles contrediraient le principe. En d'autres termes, je m'avance à prédire que le jour où le physicien génial attendu comme un messie par le jury Nobel parviendra à déduire les quanta de la relativité ou inversement, on découvrira du même coup que l'une ou l'autre de ces « certitudes irrationnelles » actuellement rejetées avec mépris par les Diafoirus de l'Edifice cohérent n'étaient après tout pas si irrationnelles que cela. Car enfin, si l'on ne trouve rien bien qu'on ait cherché partout, n'est-ce pas que ce partout-là exclut quelques coins d'où l'on détourne les yeux avec horreur ?

Une science de l'homme total

Et puisque nous en sommes aux prophéties, soyons encore plus abominables. Parions que cette découverte tant attendue permettra de faire avec des appareils, en laboratoire, ce qu'une jeune malade du docteur Cuénot faisait dans la clinique d'Arcachon : des poltergeists, *des transports d'objets sans contact, de l'antigravitation, horreur ! Tope-là ? Tope-là, pari tenu. De toute façon, même s'il se révèle un jour que nous avons gagné, n'espérons pas trop que l'on tressera des fleurs au docteur Cuénot pour avoir eu le courage de regarder là où il ne fallait pas « parce que des taches sur le soleil, c'est impossible » ; on dira que « ce n'est pas la même chose ».*

Il y a quelques années, le professeur Rocard publiait un livre[1] *dans lequel, épurant enfin le signal du sourcier de toute magie, il en donnait l'explication par un effet classique d'électromagnétisme et le reproduisait en laboratoire. Les Diafoirus de l'Edifice cohérent clamèrent que ce livre était un attentat à la raison et la reproduction du signal en laboratoire une expérience mal faite. Rocard refit l'expérience en se conformant aux exigences présentées et eut la satisfaction de constater qu'ainsi améliorée, elle marchait à cent pour cent ; il convia ses réfutateurs à la refaire eux-mêmes dans son laboratoire, baguette de coudrier en main. Ce dont ils se gardèrent comme du diable, bien entendu : la prudence scientifique a de ces formes, parfois !*

Du point de vue expérimental, on en est donc toujours là en 1976 : refaite par Rocard, l'expérience marche à cent pour cent. On n'en saura jamais plus. Est-ce à dire que ce résultat est désormais admis par ceux qui d'abord le rejetaient ? Non. Ils continuent de le rejeter. Pourquoi ? Un éminent physiologiste du Collège de France m'en donna un jour la raison :

« L'expérience de Rocard est sans doute irréprochable du point de vue physique : Rocard est un grand physicien, tout le monde sait cela. Mais il y a le sujet de l'expérience avec sa baguette de coudrier et cela, ce n'est pas de la physique, c'est de la physiologie. Or, les résultats de Rocard sont impossibles du point de vue physiologique : il n'existe aucun sens qui décèle les variations du gradient magnétique.

— Ce n'est peut-être pas un « sens » ? Il s'agit peut-être d'un réflexe nerveux ? d'un phénomène très banal, mais jamais enregistré de cette façon ?

— Laissez la physiologie aux physiologistes, nous ne nous mêlons pas de physique. »

On n'est donc pas près de savoir s'il y a des taches sur le soleil de la physiologie française. Si Rocard veut s'instruire, il n'a qu'à relire son Aristote...

Il est banal, aujourd'hui, de constater que la science est organisée

1. Yves Rocard, *le Signal du sourcier*, Dunod.

*comme les souks de Tunis ou de Damas en une multitude de bouti-
ques rangées, certes, côte à côte dans un même labyrinthe mais
dont chaque marchand se fait une gloire d'ignorer ce qui se passe
à côté. On a en tête le plan du labyrinthe (ou l'on croit l'avoir) et
cela suffit. Que ce plan ait été dressé voilà un siècle par un illuminé
du nom d'Auguste Comte, qu'il ait été mille fois remanié depuis,
que des terroristes comme Planck, Heisenberg, Von Neuman ou
Wiener l'aient farci de bombes et de chausse-trapes, peu importe,
cela ne nous regarde pas ; on s'en tient à la parole du Prophète, et
inch'Allah ! Il existe un moyen infaillible de ne pas s'y perdre, c'est
de ne jamais le visiter : moi, je vends de la physiologie, ce qui se
vend à côté ne me regarde pas ; si mon mur se lézarde, c'est la
faute à l'infidèle (qu'il crève, ce chien), et si mon voisin glisse la
main dans la fente, je la coupe avec mon grand sabre. Touchez pas
au grisbi, comme dit Francis Blanche.*

*Fort bien. Mais le client lui, quelle recette lui conseillez-vous pour
s'en sortir ? Et le client, messieurs, il serait bon qu'enfin vous en
preniez conscience dans un siècle de plus en plus dominé par la
science et la technique : c'est tout le monde. Ce n'est pas seulement
le sous-développé mental à la recherche du dernier gadget, c'est
d'abord et surtout l'homme de réflexion, l'intellectuel, le philosophe,
l'honnête homme désireux de comprendre son aventure avant de
mourir. Que nous laissions la physiologie aux physiologistes ? En
tant que recherche, parbleu, personne ne contestera cette règle. Mais
vous n'êtes pas que des chercheurs. Par vos découvertes, vous êtes
les ouvriers de notre destin quotidien. Nous ingurgitons vos drogues
sur ordonnance des médecins que vous formez. Et encore, cela n'est
rien. Pour notre corps, nous vous faisons volontiers confiance. Mais
pour notre esprit, permettez que nous discutions un peu. Quand
Einstein, du haut de son génie de physicien, vaticine que les phénomènes étudiés par les parapsychologues n'existent pas et ne peuvent pas exister, nous cherchons à la loupe quelle est son autorité
en la matière et ne voyons rien. Il faut être logique : si la règle est
de laisser la physiologie aux physiologistes, souffrez que pour les
questions ne relevant pas de votre compétence, nous cherchions
nous-mêmes notre chemin dans ce labyrinthe où nous sommes tous,
vous et nous, également perdus, et qui a nom la Condition humaine.
Il n'existe pas encore de science de l'homme total. Nous ne savons
même pas s'il existe un homme total. Entre toutes les hypothèses
possibles sur notre avenir, la moins folle et la plus invraisemblable
est que cet avenir est illimité et que nous n'avons qu'à peine commencé notre propre exploration. Les extraordinaires réussites du
génie humain auxquelles nous assistons présentement nous donnent
de nous-mêmes l'image d'un enfant qui vient de découvrir un jouet*

neuf. Et ce jouet, c'est nous-mêmes qui, en jouant avec nos petites cellules grises, découvrons les clés de la puissance et du savoir ; nous conquérons la Lune ; nous transformons notre planète. Que nous ayons tiré tout cela de nous-mêmes ne prouve-t-il pas que nous sommes nous-mêmes encore à découvrir ? Léonard n'en aura jamais fini de scruter le sourire de Mona Lisa. L'humanité est une éternelle Joconde ; et nous devrons toujours, pour accéder aux certitudes nouvelles, accorder aux meilleurs d'entre nous la liberté de préparer notre voie dans le crépuscule du matin.

Aimé Michel

PREMIÈRE PARTIE

Le génie
et
ses formes
mineures

Henri Mondeux, calculateur prodige étudié par l'Académie des Sciences au XIXe siècle.

Chapitre premier

Les calculateurs prodiges

Le génie est une aptitude extraordinaire à créer. Il existe différentes sortes de génie. Celui consistant à manier des chiffres est spectaculaire ; ce n'est cependant pas un génie mathématique.

Le calculateur prodige ne découvre pas de théorèmes nouveaux. Il invente des réponses de façon immédiate à des problèmes d'arithmétique ou d'algèbre dont la complexité est fabuleuse, mais pas originale.

Et lorsqu'il explique le procédé qu'il a employé, généralement insolite, nul autre que lui ne peut s'en servir. Son génie est d'explorer une dimension de l'esprit où les chiffres n'ont pas la signification qu'on leur prête ordinairement, et où les rapports entre eux échappent parfois à toute logique.

Le problème posé est psychologique. Il relève de la psychologie de la création dans son aspect paranormal, celui le plus méconnu.

Bien que ce génie ait la particularité de ne pas être fécond au sens strict pour enrichir la connaissance ou l'art à la manière d'un Einstein ou d'un Mozart, son étude offre la possibilité d'une compréhension plus juste, mais fantastique, de tout mécanisme créateur.

Les calculateurs prodiges ont, de tout temps, attiré l'attention du public, surtout quand ils étaient illettrés, par leurs extraordinaires capacités de calcul. Ils résolvent, en effet, mentalement, parfois instantanément, et apparemment sans efforts, des problèmes souvent très compliqués que la plupart d'entre nous, et même des mathématiciens habitués à jongler avec les chiffres, ne pourraient résoudre que la plume à la main et pendant un temps beaucoup plus long, sans être toujours certains de réussir. Quelques-uns même, lorsque le problème est posé, s'entretiennent librement avec l'assistance, parlent de choses quelconques, complètement étrangères à la question qui les occupe, puis, brusquement, comme si un mécanisme cérébral avait fonctionné en eux à leur insu, donnent la solution cherchée.

Un certain nombre de calculateurs prodiges, et c'est là un fait qu'il convient de souligner immédiatement, sont d'intelligence médiocre en dehors de la faculté qu'ils ont de manier les chiffres avec une extraordinaire virtuosité ; ce sont même quelquefois des arriérés mentaux. Ainsi, Colburn fut toujours le dernier de sa classe, Buxton ne sut même pas écrire son nom et Inaudi ne put apprendre à lire et à écrire que vers l'âge de vingt ans. On connaît cependant des hommes qui s'instruisirent normalement et même des génies qui furent d'étonnants calculateurs : Ampère, Arago, Georges Bidder, Whateley, Gauss, par exemple.

Illettrés et calculateurs prodiges d'autrefois

Parmi les prodiges inintelligents, ou n'ayant reçu qu'une très médiocre instruction, rappelons ceux qui eurent autrefois le plus de renommée, avant d'examiner, avec quelque détail, les calculateurs contemporains.

L'auteur grec Julien signale qu'un certain Nikomachos, qui vivait au IIe siècle de notre ère à Gerasa, en Palestine, donnait, très rapidement, la solution de problèmes difficiles.

Balthasar de Monconys rapporte, dans la relation de son troisième voyage en Italie, qu'en 1664, Mathieu Le Coq, alors âgé de huit ans, faisait, depuis deux ans, sans savoir lire ni écrire, d'étonnantes opérations arithmétiques telles que multiplications à cinq ou six chiffres, extractions de racines carrées et cubiques.

Thomas Fuller, surnommé le calculateur de Virginie, ou le calculateur nègre, était totalement ignorant. Esclave dans la Virginie, au milieu du XVIIIe siècle, il ne savait ni lire ni écrire, et il mourut, à quatre-vingts ans, sans avoir jamais appris. A son sujet, Scripture rapporte l'anecdote suivante dans *American Journal of Psychology* :

« Alors que Fuller avait environ soixante-dix ans, deux gentlemen de Pensylvanie, William Hartshorne et Samuel Coates, hommes dignes de toute confiance, ayant entendu parler du calculateur, eurent la curiosité de le faire venir devant eux et lui posèrent les problèmes suivants : D'abord, combien y a-t-il de secondes dans une année et demie ? Fuller répondit, en deux minutes, qu'il y a 47 340 000 secondes. En second lieu, combien de secondes a vécu un homme qui a soixante-dix ans, dix-sept jours et douze heures ? Fuller répondit, en une minute et demie, 2 210 800 800. Un des messieurs qui l'examinait avait pris la peine de faire le calcul, le crayon à la main, et dit à Fuller qu'il se trompait et que le nombre des secondes était moins grand. Mais Fuller lui montra, non sans vivacité, que la différence des deux résultats tenait aux années bissextiles. »

De 1702 à 1762 vécut en Angleterre Jedediah Buxton, né à Elmeton, près de Chesterfield. Pauvre ouvrier, complètement illettré, au point qu'il était incapable de griffonner son nom, d'une intelligence au-dessous de la moyenne, ce fut avec les plus grands efforts qu'il apprit la table de multiplication. C'était, d'ailleurs, la seule instruction qu'il eut reçue. En revanche, Buxton, ainsi que la plupart des calculateurs prodiges, avait une mémoire des chiffres très développée. Il connaissait, par exemple, le nombre de secondes contenues dans un jour ou dans une année. Véritable maniaque de l'arithmétique, « il ne voyait, écrit Alfred Binet, que des chiffres et des prétextes à opérations mentales, l'esprit complètement fermé pour le reste ». Lorsqu'il vint à Londres se soumettre à la Société Royale, on le mena au théâtre de Drury-Lane, pour lui montrer *Richard III* joué par Garrick. On lui demanda ensuite si la représentation lui avait fait plaisir : il n'y avait trouvé qu'une occasion de faire des calculs ; pendant les danses, il avait fixé son attention sur le nombre de pas exécutés : il y en avait 5 202 ; il avait également compté le nombre de mots que les acteurs avaient prononcés : 12 445 ; il avait retenu, à part, le nombre de mots dits par Garrick, et tout cela fut reconnu exact. Dans ses calculs, il ramenait toutes les longueurs à un étalon bizarre, l'épaisseur d'un cheveu, qu'il avait préalablement fixée d'une façon arbitraire.

Ce n'était pas seulement un calculateur mental de grande puissance ; il avait, en outre, le coup d'œil très juste, une sorte de pouvoir divinatoire des superficies. Lorsqu'il parcourait une contrée ou un simple morceau de terrain, il pouvait, dit-on, en donner la contenance avec autant d'exactitude que s'il les avait mesurés avec la chaîne d'arpenteur. De cette manière, il détermina en acres (mesure agraire utilisée en Angleterre et valant environ 40 ares et demi) toute l'étendue de la seigneurie d'Elmeton, et, pour sa satisfaction personnelle, calcula le résultat en pouces carrés et même en carrés ayant l'épaisseur d'un cheveu.

Henri Mondeux et les carrés

Henri Mondeux eut une grande célébrité. Né en 1826 à Neuvy-le-Roi, près de Tours, il était le fils d'un pauvre bûcheron. Tout jeune, à l'âge de sept ans, alors qu'il ne savait ni lire ni écrire, il s'amusait, tout en gardant les moutons, à faire de vertigineux calculs. Ignorant les chiffres, il comptait avec de petits cailloux disposés de différentes façons. On parla de lui à un instituteur de Tours, M. Jacoby, qui essaya de l'instruire, mais sans aucun succès.

Finalement, il le conduisit à Paris et le présenta à l'Académie des Sciences. Une commission d'examen fut nommée, où l'on trouvait Arago, Serres, Sturm, Liouville et Cauchy.

On reconnut que l'enfant présentait d'extraordinaires facultés de calculateur mental, une mémoire prodigieuse des nombres, mais une absence quasi totale de mémoire pour les noms de lieux et de personnes, ainsi que pour les noms des objets qui ne retenaient pas son attention. On vit également que, tout en résolvant un problème, il pouvait se livrer à d'autres occupations. Enfin, la commission mit à jour les méthodes de calcul qu'il avait lui-même inventées. Elles nous sont données dans le rapport de Cauchy d'où nous extrayons les passages suivants :

« Dans beaucoup de cas, Henri Mondeux imagine des procédés quelquefois remarquables pour résoudre une multitude de questions diverses que l'on traite ordinairement par l'algèbre et détermine à sa manière les valeurs exactes ou approchées des nombres entiers ou fractionnaires qui doivent remplir les conditions indiquées. Quand il s'agit de multiplier l'un par l'autre des nombres entiers, Henri Mondeux partage souvent ces nombres en tranches de deux chiffres. Il est arrivé, de lui-même, à reconnaître que, dans le cas où les facteurs sont égaux, l'opération devient plus simple, et les règles qu'il emploie alors pour former le produit ou la puissance demandés sont précisément celles que donnerait la formule connue sous le nom de binôme de Newton. Guidé par ces règles, il peut énoncer, à l'instant même où on les demande, les carrés et les cubes d'une multitude de nombres, par exemple le carré de 1 204 ou le cube de 1 006. Comme il sait à peu près par cœur les carrés de tous les nombres entiers inférieurs à 100, le partage des nombres plus considérables en tranches de deux chiffres lui permet d'obtenir plus facilement leurs carrés. C'est ainsi qu'il est parvenu, en présence de l'Académie, à former presque immédiatement le carré de 755. Henri est parvenu à retrouver seul le procédé connu qui donne la somme d'une progression arithmétique. Plusieurs des règles qu'il a imaginées pour résoudre différents problèmes sont celles qui se déduisent de certaines formules algébriques. On peut citer comme exemple les règles qu'il a obtenues pour calculer la somme des cubes, des quatrièmes et même des cinquièmes puissances des nombres naturels. Pour résoudre deux équations simultanées du premier degré, Henri a eu recours à un artifice qui mérite d'être signalé. Il a cherché d'abord la différence des inconnues et, pour y parvenir, il a soustrait les deux équations l'une de l'autre, après avoir multiplié la première par le rapport qui existe entre les sommes formées successivement pour l'une et pour l'autre avec les coefficients des deux inconnues.

« S'agit-il de résoudre, non plus des équations simultanées du premier degré, mais une seule équation d'un degré supérieure au premier, Henri emploie habituellement un procédé que nous allons expliquer par un exemple. Nous avons proposé à Henri le problème dont voici l'énoncé : Trouver un nombre tel que son cube, augmenté de 84, fournisse une somme égale au produit de ce nombre par 37. Henri a donné, comme solution du problème, les nombres 3 et 4. Pour les obtenir, il a commencé par transformer l'équation qu'il s'agissait de résoudre, en divisant les deux nombres par le nombre cherché. Alors la question proposée s'est réduite à la suivante : trouver un nombre tel que son carré, augmenté du quotient que l'on obtient en divisant 84 par ce nombre, donne 37 pour somme. A l'aide de la transformation que nous venons de rappeler, Henri Mondeux a pu immédiatement reconnaître que le nombre cherché était inférieur à la racine carrée de 37, par conséquent à 6 ; et bientôt, quelques faciles essais l'ont amené aux deux nombres que nous avons indiqués.

« Les questions d'analyse indéterminée ne sont pas au-dessus de la portée de Henri Mondeux. L'un de nous lui a demandé deux carrés dont la différence fût 133. Il a donné immédiatement comme solution le système des nombres 66 et 67. On a insisté pour obtenir une solution plus simple. Après un moment de réflexion, il a indiqué les nombres 6 et 13.

« Voici de quelle manière Henri avait procédé pour arriver à l'une et l'autre solution. La différence entre les carrés des nombres cherchés surpasse le carré de leur différence d'une quantité égale au double de cette différence multiplié par le plus petit. La question proposée peut donc être ramenée à la suivante : soustraire du nombre 133 un carré tel que le reste soit divisible par le double de la racine. Si l'on essaye, l'un après l'autre, les carrés 1, 4, 9, 16, 25, 36, 49..., on reconnaîtra que, parmi ces carrés, 1 et 49 sont les seuls qui satisfassent à la nouvelle question. En les retranchant de 133, et divisant les restes 132 et 84 par les racines doublées, c'est-à-dire par 2 et par 14, on obtient pour quotients les nombres 66 et 6, dont chacun répond à l'une des solutions données par Henri Mondeux. On conçoit d'ailleurs qu'en suivant la marche que nous venons de rappeler, Henri n'a pas rencontré d'abord celle des deux solutions qui nous paraît la plus simple, mais celle qui offre les carrés dont les racines sont plus rapprochées l'une de l'autre. »

Cauchy termine son rapport en exprimant l'espoir que Henri Mondeux se distinguera un jour dans la carrière des sciences, mais, malgré ce vœu optimiste, le calculateur prodige mourut dans l'obscurité.

Un montreur de marmotte : Jacques Inaudi

Nous en venons maintenant au plus connu, au plus populaire des calculateurs prodiges contemporains : Jacques Inaudi.

Jacques Inaudi est né d'une famille très pauvre, en 1867, à Onorato, dans le Piémont. Il était pâtre lorsque, vers l'âge de six ans, il fut pris par la passion des chiffres. Tout en gardant son troupeau, il combinait des nombres dans son esprit, de sorte qu'à sept ans il était déjà capable d'exécuter de tête des multiplications de cinq chiffres. Et cependant il ne connaissait pas la table de multiplication ! Ayant perdu sa mère, il abandonna le pays et partit à l'aventure avec son frère, montreur de marmotte. Le frère jouait de l'orgue, Jacques exhibait la marmotte et tendait la main. De plus, il proposait aux badauds des opérations de calcul mental auxquelles ils ne comprenaient vraisemblablement rien. Sur les marchés, il aidait les paysans à faire leurs comptes : « En réalité, écrit-il, j'étais très étonné que ces hommes, généralement très malins, ne connussent pas d'une façon naturelle le résultat de leur compte que je connaissais moi-même, presque instantanément, rien qu'en les écoutant, ce qui me donna la hardiesse, un jour, de prendre part à une discussion de règlement de comptes entre deux paysans prêts à en venir aux mains et que je ramenai au calme après leur avoir démontré qu'ils se trompaient tous les deux ; cette altercation n'avait pas été sans attirer la foule, qui fut très étonnée qu'un petit bout d'homme sût mieux compter que les grands. Les plus forts en calcul me posèrent différentes questions auxquelles je répondis juste et très facilement, restant toujours étonné que l'on pût ignorer ces résultats qui semblaient si naturels. Par la suite, les paysans venaient me chercher dès que surgissait une difficulté. »

Bientôt, Inaudi se produisit dans les cafés, où il fut remarqué par un voyageur de commerce, M. Dombey, qui, devenant son imprésario, l'emmena faire des tournées en province, puis à Paris. Là, il attira l'attention de Camille Flammarion, qui lui consacra quelques articles en diverses revues scientifiques. Le célèbre anthropologiste Paul Broca l'examina à son tour et rédigea sur son cas une courte note. Broca constata que la tête de Jacques Inaudi était très volumineuse et très irrégulière. Le jeune prodige donna ensuite des séances à la salle des Capucines, puis au théâtre Robert-Houdin. Il était alors âgé de treize ans.

C'est en 1892 qu'il revient à Paris ; il a appris à lire et à écrire et son intelligence s'est quelque peu développée. C'est un jeune homme de vingt-quatre ans ; il est petit (1,52 m) et ramassé, la tête est forte, les yeux sont légèrement bridés, l'angle facial est très développé, presque droit. D'après Binet, il a un caractère doux et modeste,

Inaudi était pâtre lorsque la passion des chiffres le prit à six ans, avant de savoir la table de multiplication (affiche de 1878).

parle peu et garde une attitude plutôt réservée. Son instruction n'est pas encore bien grande ; aussi ses sujets de conversation restent-ils assez limités.

Son imprésario, qui est alors M. Thorcey, le présente à l'Académie des sciences, laquelle nomme une commission chargée d'étudier le calculateur. Elle comprend MM. Darboux, Poincaré, Tisserant et Charcot. Alfred Binet en fait ensuite partie. Après d'innombrables expériences, la commission, par la plume de M. Darboux, donne ses conclusions.

Le spécialiste de la soustraction

« Signalons tout d'abord, écrit Darboux, que les résultats dont nous avons été témoins reposent avant tout sur une mémoire prodigieuse. A la fin d'une séance donnée aux élèves de nos lycées, Inaudi a répété une série de nombres comprenant plus de 400 chiffres. Dans une de nos réunions, nous avons donné à Inaudi un nombre de 22 chiffres. Huit jours après, il pouvait nous le répéter, bien que nous ne l'eussions pas prévenu que nous le lui demanderions de nouveau. Un second point, qui me paraît des plus importants, a été laissé de côté par la plupart des personnes qui l'ont examiné. On a analysé avec soin les procédés, à coup sûr très simples, qu'emploie Inaudi pour exécuter les différentes opérations ; mais on n'a pas assez remarqué un fait qui est de toute évidence : c'est que ces procédés ont été imaginés par le calculateur lui-même, *qu'ils sont tout à fait originaux*. Et, ce qu'il y a d'intéressant, c'est que ces règles diffèrent de celles qui sont enseignées partout en Europe, tandis que quelques-unes se rapprochent, à certains égards, de celles qui sont suivies chez les Hindous, par exemple. C'est ce que mettra en évidence l'exposé suivant :

« *Addition*. — Inaudi ajoute facilement 6 nombres de 4 ou 5 chiffres ; mais il procède successivement, ajoutant les deux premiers, puis la somme, au suivant, et ainsi de suite. Il *commence toujours l'addition par la gauche*, comme le font aujourd'hui les Hindous, au lieu de la commencer par la droite comme nous.

« *Soustraction*. — C'est un des triomphes d'Inaudi. Il soustrait facilement l'un de l'autre deux nombres d'une vingtaine de chiffres, *en commençant encore par la gauche*.

« *Multiplication*. — Les procédés sont tous élémentaires, mais ils exigent la mémoire d'Inaudi. Par exemple, pour multiplier 834 par 36, il fait les décompositions suivantes :

$$800 \times 30 = 24\,000$$
$$800 \times 6 = 4\,800$$
$$30 \times 36 = 1\,080$$
$$4 \times 36 = 144$$

Total : 30 024

« Dans toutes ces multiplications partielles, un des facteurs n'a jamais qu'un chiffre significatif. Cependant, Inaudi connaît et emploie la propriété du facteur 25 ; il sait que pour multiplier par ce nombre il suffit de prendre le quart du centuple. Par exemple, pour le carré de 27, il fera la décomposition suivante :

$$25 \times 27 = 675$$
$$2 \times 27 = 54$$

Total : 729

« Quelquefois il emploie des produits partiels affectés du signe —. Par exemple, pour le cube de 27, c'est-à-dire le produit de 729 par 27, il effectuera la décomposition :

$$700 \times 20 \,;\, 700 \times 7 \,;\, 30 \times 20 \,;\, 30 \times 7$$
$$\text{ou } 730 \times 27 = 19\,710 - 27 = 19\,683$$

« *Division.* — Ici, Inaudi suit, au fond, la règle ordinaire, qui ramène la division à une soustraction, mais en employant quelquefois les simplifications que lui permet sa mémoire, à laquelle il faut toujours revenir.

« *Elévation aux puissances.* — Pour l'élévation aux puissances, Inaudi connaît et applique la règle relative au carré d'une somme. Par exemple, pour le carré de 234 567, il emploie la décomposition :

$$234\,000^2 + 2 \times 234\,000 \times 567 + 567^2$$

D'autre part (ce que ne signale évidemment pas le rapport Darboux), Inaudi, alors qu'il était âgé de quatre-vingt-un ans, a découvert, en 1948, une loi générale qu'il énonça en ces termes :
« Pour connaître, par exemple, la somme des 25 premiers cubes, je multiplie 25 par 26 et j'obtiens 650. Je divise le résultat par 2, ce qui fait 325, et j'élève au carré, ce qui donne le nombre cherché : 105 625. » Ainsi Inaudi a retrouvé, d'une façon empirique, la formule qui donne la somme des cubes des *n* premiers nombres entiers et qui s'écrit :

$$S = \left(\frac{n(n+1)}{2} \right)^2$$

31

Henri Mondeux avait également imaginé le procédé.

« *Extraction des racines.* — Ici, aucune règle n'est suivie, il n'y a que de simples tâtonnements. Par exemple, pour trouver une racine qui est 14 672, Inaudi aura essayé 14 000 et 15 000, puis 14 600, puis 14 650, 14 660, 14 670... et, chaque fois, la puissance du nombre essayé aura été retranchée du nombre supérieur.

« Inaudi résout également des questions d'arithmétique et d'algèbre difficiles dont la solution est fournie par des nombres entiers. »

Inaudi calculait avec une rapidité surprenante. Aussi, en 1924, Maurice d'Ocagne eut l'idée d'organiser, à la Société des Ingénieurs civils, un concours opposant le calculateur aux machines à calculer de l'époque. Inaudi fut vainqueur de la machine dans les additions, les soustractions, les élévations de puissances, les extractions de racines et dans la plupart des multiplications. C'est à partir des multiplications de cinq chiffres que la machine se révéla plus agile que l'homme. Dans les autres cas, Inaudi avait déjà donné le résultat de l'opération alors que la machine n'avait pas fini d'en inscrire les facteurs. Au surplus, comme la plupart des calculateurs prodiges, Inaudi donnait quasi instantanément, ce que ne pouvait faire la machine, le jour correspondant à une date quelconque. Il lui fallait, en moyenne, une à deux secondes pour fournir la réponse, mais, comme nous le verrons, il existe des procédés simplificateurs permettant de résoudre très rapidement ce petit problème, et il est vraisemblable qu'Inaudi les employait.

Alfred Binet, qui a étudié Inaudi au point de vue psychologique, a montré que le calculateur était essentiellement un « auditif » et que sa mémoire était très spécialisée. Alors qu'il avait la faculté de retenir des centaines de chiffres, il était incapable de répéter plus de cinq à six lettres énoncées dans un ordre quelconque : *a, r, g, f, s, m, t, u,* par exemple. Il présentait la même impuissance pour réciter deux lignes de vers ou de prose. En revanche, il lui était possible de soutenir une conversation, de répondre avec esprit et à-propos à une série de questions, pendant qu'il résolvait de tête un problème compliqué.

Périclès Diamandi, ou la lecture sur tableau noir

Le calculateur prodige Périclès Diamandi, qui fut le contemporain d'Inaudi, n'appartient pas au groupe des calculateurs d'intelligence médiocre ou n'ayant reçu qu'une très faible instruction. C'était, au contraire, un homme des plus cultivés, mais, comme il fut longuement étudié par Alfred Binet et qu'il chercha à se mesurer avec Inaudi, nous le signalons à la suite de ce dernier.

Diamandi, né en 1868 à Pylaros, dans les îles Ioniennes, appartenait à une famille de commerçants en grains. Pendant tout le temps de ses études, il fut constamment le premier en mathématiques. En 1884, il quitta l'école et commença à faire le commerce des grains. C'est à ce moment qu'il s'aperçut qu'il possédait des facultés exceptionnelles pour le calcul mental. Il les cultiva et découvrit des brocédés de simplification. En même temps, il apprit le roumain, le français, l'allemand, l'anglais et deux autres langues secondaires, versifia et écrivit des romans. Ayant lu un jour par hasard dans un journal le compte rendu d'une séance d'Inaudi, il fut pris d'un sentiment d'émulation et donna des séances de calcul mental en Grèce, en Roumanie, puis vint à Paris en 1893, afin de se mesurer avec Inaudi ; mais, pour des raisons diverses, la rencontre n'eut pas lieu. Diamandi se fit bientôt présenter à l'Académie des sciences, où il désirait montrer ses aptitudes de calculateur mental. L'Académie confia l'examen du jeune homme à la commission qui avait été chargée d'étudier Inaudi. Des expériences furent faites, à la suite desquelles le professeur Charcot publia sur Diamandi une substantielle étude dans *la Revue philosophique*.

Plus tard, Alfred Binet, directeur adjoint du Laboratoire de Psychologie physiologique des Hautes Etudes, reprit et compléta le travail du professeur Charcot et fit également paraître, dans la revue précitée, le résultat de ses investigations. Elles montrent essentiellement que Diamandi possédait à peu près les mêmes capacités qu'Inaudi, mais que sa mémoire était « visuelle », alors que celle d'Inaudi, ainsi que nous l'avons vu, était « auditive ». Diamandi « voyait » les chiffres dans sa tête, au-devant des lobes frontaux, comme s'ils avaient été écrits sur un écran. Ils y demeuraient en quelque sorte fixés jusqu'à ce que, par un effort de volonté, il les obligeât à s'effacer. Lorsque, au lieu de voir les chiffres, il les entendait, il devait, avant de commencer les calculs proposés, opérer une sorte de transposition de l'image auditive en image visuelle. Diamandi demandait donc que, de préférence, on inscrivît sur une feuille de papier ou sur un tableau noir les nombres sur lesquels porteraient les expériences. Par exemple, il priait l'un des assistants d'écrire sur un tableau noir cinq nombres quelconques de cinq chiffres :

$$49357$$
$$80246$$
$$95314$$
$$27695$$
$$76232$$

Il les regardait pendant quelques secondes, puis, de souvenir, il les récapitulait, à volonté, de bas en haut, de haut en bas, de gauche à droite, de droite à gauche, en diagonale, ou dans tel autre sens que l'on désirait. On avait vraiment la sensation que ces chiffres étaient photographiés dans sa mémoire et qu'il les lisait en lui-même avec la même facilité qu'on pouvait les lire au tableau noir. Il expliquait d'ailleurs que c'était bien ainsi que les choses se passaient, en ajoutant, toutefois, qu'il voyait intérieurement les chiffres en noir s'ils étaient écrits en blanc, et en blanc si on les avait tracés en noir.

Comme Inaudi, Diamandi effectuait très rapidement des opérations arithmétiques. On lui proposait, par exemple, la multiplication d'un nombre de quinze chiffres par un nombre de quatre chiffres. Au bout d'une demi-minute, il dictait le résultat. Il mettait à peu près deux minutes pour extraire la racine carrée d'un nombre de dix chiffres. A la fin des séances, il récapitulait de mémoire les chiffres concernant les opérations qu'il venait de faire et qui étaient tracés au tableau noir, d'abord dans leur ordre naturel, ensuite dans l'ordre contraire, sans hésitation, sans erreur, avec une rapidité telle qu'on pouvait à peine le suivre et qu'à plusieurs reprises on devait le prier de répéter, tant son œil intérieur devançait le regard normal des assistants.

Un choc émotif transforme Louis Fleury en calculateur prodige

Inaudi, qui, à juste titre, a été considéré pendant cinquante ans comme le géant des calculateurs prodiges, a eu, en ces dernières années, des émules dignes de lui : Louis Fleury, Mlle Osaka, Maurice Dagbert et Paul Lidoreau.

Louis Fleury, né le 21 avril 1893, près de Belfort, fut atteint, dès sa naissance, d'une double ophtalmie purulente qui le rendit complètement aveugle. Abandonné par ses parents à l'âge d'un an et demi, il fut placé par l'Assistance publique dans une famille de petits cultivateurs. A dix ans, il marchait à peine et ne savait ni se laver, ni s'habiller. On tenta de lui donner quelque instruction dans une école d'aveugles d'Arras. Il apparut que son point faible était le calcul : il apprit difficilement l'addition, la soustraction et plus difficilement encore la multiplication ; quant au mécanisme de la division, il lui fut totalement incompréhensible. A l'opposé des grands calculateurs connus, généralement précoces dans la manifestation de leur don, Fleury fut donc, en ce qui concerne l'arithmétique élémentaire, un arriéré mental.

A quinze ans, le considérant comme inéducable, l'Assistance publique le plaça dans un hospice d'incurables.

« Il y était depuis deux mois, écrit le docteur Osty qui a longuement étudié Fleury et quelques autres calculateurs prodiges, lorsqu'une soudaine et violente frayeur l'ébranla. Un homme d'une quarantaine d'années, son voisin de table, jeta un cri et se roula sur le sol, en proie au mal épileptique. Dans sa nuit d'aveugle, les secousses du malade, les exclamations des assistants prirent pour Fleury des proportions terrifiantes. Le choc émotif fut si fort qu'il en devint malade, et pour plusieurs jours. Cette première et violente frayeur hanta longtemps son esprit, à la manière d'une angoissante obsession.

« Une transformation mentale en advint. Et c'est là, peut-être, pour le psychologue, ce qu'il y a de plus intéressant dans le cas de Fleury.

« Cherchant en soi un dérivatif à son obsession, il eut l'idée de se donner le travail le plus absorbant pour lui, parce que le plus difficile. Il se mit à faire mentalement des additions, des soustractions, des multiplications, qu'il n'effectuait naguère, en écriture d'aveugle, que jusqu'à un certain degré de complexité. Miracle ! Tous les calculs essayés se résolvaient avec une aisance, une rapidité, une sûreté merveilleuses. Même la division, cette irréductible forteresse, était aussi facile que les autres opérations.

« Dès lors, le monde abstrait des chiffres fut sa véritable vie intérieure ; son esprit s'y exerçait sans effort et avec joie. Le calcul mental fut sa grande distraction, une sorte de sport, le sport intellectuel d'un homme que les circonstances et la cécité condamnaient à vivre presque tout le temps assis. Sport sans progrès véritable, car tout ce qu'il entreprenait se résolvait. Sa pratique du calcul ne fut pas, à proprement parler, une marche vers plus d'impeccabilité et plus de facilité, elle fut l'exploration de l'étendue de ses capacités de calcul.

« Et cependant qu'avait surgi, du fond de ce psychisme fonctionnellement médiocre, le don de calculer, il s'était opéré une amélioration d'ensemble. L'esprit, jusqu'alors embrumé, s'était tout entier éclairci. Cela se manifesta par un sentiment de plus d'aptitude à s'instruire et par le désir de s'instruire. »

Fleury demanda, en effet, à retourner dans une école d'aveugles, mais l'Assistance ne donna pas suite à sa requête. Il résolut alors de s'échapper à tout prix du milieu déprimant et sans avenir dans lequel il vivait, et, pour cela, simula la folie. Il fut hospitalisé à l'asile d'Armentières, et l'on reconnut bien vite qu'il n'était pas fou, mais qu'il possédait, en revanche, d'extraordinaires facultés de calculateur mental. Pour étendre le champ de ses capacités, on lui expliqua ce qu'est le carré d'un nombre et il calcula aussitôt des carrés de nombres de trois et quatre chiffres ; ensuite, on lui définit la racine carrée sans indiquer la méthode d'extraction. En quelques jours, Fleury découvrit un procédé permettant d'extraire, mentalement et sans erreur, des racines carrées de nombres de quatre chiffres. A vingt et un ans, Fleury, devenu majeur, quitta l'asile d'Armentières et fit quelques exhibitions en France ; il se rendit ensuite en Angleterre, puis aux Etats-Unis, où il donna des séances dans les écoles, les théâtres, les cirques ambulants. En 1927, il rentre en notre pays et c'est à cette époque qu'il est étudié par le docteur Osty et ses collaborateurs. Le protocole des expériences est le suivant : M. Sainte-Laguë, agrégé de mathématiques et professeur au Conservatoire national des Arts et Métiers de Paris, joue, en quelque sorte, le rôle d'examinateur. Il prépare, avant les séances, un certain nombre d'opérations à effectuer, ainsi que leurs résultats. Les énoncés sont donnés oralement à une cadence rapide ; dès qu'une réponse est fournie par Fleury, un autre problème est demandé. Le docteur Osty chronomètre les temps de calcul.

Voici quelques questions posées, les réponses et la durée du calcul mental :

Multiplier 649 par 367. Réponse : 238 183, en 10 secondes.

Diviser 20 700 par 48. Réponse : 431, reste 12, en 3 secondes.

Elever 94 à la quatrième puissance. Réponse : 78 074 896, en 15 secondes.

Elever 2 à la trentième puissance. Réponse : 1 073 741 824, en 40 secondes.

Extraire la racine carrée de 222 796. Réponse : 472, reste 12, en 12 secondes.

Extraire la racine cubique de 456 609. Réponse : 77, reste 76, en 13 secondes.

Extraire la racine cinquième de 1 935 752 415. Réponse : 72, reste 834 783, en 3 minutes 10 secondes.

Des problèmes d'un genre différent furent également proposés. Ainsi M. Sainte-Laguë fournit le total d'un nombre porté au cube et d'un autre nombre de quatre chiffres. Fleury doit donner le nombre qui a été élevé au cube, ainsi que le nombre qui a été ajouté à ce cube.

Le nombre donné est 211 717 440. Réponse : 596 au cube et 8 704, en 25 secondes.

Autre problème : Décomposer 6 137 en quatre nombres carrés parfaits. Fleury donne successivement trois réponses.

Première réponse : 5 476, carré de 74 ; 400, carré de 20 ; 225, carré de 15 ; 36, carré de 6, en 2 minutes 10 secondes.

Deuxième réponse : 6 084, carré de 78 ; 36, carré de 6 ; 16, carré de 4 ; 1, carré de 1, en 10 secondes.

Troisième réponse : 5 776, carré de 76 ; 225, carré de 15 ; 100, carré de 10 ; 36, carré de 6, en 1 minute 20 secondes.

Enfin, sur énoncé d'une date passée ou future, qu'elle appartienne au calendrier grégorien ou au calendrier julien, Fleury donne, presque instantanément, le jour de la semaine.

Quand Louis Fleury comptait sur ses doigts...

Alors que la plupart des calculateurs prodiges sont des « visuels », Fleury est du type « tactile », au reste très rare. Il disait qu'il « sentait passer sous ses doigts le relief de cubarithmes imaginaires », c'est-à-dire le relief des éléments mis à la disposition des aveugles. Effectivement, « lorsqu'il fait une opération, écrit le docteur Desruelles, qui étudia Fleury à l'asile d'Armentières, ses doigts remuent avec une extrême rapidité. Avec la main droite, il tient les doigts de la main gauche les uns après les autres ; l'un représente les centaines, un autre les dizaines, un troisième les unités. Fébrilement, il promène les doigts sur le bord de sa veste, et il est curieux de le voir suppléer à ces images tactiles par des sensations qui correspondent à celles qu'il aurait en touchant des cubarithmes ».

Comme tous les calculateurs prodiges, Fleury emploie quelques procédés simplificateurs, mais, à vrai dire, ils n'ont rien de remarquable, et, par conséquent, ne méritent pas d'être signalés. En revanche, il est intéressant de noter la façon dont il procède pour extraire les racines carrées ou autres, pour décomposer un nombre en carrés parfaits et pour donner le jour de la semaine qui correspond à une date quelconque. Mais soulignons immédiatement, et la remarque s'applique à un grand nombre d'opérations effectuées par les calculateurs prodiges, que ces processus qui s'accomplissent quasi instantanément sont, en grande partie, inconscients. C'est grâce à l'analyse que l'on a pu les reconstituer. Soit, par exemple, à extraire la racine carrée de 1 526. La technique de Fleury, faite d'essais successifs, est la suivante : la racine cherchée est supérieure à 30 et inférieure à 40 ; 30 élevé au carré donne 900 ; ce nombre est trop petit ; 33 au carré fournit 1 089 ; 37 au carré est égal à 1 369 ; ces deux carrés sont également inférieurs à 1 526 et leur racine ne convient pas ; 40 élevé au carré donne 1 600 ; ce nombre est trop fort. La racine carrée est vraisemblablement 39. En effet, 39 élevé au carré est égal à 1 521. La réponse définitive est donc 39 et il reste 5.

La décomposition d'un nombre en quatre nombres carrés parfaits est une application du procédé précédent. Soit à décomposer 12 315 en quatre nombres carrés parfaits. Fleury cherche d'abord un carré parfait assez rapproché de 12 315. C'est le cas de 10 000, carré de 100, mais 10 000 n'est pas suffisamment voisin de 12 315 ; 110 élevé au carré donne 12 100 et ce nombre peut convenir ; il reste donc 215 à décomposer en trois carrés. Fleury cherche alors un nombre qui, porté au carré, donne un résultat voisin de 215, mais il s'aperçoit que le reste ne peut pas fournir deux carrés parfaits ; alors, il abandonne et fait une seconde tentative. Il essaie 105 élevé au carré, ce qui fournit 11 025 ; il reste 1 290 qu'il faut décomposer en trois carrés ; il prend ensuite 35, qu'il élève au carré, ce qui donne 1 225 ; le reste est 65 ; il voit alors facilement que le carré de 7, soit 49, et le carré de 4, c'est-à-dire 16, ont pour total 65. Les quatre nombres cherchés sont donc : 11 025 ; 1 225 ; 49 ; 16.

Maurice Dagbert effectue simultanément toutes sortes d'opérations

M. Maurice Dagbert, qui s'est révélé au congrès des illusionnistes tenu à Paris en 1947, puis qui a donné toute sa mesure au congrès de Lausanne de 1948, n'a certainement pas la gigantesque mémoire de Mlle Osaka ; cependant, son pouvoir mémoriel est également exceptionnel. De plus, ses capacités de calculateur mental proprement dit sont telles qu'il semble égaler au moins Inaudi. Présenté à l'Académie des sciences, il a, entre autres opérations, extrait une racine cinquième (résultat : 243) en 14 secondes, une racine septième (résultat : 125) en 15 secondes, une racine cubique (résultat : 78 517) en 2 minutes 15 secondes, une racine cinquième (résultat : 2 189) en 2 minutes 3 secondes ; 827 élevé au cube en 55 secondes.

Voici d'ailleurs, extrait du tome 220 des *Comptes rendus hebdomadaires des séances de l'Académie des sciences*, le rapport de MM. Gaston Fayet, Jean Chazy et Joseph Pérès, consacré à M. Dagbert :

« A la demande de MM. les Secrétaires perpétuels, nous avons examiné le « calculateur mental » Maurice Dagbert qui désirait être présenté à l'Académie. Les résultats de cet examen ont été concluants et nous paraissent mériter d'être résumés dans les *Comptes rendus.*

« La puissance de calcul de M. Dagbert paraît être comparable à celle de Jacques Inaudi, présenté à l'Académie par Darboux en 1892. Comme Inaudi, M. Dagbert est servi par une mémoire exceptionnelle. Il nous a déclaré combiner les chiffres à l'aide d'images extrêmement vives qu'il obtient en fermant les yeux ou en fixant un objet blanc (le plafond de la salle où il opère, par exemple). Il voit les chiffres apparaître, à mesure qu'il les entend énoncer, comme s'il les avait écrits lui-même sur un tableau. Il se représente avec une exactitude impeccable les chiffres tracés en blanc net sur tableau noir. Ses évocations sont moins sûres si les chiffres sont rouges sur fond bleu et moins certaines encore avec des chiffres jaunes sur fond vert.

« Au cours de la séance d'examen, qui a duré 2 h 30 mn, M. Dagbert a eu l'occasion d'effectuer des calculs variés (calendrier perpétuel pour les dates grégoriennes ou juliennes, multiplications, puissances et extraction de racines). Les détails sont consignés dans un procès-verbal de la réunion qui sera versé aux archives de l'Académie.

« M. Dagbert n'a fait que des études primaires et ses connaissances mathématiques en algèbre élémentaire sont à peu près nulles. Son goût pour le calcul a été très précoce et une visite qu'il a faite à Inaudi, lorsqu'il avait quatorze ans, l'a amené à un effort personnel qui, évidemment, a été très fructueux. Il nous a dit avoir obtenu seul les règles qu'il utilise dans ses calculs, règles qui, pour lui, sont purement empiriques et dont il n'explique pas les raisons. Il nous a donné l'exemple, particulièrement simple, de la règle qu'il emploie pour évaluer le cube d'un nombre de deux chiffres : il utilise deux nombres clés, déterminés par le chiffre des unités $u,$ qu'il sait par cœur, mais dont l'origine lui échappe. On reconnaît tout de suite que le premier nombre clé x est le chiffre des unités, le second y le nombre des dizaines dans $3\,u^2$. La règle de Dagbert apparaît alors comme le résultat du développement du binôme $(10\,d + u)^3$, le calcul étant dirigé pour obtenir successivement les divers chiffres du résultat : u^3 donne le chiffre des unités et des retenues à reporter ; $x\,d,$ auquel on ajoute le report, donne le chiffre des dizaines et de nouvelles retenues ; $(3\,u + dy)\,d,$ en ajoutant les retenues, le chiffre des centaines ; enfin, le report effectué, auquel on ajoute $d^3,$ donne les mille du résultat.

« Il n'est pas surprenant dans ces conditions que M. Dagbert, dont la puissance de calcul et la rapidité sont remarquables dans les domaines qu'il connaît bien, soit dérouté par des questions très simples (telles que l'une des questions posées à Inaudi lors de sa présentation en 1892), mais nécessitant quelques transformations algébriques.

« Après la clôture de la séance, M. Dagbert a été présenté aux membres de l'Académie et a exécuté devant eux quelques-uns des calculs mentaux fort compliqués dont il est capable. »

Dans ses exercices en public, les opérations arithmétiques qu'il effectue mentalement chevauchent, de sorte que les cascades de chiffres qui se déversent presque sans arrêt sur l'assistance forment un bien curieux mélange. Tout d'abord, une personne est invitée à donner son âge, puis cinq nombres de 2 chiffres sont proposés par le public. Peu après, le calculateur donne la puissance troisième du premier nombre, la puissance quatrième du second nombre et la puissance cinquième du troisième ; il s'arrête alors pour indiquer au spectateur qu'il a vécu tant d'heures, de minutes et de secondes et montre, par un calcul au tableau noir, qu'il a tenu compte des années bissextiles. Il enchaîne aussitôt en fournissant les puissances sixième et septième des derniers nombres, ces deux résultats, remarquons-le, ayant respectivement 11 et 13 chiffres.

Des opérations plus difficiles sont ensuite proposées : élévation au cube de plusieurs nombres de 3 chiffres, puis extraction de racines. On donne, par exemple, simultanément un nombre de 15 chiffres, un autre de 19 chiffres, et, enfin, des dates du calendrier julien ou grégorien. Instantanément, l'artiste précise le jour de la semaine qui leur correspond, puis annonce la racine cubique du premier nombre et, partiellement, la racine cinquième du second. Il répond encore à quelques demandes de dates. Enfin, il donne la racine cubique complète du second nombre. Des opérations analogues se poursuivent avec la plus grande célérité, entrecoupées par des réponses concernant les dates de la fête de Pâques, de l'Ascension, de la Pentecôte et des phases de la lune.

Pour terminer, un tableau de 15 cases est tracé par le manager, et le public annonce au hasard les coordonnées de chaque case avec un nombre de deux chiffres. Quand le tableau est complet, cinq nombres de six chiffres sont disposés les uns au-dessous des autres et le calculateur, sans les avoir vus une seconde, le dos tourné au tableau, en fait l'addition. L'opération se fait avec tant de naturel que les spectateurs ont l'impression que le calculateur a le tableau noir devant lui. Enfin, il clôt ses exercices en répétant tous les nombres qui ont été énoncés au cours de la séance, soit cent cinquante chiffres environ.

M. Gaston-Laborde Tugann's, dont nous avons contrôlé les expériences de cumberlandisme à la demande d'un hebdomadaire d'actualité et d'information, exécute aussi ce genre d'exercice avec la plus grande facilité.

Ajoutons que souvent, au cours de ses exhibitions, M. Dagbert exécute au violon de brillants morceaux en même temps qu'il résout mentalement des calculs très compliqués. Ainsi, tout en jouant une fantaisie du *Trouvère* d'une manière remarquable, nous l'avons vu effectuer mentalement l'extraction de vingt racines cubiques de trois chiffres et une multiplication d'un nombre de cinq chiffres par un autre nombre de cinq chiffres. L'opération totale dura sept minutes. En déposant son instrument, le calculateur donna, d'un trait, les vingt et une solutions, absolument sans erreur. A aucun moment il ne s'était servi ni d'un crayon, ni d'un papier, pas même pour noter le libellé des problèmes.

Plus fort qu' Inaudi : Paul Lidoreau

M. Paul Lidoreau, né en 1888, est un industriel parisien qui dirige, dans le quartier de la Bastille, une importante entreprise artisanale spécialisée dans la fabrication des objets en cuir. Il a fait des reliures pour le roi Edouard VII et pour le président Loubet.

En collaboration avec son fils, M. Roger Lidoreau, qui est lui-même un brillant et original artiste, il dessine ses « cartons » et exploite ses différentes et très ingénieuses inventions qui ont complètement transformé le travail artistique du cuir. M. Paul Lidoreau a fait d'excellentes études à l'Ecole Estienne et appartient, par conséquent, à la catégorie des calculateurs qui s'instruisirent normalement. Au reste, M. Lidoreau, qui est la modestie même, se défend vigoureusement d'être un calculateur « prodige ». Je suis, dit-il, un « virtuose » des chiffres. En réalité, ainsi que nous avons pu le constater maintes fois, ses exercices de calcul mental sont littéralement « prodigieux ».

L'une de ses « spécialités » est l'extraction des racines cubiques. Dans ce genre d'exercices, il a même battu le record d'Inaudi qui était de 2 minutes 15 secondes pour l'extraction d'une racine cubique d'un nombre de 15 chiffres. Dans le même temps, Paul Lidoreau extrait la racine cubique de quatre nombres de 18 chiffres. Pour des cubes parfaits de 9 à 12 chiffres, le résultat est donné instantanément, c'est-à-dire dès que le dernier chiffre est énoncé. Pour des nombres de 12 chiffres, la racine est fournie au bout de 20 secondes, et, pour des nombres de 18 chiffres, elle est donnée au bout de 42 secondes. Tous ces temps ont été homologués officiellement.

Au cours d'une séance que nous avions organisée en avril 1956, Paul Lidoreau a, en quelques secondes, extrait mentalement et sans erreur les racines cubiques des nombres suivants :

$$37\ 246\ 609$$
$$599\ 930\ 290\ 504$$
$$924\ 579\ 746\ 488$$
$$13\ 055\ 567\ 849\ 956\ 664$$

C'est aussi un virtuose de l'addition. Le 2 mai 1953, lors d'une démonstration faite au Palais de la découverte devant un aéropage d'hommes de science, une addition de 10 nombres, ayant chacun 36 chiffres significatifs, fut effectuée mentalement en 5 minutes 10 secondes. Après avoir exécuté d'autres problèmes, on demanda à Paul Lidoreau de répéter le résultat de 37 chiffres, à l'endroit, à l'envers et par tranches diverses : décallions, nonillions, octillions, etc., jusqu'aux unités, ce qu'il fit aisément.

L'exercice qui nous a le plus frappé, et que Paul Lidoreau résout au moins une fois par jour pour sa satisfaction personnelle, est celui-ci :

Un nombre de six chiffres (allant par conséquent de 100 000 à 999 999) étant proposé au calculateur, celui-ci le décompose mentalement en cinq cubes parfaits et en cinq carrés parfaits qui, additionnés, doivent donner le nombre fourni, à 1 millionième près, les racines des nombres devant comprendre un minimum de deux chiffres.

Notons enfin que, pour Paul Lidoreau un nombre n'est pas une simple abstraction, une banale succession de chiffres. C'est une forme complexe bien définie, un véritable « être » numéral, dont il se plaît à analyser les différents aspects.

La psychologie des calculateurs prodiges

Après avoir étudié les principaux calculateurs prodiges, recherchons dans quelles conditions apparaît leur aptitude et par quel mécanisme elle se développe.

Tout d'abord, il semble que le don de calculateur ne soit pas héréditaire. Les deux seules exceptions connues sont celles de Bidder et de Diamandi. Le premier transmit ses dons à ses enfants et petits-enfants ; quant à Diamandi, sur cinq de ses frères ou sœurs vivants, un frère et une sœur présentaient, pour le calcul mental, des aptitudes analogues aux siennes.

Chez tous, le don est apparu spontanément, sans stimulant extérieur. En effet, beaucoup de calculateurs prodiges sont nés de parents pauvres et même misérables qui ne s'occupaient guère de l'instruction et de l'éducation de leurs enfants. Il faut ajouter, ce que nous avons déjà signalé, que plusieurs calculateurs ont été d'abord considérés comme des enfants arriérés. Le calculateur prodige belge Oscar Verhaeghe, né le 16 avril 1926 à Bousval (Belgique) dans une famille de modestes fonctionnaires, s'exprimait, à l'âge de dix-sept ans, comme un bébé de deux ans. Notons au passage que les élévations aux puissances diverses de nombres formés des mêmes chiffres sont l'une de ses spécialités. Ainsi 888 888 888 888 888 est élevé au carré en 40 secondes et 9 999 999 est élevé à la 5e puissance en 60 secondes, le résultat comportant 35 chiffres. Oscar Verhaeghe a été soumis à un certain nombre de tests par divers groupements savants et par l'éminent mathématicien Kraichit, de l'université de Bruxelles.

De plus, nous avons dit que Zerah Colburn présentait un signe de dégénérescence : un doigt supplémentaire à chaque membre. Un autre calculateur prodige, que nous n'avons pas encore nommé, Prolongeau, était né sans bras ni jambes. Mondeux était hystérique.

En résumé, ni le milieu extérieur où se sont développés les calculateurs prodiges, ni leur intelligence générale, tout au moins pour beaucoup d'entre eux, ne nous donnent l'explication de leurs facultés : ils n'ont subi l'influence d'aucun maître ni d'aucun exemple ; ils n'ont pas été entraînés dans leur voie par des conseils ou par une instruction normale et régulière ; le niveau de leur intelligence était souvent très au-dessous de leurs extraordinaires capacités arithmétiques. Ainsi que le dit très justement Alfred Binet : « Il y a, dans l'éclosion de leur faculté, quelque chose qui ressemble à une sorte de génération spontanée. »

Pour expliquer le don de calcul mental, les psychologues classiques font intervenir certaines qualités ordinaires du psychisme, poussées à un haut degré. Leur point de vue est nettement exprimé, dans *Acta Medica Scandinava,* par le neurologue suédois, le docteur Jakobson.

« Les calculateurs prodiges, dit-il en substance, sont des sujets doués d'une mémoire visuelle très poussée, d'une excellente mémoire d'association, et qui, semblant à peu près inaccessibles à la fatigue mentale, sont capables de concentrer très rapidement et de façon prolongée leur attention sur des opérations complexes. Entraînés, dès leur plus jeune âge, par le développement d'une faculté spontanée au calcul mental, ils acquièrent progressivement une mémoire automatique des opérations arithmétiques qui est indépendante de toute culture mathématique proprement dite. C'est ainsi qu'ils étendent considérablement, par simple mémoire, les nombres de la table de multiplication dont ils connaissent les produits par cœur. De tels sujets n'ont pas plus besoin de réfléchir, c'est-à-dire de se livrer à une opération même mentale, pour multiplier deux nombres de trois ou même quatre chiffres, que nous n'en avons nous-mêmes besoin pour multiplier les dix premiers nombres de la table de Pythagore. Partant de ces données, ils peuvent aisément réduire les multiplications les plus complexes à un petit nombre d'opérations dont ils totalisent mentalement les produits. Pour le faire, ils voient littéralement les chiffres comme " écrits dans l'air ". Les divisions sont effectuées de même, simplifiées par une méthode consistant à extraire du dividende les carrés, connus par cœur, des nombres ronds auxquels on peut résoudre le diviseur. Toute opération arithmétique arrive à être ainsi décomposée en un certain nombre d'opérations " préfabriquées ", dont les résultats sont connus par cœur, et qu'il suffit de totaliser avec les restes. Il s'agit donc, en définitive, plus que d'une aptitude réelle au calcul, d'une forme très particulière de mémoire qui est développée par l'entraînement. »

En réalité, cette interprétation est nettement insuffisante. Elle n'explique ni la précocité et l'innéité du don, ni le fait qu'il peut apparaître chez des arriérés mentaux, ni le caractère souvent prodigieux de la mémoire arithmétique de beaucoup de calculateurs. D'autre part, elle ne souligne pas suffisamment la part de l'automatisme dans les opérations qu'ils effectuent. Comme nous l'avons déjà dit en effet, la composante subconsciente est ici essentielle.

PROFESSEUR ROBERT TOCQUET

Chapitre II

Interview
d'un calculateur prodige

Comment réagit un calculateur prodige en face de son propre don ?

Il lui faut d'abord le découvrir, en prendre conscience, l'intégrer dans son existence quotidienne.

Paul Lidoreau, dont l'interview suivante a été réalisée en 1961, quelques années avant sa disparition, découvrit son don à l'âge de 66 ans, presque par hasard.

Il aurait pu ne pas le remarquer, après qu'un instituteur en eut étouffé les premières manifestations à l'école communale.

Combien d'entre nous gardent à l'état latent des facultés aussi fragiles que remarquables ?

Jacques Mousseau : Je suis né le 24 juin 1932. Quel jour de l'année était-ce ?

Paul Lidoreau : C'était un vendredi.

J. M. : J'ai donc vingt-neuf ans. Combien ai-je vécu de jours, d'heures, de minutes et de secondes ?

Paul Lidoreau répond aussitôt, apparemment sans réfléchir.

P. L. : Vous avez vécu 10 592 jours... 254 208 heures... pour les minutes : 15262480 minutes... et enfin, pour les secondes, 915 148 800 secondes.

J. M. : Vous avez répondu immédiatement. Que se passe-t-il à ce moment-là dans votre tête ?

P. L. : J'ai dans la tête mes barèmes qui tiennent compte des années bissextiles... Ils remontent jusqu'à la naissance du Christ, sans oublier l'avènement du calendrier grégorien qui provoque un décalage de onze jours. Une fois que j'ai calculé le nombre de jours, le reste est simple ; il suffit de multiplier par 24 pour avoir le

45

nombre d'heures ; puis par 60, c'est-à-dire par 6, pour avoir le nom-bre de minutes ; enfin par 6 encore pour connaître le nombre de secondes.

J. M. : Pour vous, c'est un problème facile ou difficile ?

P. L. : Oh ! c'est facile, très facile.

J. M. : Vous faites, bien sûr, des calculs plus compliqués ?

P. L. : Oh ! oui ! il y a surtout un problème qui m'est person-nel. On me donne un nombre de 6 chiffres et je le décompose en 5 cubes parfaits et en 5 carrés parfaits. Je dois obtenir le résultat à moins d'un millionième près et enfin les racines doivent avoir au moins deux chiffres.

J. M. : Vous dites que ce problème vous est personnel ?

P. L. : Oui, je suis le seul à le faire. Inaudi décomposait un nombre de 4 ou 5 chiffres en 4 ou 5 carrés, mais les racines pou-vaient n'avoir qu'un chiffre. La principale complexité de mon pro-blème réside dans l'obligation que les racines aient au moins deux chiffres.

J. M. : Je vais vous poser ce problème avec un nombre que j'invente au hasard... Par exemple : 650 816.

Dans le bureau du vieil artisan, une scène étrange. Il souffle et inspire profondément à plusieurs reprises. Puis il ferme les yeux. Son visage rose reste calme et serein. Il dit tranquillement :

— *Nous allons commencer par les trois premiers cubes...*

Il ne reste pas silencieux ; il n'oublie pas ma présence, alors que j'ose à peine respirer. Parfois, il ouvre les yeux et inscrit des nom-bres sur deux colonnes séparées, en les nommant à chaque fois. Il converse avec moi comme un hôte qui cherche à être poli.

... Je suis sûr que je vais perdre du temps, car je suis intimidé par le micro.

Il peut faire ses calculs prodigieux en pensant à autre chose. Il bavarde. Il dit des phrases de politesse...

... Et maintenant, les derniers carrés, avec les nombres décimaux. Ça, c'est beaucoup plus compliqué.

Quelques minutes — 3, 4 ou 5 — après le début de ses calculs, il atteint le résultat. A un mathématicien entraîné, muni de papier et de crayon, il faudrait plusieurs jours pour trouver la solution de ce problème.

J. M. : Etes-vous obligé d'écrire les nombres sur une feuille de papier ?

P. L. : Non, pas du tout... Je le fais pour les témoins, pour la vérification... Ils sont inscrits dans ma tête, comme sur un tableau, blanc sur noir.

J. M. : Ils restent longtemps écrits ainsi ?

P. L. : Aussi longtemps que je ne fais pas un problème du même genre... Ils resteraient deux mois, six mois... mais en fait je me pose ce problème à moi-même chaque jour... Je peux faire des problèmes d'une autre sorte. La solution du dernier problème de cette catégorie que j'ai fait reste inscrite dans ma tête...

J. M. : Mais qu'est-ce qui reste inscrit ? Le résultat ou également toutes les étapes intermédiaires ?

P. L. : Seulement le résultat, c'est-à-dire ce qui est écrit sur la feuille de papier. Les étapes intermédiaires ne comptent plus. C'est un brouillon, vous comprenez. A la fin de votre conversation, vous pourrez le vérifier en me demandant certains de ces résultats... Dans n'importe quel ordre... Le troisième carré, le deuxième cube... La quatrième tranche des décimales de nombre trouvé, en partant de la gauche. Cela n'a aucune importance, car je lis comme sur un tableau noir.

J. M. : Ce problème a-t-il été proposé à une machine électronique ?

P. L. : Je ne sais pas... Je ne sais pas si une machine pourrait arriver à un résultat...

J. M. : Pourquoi ?

P. L. : Parce qu'il faut réfléchir... Il faut commencer par chercher des cubes, les soustraire du nombre proposé. Au fur et à mesure, il faut éliminer ceux qui ne conviennent pas. Il faut recommencer. Il faut l'intelligence.

J. M. : Ce genre de problème est fatigant pour vous ?

P. L. : Non, pas du tout, pas du tout. Aucunement, J'étais impressionné par le micro du magnétophone, c'est tout...

J. M. : Il m'a semblé que lorsque vous étiez sur le point de faire une erreur, vous le sentiez. C'était mathématique ou intuitif ?

P. L. : C'était intuitif... J'avais trouvé le carré 16, par exemple... J'ai dit : Tiens, parce qu'il m'a semblé qu'il était un peu fort... C'est l'intuition qui m'a dicté cette impression... Et dans mes calculs, je suis aidé par mon subconscient.

J. M. : Qu'est-ce que cela veut dire ?

P. L. : C'est-à-dire que certains calculs se font tout seuls. Je connais les premiers chiffres par cœur, mais le subconscient fait certains calculs. C'est évident... je n'ai pas le temps matériel de poser toutes les opérations. Les résultats me sont imposés.

J. M. : Et vous pouvez les comparer à quoi ?

P. L. : A une volée de moineaux qui tournent autour de moi. Certains viennent se poser sur une branche. C'est le résultat... Je regarde... Je cherche mes chiffres... Ce n'est pas un brouillard..., c'est une volée de moineaux, je le répète, qui tournent autour de moi, et le résultat se pose comme sur un fil... Mon plaisir est comparable à celui que peut éprouver un charmeur d'oiseaux lorsque la volée qu'il a dressée semble virevolter sans règle autour de lui et que soudain, à son signal, chaque sujet connaissant sa place, elle vient se ranger dans un ordre déterminé.

J. M. : Pourquoi affectionnez-vous particulièrement le problème que vous m'avez proposé ?

P. L. : Parce qu'il dépasse ce qu'Inaudi pouvait faire... Je m'endors avec ce problème tous les soirs, c'est un somnifère.

J. M. : Lorsqu'on s'endort, c'est que l'on s'ennuie. Est-ce que calculer vous ennuie ?

P. L. : Ah non ! c'est mon plaisir ! Il m'est impossible de ne pas calculer, et chaque soir j'exécute mon grand problème.

J. M. : Mais, est-ce que malgré vous, vous calculez ?

P. L. : Non, non, non.

J. M. : Les chiffres ne vous dominent pas ?

P. L. : Non, les chiffres ne me dominent pas. C'est moi qui les domine.

J. M. : Vous connaissez l'histoire de Buxton, qui, après une représentation de *Henri III*, ne pouvait donner son avis sur la pièce mais avait compté le nombre des pas des danseurs et des mots prononcés par les acteurs.

P. L. : Ah ! bon, là, écoutez, je n'appellerais peut-être pas cela de la folie, mais presque...

J. M. : Comment avez-vous découvert votre don ?

P. L. : Lorsque j'étais tout jeune, à l'école communale. L'instituteur nous proposait le problème classique de l'extraction de racines carrées et cubiques. Je trouvais instantanément la réponse et la donnais à mes camarades. L'instituteur a fini par s'en apercevoir.

J. M. : Comment a-t-il réagi ?

P. L. : Il m'a dit que je troublais la classe. Il croyait qu'il y avait un « truc » et m'a conseillé de ne pas persévérer.

J. M. : Vous avez persévéré ?

P. L. : Non. J'ai terminé mes études ; j'ai appris un métier ; puis la guerre, celle de 1914, est venue ; après la guerre, j'ai pris une affaire artisanale. A la mort d'Inaudi, dont je connaissais les expériences depuis une dizaine d'années, je me suis dit : « Mais, sapristi, ce qu'il fait, je peux le faire. » Il extrayait une racine cubique d'un nombre de 9 chiffres en 30 secondes ; je peux le faire instantanément. C'est alors que j'ai recommencé à calculer mentalement.

J. M. : Vous voulez dire que de la fin de vos études jusqu'à il y a dix ans, de 18 à 66 ans, vous n'avez pas calculé ?

P. L. : Exactement.

J. M. : Votre don était intact ?

P. L. : Il était resté à l'état latent, comme sur une voie de garage.

J. M. : Vous vous êtes alors entraîné ?

P. L. : Oui, et j'ai fait alors des progrès considérables. Je suis allé voir M. Jean Dauven, qui m'a donné les records d'Inaudi, et je les ai battus. Il mettait, par exemple, 2 minutes 5 secondes pour extraire la racine carrée d'un nombre de 15 chiffres ; je suis arrivé à 20 secondes.

J. M. : Et si vous vous étiez entraîné pendant le demi-siècle où vous vous êtes arrêté ?

P. L. : Je crois que je serais arrivé à un résultat phénoménal.

J. M. : Vous avez l'impression de n'avoir pas atteint le maximum de vos possibilités ?

P. L. : Non... Je le sais parce que chaque jour je fais des progrès. J'aurai prouvé que le cerveau peut emmagasiner un nombre considérable de choses. Il faudra, dans l'avenir, pour les voyages interplanétaires, des cerveaux avec des réflexes intenses. Il faudra alors que toute la jeunesse fasse de la gymnastique de la mémoire et des réflexes mentaux.

J. M. : Vous n'avez pas l'impression d'être différent des autres hommes ?

P. L. : Je suis comme tout le monde.

J. M. : Alors qu'avez-vous pensé lorsqu'un chercheur — il s'agit d'Aimé Michel — a émis l'hypothèse que vous pouviez être un mutant, le prototype d'une nouvelle race d'homme ?

P. L. : Je n'ai pas été impressionné parce que je trouve que, dans ma vie privée aussi bien que dans ma vie professionnelle, j'agis comme un homme normal. J'aime la pêche à la ligne, par exemple ; quoi de plus traditionnel ?

J. M. : Ces barèmes que vous utilisez, pourtant, paraissent étranges. Prenons-en un, pour moi le plus mystérieux...

P. L. : Ce plan représente l'endroit où se trouve ma petite maison de campagne... Cette ligne représente la rivière, le Loir... Sur la rivière, il y a des bateaux, des pontons... Chaque chose est associée à un nombre... Derrière, c'est la prairie où également des nombres sont disposés... Puis la route et, après, la maison...

J. M. : Que signifient ces nombres disposés un peu partout ?

P. L. : Ce sont les groupes de complément qui sont classés dans ma mémoire comme s'ils étaient classés sur la route, sur les prés, sur la rivière...

Il parle de sa mémoire comme d'un meuble dont il consulte les fiches.

... Le groupe de complément est la terminaison du problème. Avec le groupe de base et le groupe de transition, je dois arriver à moins de 100 unités de la solution.

J. M. : Sur votre plan, les nombres semblent placés un peu au hasard : le 76 est auprès du 27.

P. L. : Pour moi, je connais tous ces endroits ; je les ai tous en mémoire.

J. M. : Pourquoi le 41, par exemple, est-il près de la porte de la maison ?

P. L. : Parce que c'est le début de mes barèmes ; 42 se trouve un peu plus loin... C'est un ordre graphique qui me permet de retenir tous ces nombres.

J. M. : Ils avaient cette place assignée avant que vous fassiez ce dessin ?

P. L. : Oui, j'ai fait le dernier bien longtemps après les avoir enregistrés d'après le plan du pays.

J. M. : Pourquoi avez-vous éprouvé le besoin d'écrire tous ces nombres si vous les avez en tête ?

P. L. : Pour les contrôler.

J. M. : Pour que les gens contrôlent vos résultats ?

P. L. : Non, non, personnellement, dans le cas, par exemple, où je viendrais à perdre la mémoire.

J. M. : Personne d'autre que vous ne peut utiliser ce plan, ce barème ?

P. L. : Ah ! personne, évidemment !

J. M. : Si vous veniez à le perdre, et que quelqu'un se penche dessus pour essayer de comprendre ?...

P. L. : Il ne comprendrait rien, certainement... Ce serait un secret, un msytère pour lui.

Pour nous aussi, il garde son mystère. J'ai omis de donner une partie de son exposé sur les barèmes qu'il utilise. Elle était aussi compliquée que ce que j'ai rapporté. Chaque fois que j'ai essayé de quitter le domaine des banalités pour entrer dans son monde particulier, le terrain a cédé sous mes pas. Ses explications étaient peut-être insuffisantes ; mais c'était peut-être aussi ma compréhension qui était insuffisante. Seuls les symboles numériques auraient pu sans doute exprimer ce qui existait au-delà des mots et, assis à ma place, peut-être aurait-il fallu un second calculateur prodige. Il m'a semblé cependant qu'il existait une contradiction entre le don de Lidoreau et ce à quoi il voulait le réduire. Comme s'il avait peur, il cherchait à se présenter (aux yeux d'autrui et à ses propres yeux) comme un athlète à la mémoire musclée. Tous ses efforts, dans la conversation, tendaient à décrire, au niveau de la conscience normale, l'activité anormale de son esprit. Il parle du subconscient : cela ne signifie rien. Quels que soient les chiffres qu'il parvient à se mettre en tête, il faut bien que quelque chose, en lui, termine les calculs. Quoi ? Quelle machine, dans une zone de son cerveau, s'allume qui, chez nous, reste obscure et morte ? Il ne sait pas, ou il n'a pas de langage pour exprimer cela. Ou nous n'avons pas d'oreilles pour l'entendre...

JACQUES MOUSSEAU

Chapitre III

L'étrange histoire
des animaux calculateurs

Le mécanisme invisible qui livre aux calculateurs prodiges la solution cherchée apparaît d'une nature encore plus mystérieuse lorsque des animaux se montrent à leur tour capables d'extraire des racines cubiques, sans qu'aucun trucage puisse être décelé.

De quelle force sont-ils la proie ?

Y a-t-il une interférence télépathique avec l'homme, ou quelque chose de plus compliqué encore ?

Pourquoi tous les animaux ne manifestent-ils pas ce don, ou en ont-ils la potentialité que nous ne voyons pas ?

Au cirque, dans les foires, on présente couramment des animaux savants. Souvent, on y peut voir ainsi un chien ou un cheval qui compte, calcule, en frappant du pied, et chacun d'applaudir. Mais le numéro en général ne fait pas recette.

En des temps moins blasés [1], les animaux calculateurs ont pourtant su passionner les foules et même provoquer la curiosité du monde scientifique.

Evidemment, neuf fois sur dix, il s'agit d'un truquage et, si l'habileté du dresseur est alors digne d'éloge, la performance n'en reste pas moins relativement banale.

Pourtant, en certaines occasions, les investigations les plus soupçonneuses n'ont pu faire la preuve d'un truquage et dès lors le numéro prend un réel intérêt.

---

1. Les animaux calculateurs semblent avoir disparu de nos jours, en France du moins ; en effet, un appel récent lancé par une grande revue de vulgarisation scientifique est resté sans réponse.

Les chevaux d'Elberfeld

Un de ces cas énigmatiques, le plus célèbre de tous, est celui des chevaux d'Elberfeld, en Allemagne. Au début de ce siècle, un amateur de chevaux nommé Wilhelm von Osten dressait ses animaux de façon particulièrement raffinée, et, entre autres prouesses, il tenta de leur apprendre à compter. En très peu de temps, l'étalon Hans se révéla capable de le faire. Au début, on plaçait sur un chevalet un nombre quelconque et, tapant du sabot sur une sorte d'estrade de bois, les dizaines du sabot droit, les unités du gauche, Hans indiquait les chiffres inscrits.

On lui apprit également à lire par ce procédé. Il tapait du pied selon un code très simple : $1 = A$; $2 = B$; $3 = C$, etc.

Jusqu'ici, rien que de très normal : excellent dressage, certes, mais qu'on puisse accoutumer un cheval à taper un certain nombre de coups en voyant une certaine figure concrète n'est pas de nature à révolter les rationalistes. Seule la quantité de leçons pour apprendre l'alphabet pourrait nous surprendre.

Mais Hans ne s'arrêta pas en si bon chemin et, après avoir assimilé les chiffres, il apprit le calcul. Son maître écrivait sur le tableau $35 + 15$ et Hans tapait 50.

La limite était nettement dépassée et pendant que certains criaient au miracle, d'autres ne cachaient pas leur réticence. L'empereur lui-même s'intéressa à la question et, sur son ordre, une commission de professeurs vint étudier les exploits de ce cheval merveilleux.

Cette commission remit son rapport. Il était formel : le cheval agissait, non pas en calculant, mais en se guidant sur des signes imperceptibles pour l'homme et fournis par les assistants lorsque, en tapant sur le sol, il avait frappé un nombre de coups proche du résultat.

Von Osten, découragé, vendit son cheval à l'un de ses admirateurs, un certain Krall, bijoutier de son état, et, par ailleurs, fort riche. Celui-ci, convaincu de l'intelligence extraordinaire de son acquisition, entreprit de poursuivre son éducation et d'éduquer de la même façon deux autres chevaux, Muhamed et Zarif.

Krall s'attaqua à la réhabilitation des expériences de von Osten. Entre autres, il refit dans l'obscurité la plus absolue les essais les plus spectaculaires. Hans et ses deux condisciples, après avoir vu l'énoncé du problème, n'avaient aucune difficulté à le résoudre malgré les ténèbres.

Les deux nouveaux prodiges faisaient des progrès foudroyants ; deux heures de leçon par jour, au maximum, leur permirent d'exécuter en moins de deux semaines des additions et des soustractions. Quelques jours plus tard, ils abordaient les multiplications et les divisions. Après quatre mois d'instruction, ces élèves modèles s'attaquaient aux racines carrées et apprenaient parallèlement l'alphabet [1] !

La nouvelle des nouveaux succès des chevaux d'Elberfeld (ils devinrent célèbres sous le nom de la ville où habitait leur maître) fit cette fois le tour de l'Europe et donna lieu à de très vives controverses.

Krall adjoignit alors au trio un quatrième compère nommé Hänschen qui se révéla très rapidement aussi doué que ses prédécesseurs.

A l'actif de cette époque, il convient de retenir ceci : d'estimables savants et professeurs d'université ne craignirent pas de faire le voyage pour s'informer sur place.

Dans leur esprit, il ne pouvait pas s'agir d'une faculté réelle de calculer. Pourtant ils furent nombreux à ne pas vouloir rejeter le phénomène avant de l'avoir vu.

Il n'est pas du tout certain qu'une telle attitude d'esprit soit possible de nos jours ; les spécialistes interrogés auraient d'abord crié à la supercherie, alors que, nous allons le voir, la vérité était ailleurs.

Parmi ces enquêteurs plus ou moins sceptiques, mais généralement sincères, on remarquait un illustre psychologue suisse : Claparède.

Claparède a laissé un récit précis de ses observations. Tout d'abord, raconte-t-il, Krall inscrivit au tableau noir une opération déjà relativement compliquée : racine de 36 $\times$ racine de 49 = ? On amena alors devant le tableau le plus doué des quatre chevaux, Muhamed, qui commença à taper du pied. Il donna tout d'abord une réponse erronée : 52. Mais, ayant été réprimandé par son maître, il donna la réponse correcte : 42.

Le psychologue proposa alors une question notablement plus compliquée : quelle est la racine carrée de 614 656 ?

Muhamed tapa deux fois de la patte droite et huit fois de la gauche, donnant ainsi la réponse juste : 28.

Claparède assista à plusieurs autres expériences similaires et repartit fort troublé. En rédigeant son rapport, il analysa les différentes explications qui pouvaient être retenues.

Il retint les explications suivantes : supercherie, signes involon-

---

1. L'histoire des animaux calculateurs reste pour beaucoup le type du sujet maudit qu'il faut écarter de la littérature scientifique. Hediger parle ainsi de « la légende imbécile des chiens et des chevaux qui s'expriment en frappant des coups ».
Il faut dire que les écrits des gens qui croyaient aux facultés mathématiques des animaux ne sont pas sans naïveté. Le professeur Gustav Wolf, psychiatre de Bâle, écrivait en 1914 : « A nouveau quelque chose de vraiment grand, de bouleversant, en dehors de la science organisée vient d'être accompli. Et, comme tout ce qui est nouveau, il lui faut lutter contre le dogme de l'école et de l'Eglise. »
Nous avons tenté de montrer que derrière l'aspect de mystification ou de grosse farce des phénomènes, se dissimulait une réalité qui peut constituer un objet d'étude.

taires transmis par l'assistance, télépathie, existence d'aptitudes intellectuelles chez les animaux.

La première hypothèse fut rapidement exclue. En effet, la bonne foi de Krall ne pouvait être mise en doute. Cet homme croyait de toute sa force en l'intelligence de ses chevaux et on ne pouvait le suspecter. D'autre part, la supercherie est toujours assez facile à déceler quand elle existe. Elle a d'ailleurs été très largement employée dans le cas des animaux calculateurs, et il n'est peut-être pas sans intérêt de savoir comment on peut la faire passer. On laisse le cheval quelque temps sans nourriture et on le fait venir sur les lieux où il devra par la suite faire son exhibition. Un aide agite l'avoine devant les naseaux de l'animal, tandis que le dresseur l'empêche d'avancer. Dans son impatience, le cheval se met alors à gratter le sol avec ses pattes. Le dresseur à ce moment le relâche et lui donne la possibilité de manger. Bientôt l'animal prend l'habitude de gratter du pied dès qu'il se trouve dans la salle d'exhibition et que le dresseur se place à ses côtés d'une certaine façon. Dès lors, il est facile d'ordonner au cheval de cesser son manège par un simple signal suivi de la distribution d'avoine, et ce signal peut être rendu presque imperceptible pour les non-initiés. Rapidement, une réaction conditionnée s'établit et, le jour du spectacle, le dresseur donne le signal de ne plus gratter quand le nombre de coups est correct. Le but cherché est atteint, un animal calculateur est né. Mais, dans le cas des chevaux d'Elberfeld, cette explication ne tient pas debout. En dehors du fait que la personnalité de Krall permet d'écarter cette hypothèse, la sévère enquête de Claparède et bien d'autres encore sont là pour nous en convaincre. De plus, un numéro dans lequel l'animal compte les dizaines avec une patte et les unités avec l'autre paraît bien plus difficile à truquer.

S'agissait-il de télépathie ?

Pour des raisons personnelles, Claparède écarta catégoriquement la télépathie ; non qu'il eût prouvé qu'elle n'était pas en cause, mais parce qu'il ne croyait pas aux phénomènes télépathiques. Pour les mêmes raisons, il écarta complètement l'hypothèse de réelles possibilités de calculer chez le cheval, et finalement il opta pour l'hypothèse des signes involontaires de l'assistance, signes qui provoqueraient l'arrêt des coups frappés par l'animal quand celui-ci approche du bon résultat.

Claparède fit une observation intéressante. Il étudia le pourcentage de bonnes réponses, car les chevaux de Krall étaient loin d'être infaillibles et se trompaient au contraire fort souvent.

Il obtint 11 % de réponses exactes pour les questions faciles et

13 % pour les questions difficiles ; dans une autre série 7,5 % pour les faciles et encore 13 % pour les difficiles. Pour lui, la seule étude de ces chiffres suffisait à donner la clef du mystère. Si les animaux avaient vraiment calculé, ils auraient eu évidemment plus de chances de succès dans les questions faciles que dans les difficiles. Mais si nous admettons au contraire l'hypothèse qu'il s'agit de signes involontaires fournis par les assistants, on comprend que l'émotion de ceux-ci doit être plus forte quand la question est difficile, et par conséquent leurs réactions émotionnelles plus faciles à déceler pour le cheval.

Un psychologue français, Piéron, prétendit qu'il devait y avoir chez les spectateurs des modifications respiratoires perceptibles pour l'animal, l'ouïe des chevaux étant particulièrement fine. Krall, qui avait déjà accepté beaucoup d'enquêtes et s'était plié à bien des exigences, en vint à se lasser à ce moment, et Piéron ne put jamais vérifier si cette assertion était admissible.

L'explication des prouesses des chevaux calculateurs d'Elberfeld n'a jamais été trouvée.

La question n'en resta pas là, car d'autres enquêteurs [1] avaient eu d'autres idées et, plus heureux que Piéron, ils avaient pu les mettre à exécution.

C'est ainsi que les professeurs Mackensie et Assagioli obtinrent l'autorisation de faire travailler le plus jeune des chevaux, Hänschen, sans la présence de Krall et des palefreniers.

Les deux professeurs écrivaient les problèmes sur un tableau noir et obtenaient des réponses correctes dans un pourcentage de cas très satisfaisant.

Ensuite, ils isolaient le cheval dans une pièce et, après avoir inscrit le problème à résoudre, ils quittaient la pièce. L'observation s'effectuait alors par un judas, et pourtant les réponses continuaient à étonner les observateurs. Un Allemand, le professeur Hartkopf — le bien nommé, car en allemand son nom signifie « tête dure » — ne se laissa pas impressionner par ces résultats et voulut éviter que le cheval puisse glaner une information en observant l'expérimentateur à travers le judas. Les questions furent préparées par des tiers, et Hartkopf ouvrait l'enveloppe contenant la question. Sans connaître lui-même la réponse, il laissait le cheval répondre et ensuite seulement ouvrait l'enveloppe contenant la réponse correcte.

La réponse du cheval ne mettait que quelques secondes à venir, et ce laps de temps ne permettait pas à Hartkopf, qui n'était pas lui-même un calculateur prodige, d'effectuer l'opération. En effet, les questions étaient loin d'être simples : on demandait, par exemple, la solution de la racine troisième de 29 791 ou de 103 823. Par la suite, les expérimentateurs poussèrent l'animal jusqu'à la racine quatrième d'un nombre de six chiffres, et quand on apprend que la racine de 456 776 fut donnée avec exactitude en dix secondes approximativement, on conçoit à quel point l'hypothèse des stimulations par les signes inconscients de l'auditoire devient improbable.

Par la suite, une véritable épidémie [2] de chevaux et de chiens

---

1. La visite de Maeterlinck aux chevaux de Krall a laissé, semble-t-il, une impression profonde dans l'esprit de celui qui a si souvent tenté de sonder les mystères de la vie animale.

Krall commença par prononcer le nom du visiteur à plusieurs reprises devant Muhamed et pria ensuite celui-ci de le répéter. Le cheval ne se fit pas prier et, tapant du pied selon le code appris, il épela Mazrlk, ce qui, convenons-en, peut passer pour une assez satisfaisante approximation. Le poète resta seul en compagnie du cheval et lui posa quelques problèmes dont il reçut immédiatement les réponses, réponses qu'il ignorait lui-même.

2. Des émules américains des chevaux allemands ont été signalés. Parmi eux, nous devons citer la jument Lady qui répondait à des questions après être tombée au préalable en léthargie. Elle était non seulement douée pour le calcul, mais pour les langues et répondait fort bien, dit-on, à des questions posées en chinois ! On connaît aussi le poney Black-Bear qui montrait surtout des dispositions pour la géométrie.

calculateurs sévit en Allemagne. S'il fut impossible de dresser un éléphant, les chiens se montrèrent particulièrement brillants, et ceux de Mme Moeckel, à Mannheim, firent presque autant de bruit que les chevaux de Krall.

Il y eut le terrier Rolf dont on découvrit le talent par hasard, un jour que sa maîtresse donnait une leçon de calcul à ses filles et qu'elles « séchaient » lamentablement ; Rolf répondit à leur place en frappant avec sa patte sur la table. Bien sûr, parmi toutes ces merveilles se glissaient bon nombre de brebis galeuses, et finalement on peut se contenter des chevaux d'Elberfeld pour discuter cette étrange question.

Le mystère subsiste

La théorie des signes involontaires a longtemps prévalu. Pourtant, nous avons vu que Hartkopf lui porta un coup fatal et qu'elle ne devrait plus être admise. Et pourtant quand quelqu'un fait allusion à la question, dans 95 % des cas, c'est cette théorie qui est invoquée pour rendre compte des faits !

Si nous la rejetons, qu'allons-nous admettre ? Il semble absolument ridicule de croire que les chevaux soient capables, avec leurs facultés mentales, de résoudre de tels problèmes. Devons-nous alors rester muets ? Cette dernière attitude est sans doute la plus sage, mais on peut tout de même rappeler qu'il existe dans le monde d'autres phénomènes inexplicables. Lavondes, dans un livre sur le cheval, rapporte l'opinion de ceux qui prétendent que les coups de pied du cheval, comme les pieds des tables tournantes, traduisent des opérations qui se déroulent dans l'inconscient de son interlocuteur.

Expliquer un inconnu par un autre inconnu n'est pas très positif. C'est probablement dans cette optique qu'il conviendrait peut-être de reprendre ces études si l'occasion s'en présente un jour.

En tout état de cause il est possible, pour conclure provisoirement, de reprendre les idées exposées par Aimé Michel dans un récent travail sur la question. « Ce n'est pas de calcul animal qu'il s'agit, mais d'une interférence inconnue entre la pensée humaine et la pensée animale. Tout se passait à Elberfeld comme si la pensée humaine avait pu, dans certaines circonstances difficiles à élucider, agir directement sur l'animal. Faut-il rattacher cela à l'hypnotisme ? A la transmission de pensée ? Aux effets psi ? On ne le saura en définitive qu'en reprenant d'une autre façon ces expériences déjà anciennes. »

JACQUES GRAVEN

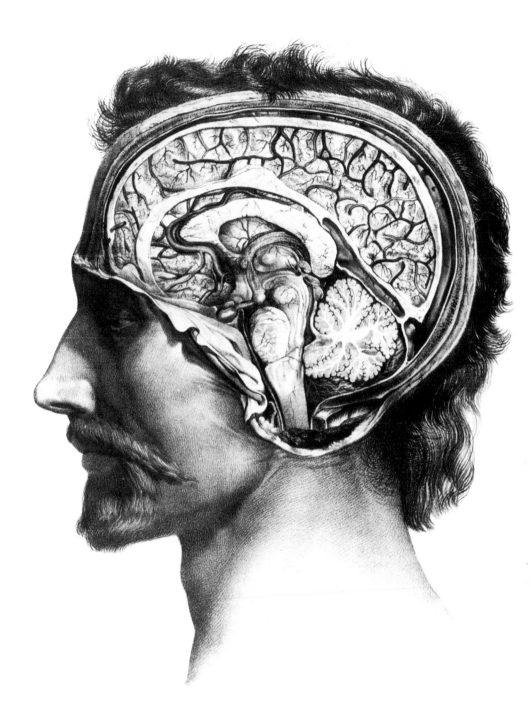

La physiologie de la mémoire reste mystérieuse.

Chapitre IV

Une mémoire fabuleuse

L'aptitude à se souvenir de nombres gigantesques plusieurs mois après l'instant où la mémoire les a enregistrés est un aspect du don des calculateurs prodiges.

Bien que la mémoire n'explique pas l'intégralité de leurs performances, elle est un facteur indispensable. Mais que savons-nous d'elle, surtout lorsqu'elle devient paranormale ? Tous les grands créateurs ont mis au service de leur intelligence une mémoire capable d'enregistrer des données d'aspect souvent disparate qui sont ensuite réorganisées en un ensemble harmonieux et nouveau.

On peut définir la mémoire comme étant l'opération intellectuelle qui nous permet de conserver et de faire revivre en notre esprit des états de conscience, tels que plaisirs et douleurs, inclinations et passions, sensations et perceptions, idées et jugements, et qui nous donne en outre la possibilité de les reconnaître et de les rapporter au passé.

Elle peut s'exercer de diverses manières, les principales formes de mémoires étant la mémoire visuelle, la mémoire auditive, la mémoire motrice, la mémoire tactile et la mémoire gustative et olfactive.

La mémoire visuelle, la plus fréquente de toutes et qui est particulièrement développée chez les peintres, enregistre les images perçues, les lieux où nous avons passé, les figures que nous avons rencontrées ; en un mot, c'est la mémoire qui nous permet de conserver toutes les notions qui nous sont parvenues par l'intermédiaire de nos yeux. Le « type visuel » voit la figure d'une personne dont il évoque le souvenir, lit le morceau de poésie quand il le récite, lit la page de musique qu'il joue par cœur.

La mémoire auditive, qui est surtout celle des musiciens, est concrétisée par la prédominance des images auditives. Le « type auditif » entend la voix d'une personne à laquelle il pense ; il entend son interlocuteur parler lorsqu'il se souvient d'une conversation ; il s'entend lui-même apprenant une leçon à haute voix quand il veut la réciter.

La mémoire motrice enregistre les mouvements acquis par l'habitude. C'est elle qui guide les doigts de la dactylographe sans que sa pensée consciente entre en jeu, occupée qu'elle est à lire ou à écouter le texte à transcrire. Chez le « type moteur », les images musculaires (issues de la main ou du gosier) prennent la place des images visuelles et auditives. Ainsi, certains enfants retiennent mieux une leçon quand ils l'ont écrite sur leur cahier (main) ou apprise à mi-voix (gosier). Les « types moteurs » ne voient pas et n'entendent pas leur pensée, ils la parlent. Les images conservées et restaurées sont celles des mouvements d'articulation.

A la mémoire motrice on peut rattacher la mémoire tactile qui est le souvenir des objets touchés. Elle est surtout développée chez les aveugles qui acquièrent une sensibilité très grande du toucher.

Enfin, les mémoires gustative et olfactive conservent les sensations du goût et de l'odorat. Pratiquement, elles jouent un rôle si secondaire qu'aucun homme ne semble pouvoir appartenir exclusivement ou principalement au « type gustatif » ou au « type olfactif ». Cependant, les dégustateurs des grandes maisons de vins ont une très forte mémoire gustative ; ils parviennent à reconnaître au goût les crus les moins différents, et, dans le même cru, les diverses années.

En fait, les trois principales formes de mémoire sont la mémoire visuelle, la mémoire auditive, la mémoire motrice, et, chacun de nous est, à la fois, visuel, auditif et moteur, avec, généralement, prédominance d'une forme de mémoire sur les deux autres. Cependant, chez beaucoup de personnes, qui réalisent un type que l'on peut qualifier de « moyen » ou de « normal », il existe un assez bon équilibre entre les trois catégories d'images mnémoniques. L'élève, qui appartient à ce type, lit mentalement la leçon qu'il récite, entend son professeur qui l'a expliquée et se rappelle les mouvements qu'il a faits pour la lire ou pour la copier. Dans ces conditions, la mémoire, appuyée sur les trois sortes d'images, visuelles, auditives et motrices, est une mémoire complète, riche et vivante.

Les maladies de la mémoire

Sous l'influence de causes diverses, et plus spécialement de causes organiques, la mémoire est sujette à certaines maladies qui ont été particulièrement étudiées par le psychologue français Théodule Ribot.

On peut les classer en trois groupes : les amnésies, les paramnésies et les hypermnésies.

On désigne sous le nom d'amnésies (de *a* privatif, et du grec *mnêsis,* mémoire) les cas de réduction ou de disparition complète de la mémoire. Elles se divisent à leur tour en trois catégories selon la fonction qui est atteinte : les amnésies de fixation, les amnésies d'évocation et les amnésies de reconnaissance. De plus, nous rattachons aux amnésies, bien qu'il soit d'usage de les décrire à part, les asymbolies et les aphasies.

Dans les amnésies de fixation, l'acte même de la mémoire fait défaut. Le sujet est dans l'impossibilité de fixer ses souvenirs. Elles peuvent être congénitales ainsi que cela a lieu chez certains dégénérés et dans les cas d'idiotie, d'imbécillité ou de crétinisme. Elles peuvent être progressives, comme dans la démence sénile, ou, au contraire, subites et elles sont alors provoquées soit par des facteurs physiques, soit par des maladies, soit par des causes morales : traumatisme crânien avec ou sans lésions de l'encéphale, traumatisme atteignant une partie quelconque du corps, strangulation, submersion, syncope, intoxication aiguë (alcoolisme aigu, intoxications par l'éther, l'oxyde de carbone, etc.), infections aiguës (fièvre typhoïde, typhus, peste, choléra, etc.), crises d'épilepsie, chocs moraux graves. Dans la plupart des cas d'amnésie subite, le trouble mnémonique prend la forme antérograde ou continue : il se rapporte aux faits présents, qui sont aussitôt oubliés, mais ne s'applique pas ou s'applique faiblement aux souvenirs acquis avant l'incident qui a provoqué l'amnésie. Tout se passe comme s'il s'agissait d'un trouble de perception ou d'attention plutôt que d'une véritable amnésie.

Les amnésies d'évocation sont caractérisées par ce fait que le souvenir ne peut plus être évoqué, du moins dans les conditions normales. A ce propos, Taine rapporte le cas d'un Irlandais « porteur commissaire d'une maison de commerce, qui, étant ivre, laissa un paquet à une fausse adresse, et, revenu à lui, ne put se rappeler ce qu'il en avait fait, mais qui, s'étant enivré de nouveau, se souvint de l'endroit où il l'avait laissé et le retrouva ». L'amnésie d'évocation peut être générale, et, en ce cas, le sujet a perdu tous ses souvenirs antérieurs. Il ne sait plus, par exemple, s'il est marié et s'il a des enfants. Mais, habituellement, l'amnésie d'évocation est partielle, tantôt limitée à une certaine catégorie de souvenirs, tantôt localisée à une période de l'existence. Dans ce dernier cas l'amnésie peut porter uniquement sur un événement ou embrasser une période d'étendue variable antérieure ou postérieure à cet événement. Une forme assez fréquente d'amnésie d'évocation est celle de l'oubli des langues étrangères. Ainsi, Georges Dumas relate le fait suivant : « A la suite d'une commotion, un jeune homme perdit complètement le latin qu'il avait appris depuis l'âge de douze ans, mais, en revanche, se rappela l'italien qu'il avait appris à quatorze ans et les quelques notions d'allemand acquises depuis l'âge de seize ans. »

Enfin, les amnésies de reconnaissance consistent en la disparition de la reconnaissance des objets. Comme l'indique A. Cuvillier dans son manuel classique de philosophie, « elles peuvent être motrices ou perceptives ». Dans le premier cas, le déficit porte non seulement sur les représentations, mais aussi sur les habitudes motrices elles-mêmes. Certains sujets, cités par Th. Ribot, ne savent plus tenir une fourchette ou une cuiller, ne peuvent plus s'habiller ou se déshabiller seuls, sont incapables de se servir d'un crayon ou d'une plume. Dans le second cas, le déficit porte sur la reconnaissance des perceptions visuelles, auditives ou tactiles : le sujet ne reconnaît plus les objets par la vue (cécité psychique), ne sait plus interpréter les bruits (surdité psychique), etc.

Lorsque les amnésies sont progressives, elles suivent assez régulièrement la loi de régression de la mémoire énoncée en premier lieu par Th. Ribot : le souvenir des faits récents disparaît avant celui des faits anciens ; les acquisitions intellectuelles anciennes se perdent peu à peu, les plus complexes avant les plus simples, les plus abstraites avant les plus concrètes ; après les idées s'effacent les sentiments ; les acquisitions qui résistent en dernier lieu sont celles qui sont presque entièrement organiques et qui ne se manifestent que par des actes quasi automatiques. Dans l'oubli des signes, la régression atteint successivement les noms propres, les noms communs, les adjectifs et les verbes, les interjections (telles que : *hélas ! Ah ! Bon ! Holà !*, etc.) et, enfin, les gestes.

Intelligence et mémoire sont-elles compatibles ?

On ne peut parler des amnésies, et des troubles de la mémoire en général, sans évoquer la paramnésie et les phénomènes d'hypermnésie.

A vrai dire, la paramnésie (du grec *para*, à côté de, et *mnêsis,* mémoire), qui constitue l'illusion du déjà-vu, n'est pas, à proprement parler, une maladie de la mémoire. Elle est plutôt un trouble de la perception, et, de plus, elle ne présente pas un caractère nettement pathologique.

En revanche, les phénomènes d'hypermnésie (du grec *huper,* au-delà, et *mnêsis,* mémoire), qui touchent parfois à l'invraisemblable, constituent une exagération, souvent morbide, de la reviviscence du passé.

Ainsi, en psychiatrie, on cite le cas de cet idiot lamentable qui pouvait répéter, mot pour mot, des prêches entiers dont il ne comprenait pas le sens. De même, Taine rapporte, dans l'un de ses ouvrages, quelques faits d'hypermnésie, et, en particulier, celui, désormais classique, d'une servante illettrée qui, parfois, se mettait à réciter des morceaux entiers de latin, de grec et d'hébreu qu'à l'âge de neuf ans elle avait entendu prononcer, sans y prêter attention, par son oncle, pasteur fort érudit. Théodule Ribot signale également qu' « un imbécile se rappelait le jour de chaque enterrement fait depuis trente-cinq ans. Il pouvait répéter, avec une invariable exactitude, le nom et l'âge des décédés, ainsi que le nom des gens qui conduisaient le deuil. » Le même auteur note que, « sous l'influence de la fièvre, un enfant de quinze ans raconta, dans ses plus petits détails, l'opération du trépan qu'il avait subie à l'âge de quatre ans et dont on ne lui avait jamais parlé ».

On peut rapprocher de ces faits l'opinion courante, basée d'ailleurs sur quelques observations, que les mourants ou les individus en danger de mort revoient leur vie entière comme en une vision panoramique. Ainsi, le poète italien Vittorio Alfieri eut, avant de mourir, un réveil de mémoire étonnant : il se rappela des travaux datant de cinquante ans et se mit à réciter un grand nombre de vers grecs d'Hésiode.

Dans la plupart de ces phénomènes d'hypermnésie, un élément psychique tend à reconstituer automatiquement, dans la conscience, l'état total dont il a fait antérieurement partie.

Ce caractère automatique, et en quelque sorte pathologique de l'hypermnésie, s'atténue considérablement ou même disparaît complètement dans certains cas de mémoration présentés par des personnes douées d'une puissante mémoire associée à une intelligence supérieure.

C'est ainsi que presque tous les grands hommes ont eu une mémoire excellente, qui, pour quelques-uns d'entre eux, est devenue légendaire.

Racine, par exemple, était capable de réciter des tragédies entières après les avoir lues une ou deux fois.

Le docteur Fred Braums avait appris deux cents milliers de dates de *l'Histoire universelle* et pouvait faire ses conférences en quinze langues différentes.

Le cardinal Giuseppa Gasparo Mezzofanti, qui fut l'un des plus grands génies linguistiques de tous les temps, apprit cent quatorze langues et soixante-douze dialectes. Dans cinquante-quatre langues au moins, il pouvait se faire passer pour un autochtone.

Aux Indes, il n'est pas rare qu'un érudit puisse réciter par cœur tout le recueil de chants du Rig-Véda, qui comprend plus de mille chants, soit quelque dix mille strophes.

Parfois, le pouvoir de mémorisation se révèle dès la plus tendre enfance. Ainsi de François de Beauchâteau, de Heinrich Heineken, de Philippe Baratier et de quelques autres enfants surdoués dont nous parlerons plus loin.

Les calculateurs prodiges qu'il nous a été donné d'étudier, Maurice Dagbert, Ernest Moingeon, Paul Lidoreau, par exemple, sont dotés, eux aussi, d'une mémoire des nombres proprement exceptionnelle. Ainsi, le 2 mai 1953, lors d'une démonstration faite au Palais de la Découverte devant un aréopage d'hommes de science, Paul Lidoreau, ayant effectué mentalement une addition de dix nombres de chacun trente-six chiffres significatifs, puis exécuté d'autres problèmes, répéta très aisément le résultat de l'addition, à l'endroit, à l'envers et par tranches diverses : décallions, nonillions, octillions, etc.

En dehors de ces cas exceptionnels, certains jeux de la radio ou de la télévision, tels que les jeux du « Quitte ou double », du « Gros lot », de « Télé-match », de « Pas une seconde à perdre », etc., ont également révélé ou révèlent d'extraordinaires mémoires orientées parfois en d'invraisemblables directions.

La présentation scénique, non truquée, de Rogello, « l'Homme au prodigieux cerveau », s'apparente à ces jeux. Ayant appris par cœur, d'une part, les faits historiques des cinq volumes de l'*Histoire de France* de Guizot ainsi que leur emplacement exact dans ces ouvrages, et, d'autre part, leur place précise dans le *Petit Larousse illustré,* il annonce, dès qu'un spectateur indique un fait historique : tel volume du *Guizot,* telle page, telle ligne, donne la date exacte du fait et le libellé de la ligne. Après quoi, il renvoie au dictionnaire *Larousse* et fournit la page et la ligne qui correspondent au fait. Il signale, s'il y a lieu, les divergences entre le *Larousse* et le *Guizot.*

Nous avons écrit : « non truquée », car beaucoup d'expériences de « mnémotechnie transcendante », présentées sur scène, appartiennent, en fait, au domaine de l'illusionnisme [1].

En tout cas, ces phénomènes d'hypermnésie, qu'ils soient ou non pathologiques, nous montrent, et c'est l'enseignement pratique que nous en tirerons, que notre cerveau est capable d'accumuler une quantité incroyable de connaissances plus ou moins complexes et que, de ce fait, nous pouvons faire confiance à notre mémoire. Au reste, pour beaucoup de psychologues, rien ne s'efface dans notre cerveau. Tous les souvenirs seraient là, prêts à surgir à l'occasion d'une occurrence favorable, prêts à reparaître, soit dans leur ingénuité selon Bergson, soit plus ou moins déguisés d'après Freud, mais toujours authentifiables.

PROFESSEUR ROBERT TOCQUET

1. Ainsi, l'expérience du Bottin prétendument appris par cœur est aisément réalisée à l'aide d'un Bottin truqué dont toutes les pages sont identiques. Il suffit de connaître la page unique pour répondre avec sûreté et justesse à toutes les questions posées par l'assistance.

Chapitre V

Un homme esclave
de sa mémoire : Veniamin

Il existe différentes sortes de mémoires, qui sont des spécialisations concernant l'enregistrement des informations fournies par la vue l'ouïe, le toucher, l'odorat, etc.

Que serait un homme qui n'oublierait jamais rien ? Cet homme existe : c'est Veniamin, le sujet étudié pendant plus de trente ans par le professeur A. R. Luria, de l'Académie des sciences de l'U.R.S.S.

Le cas en question est vraiment exceptionnel, non parce que la mémoire de Veniamin est d'une autre nature que celle du commun des mortels, mais parce qu'elle pousse jusqu'à la perfection des processus mnésiques normaux. Ainsi nous est-il donné de mieux comprendre les mécanismes de notre propre mémoire, aidés en ceci par l'analyse éclairante d'un grand psychologue.

Notre histoire commence vers les années vingt de ce siècle.

L'auteur, alors jeune psychologue à ses débuts, reçut un jour dans son laboratoire la visite d'un homme qui le pria de vérifier sa mémoire.

Cet homme, que nous nommerons Veniamin, était reporter dans un journal, et c'est à l'instigation de son rédacteur qu'il était venu me voir.

Le rédacteur avait l'habitude de distribuer le matin à ses collaborateurs le travail de la journée. Il leur donnait une liste des adresses où ils devaient se rendre et des renseignements qu'ils devaient y recueillir. Veniamin se trouvait parmi ces collaborateurs. La liste des adresses et des tâches à accomplir était assez longue et le rédacteur fut surpris de constater que Veniamin n'avait rien noté par écrit.

Il était sur le point de faire une observation à son subordonné distrait, mais il lui demanda d'abord de répéter ce qu'il venait de dire, ce que Veniamin fit très exactement. Le rédacteur voulut en savoir plus long et posa à Veniamin diverses questions concernant sa mémoire. Veniamin en fut étonné. Etait-ce donc tellement inhabituel d'avoir retenu ce qu'il avait entendu ? Les autres n'en font-ils pas autant ? Il n'avait jamais remarqué que sa mémoire était différente de celle du commun des mortels.

Le rédacteur lui suggéra alors de se rendre dans un laboratoire en psychologie en vue d'un examen de sa mémoire, et c'est ainsi que Veniamin vint me voir.

A cette époque Veniamin était âgé d'une trentaine d'années. Son père était propriétaire d'une librairie ; sa mère, bien que n'ayant reçu aucune instruction, avait beaucoup lu et était très cultivée. Veniamin avait plusieurs frères et sœurs, tous normaux et bien équilibrés, parfois doués de divers talents ; on ne connaissait pas de cas de maladie mentale dans la famille. Veniamin était né dans une petite ville et avait fréquenté l'école primaire ; plus tard, il entra dans une école de musique pour cultiver ses dons de musicien. Il souhaitait devenir violoniste, mais à la suite d'une affection des oreilles son ouïe s'était affaiblie et il se rendit compte que la carrière de musicien lui serait fermée. Après avoir cherché pendant quelque temps une profession, il échoua par hasard dans la rédaction d'un journal où il fut engagé comme reporter. Il n'avait pas d'idée bien définie quant à son avenir, ses projets étaient assez vagues. Il donnait l'impression d'un être un peu lent, plutôt effacé, et la démarche qu'il fut amené à faire semblait le surprendre. Il n'avait jamais rien remarqué de particulier en ce qui le concernait et ne se rendait pas compte de ce que sa mémoire avait d'exceptionnel. Il me transmit la demande de son rédacteur avec un certain embarras et se montra curieux de connaître le résultat d'un examen éventuel. C'est ainsi que débutèrent nos relations qui devaient se poursuivre pendant près de trente années durant lesquelles eurent lieu de nombreuses expériences, entretiens et échanges de correspondance.

Je m'étais mis au travail avec la curiosité habituelle de tout psychologue, mais sans beaucoup d'espoir quant aux résultats positifs de l'expérience.

Cependant, dès les premières séances mon attitude changea ; ce n'était plus le sujet mais l'expérimentateur qui se trouvait dans l'embarras.

J'avais soumis à Veniamin une liste de mots, puis de chiffres, puis de lettres isolées que tantôt je lisais lentement, tantôt je lui donnais à lire. Il écoutait ou lisait avec attention, ensuite il répétait le tout dans le même ordre.

J'allongeais la liste, citais 30, 50, 70 mots ou chiffres, sans que cela lui causât la moindre difficulté. Veniamin ne semblait avoir nul besoin de les apprendre par cœur. Je lisais distinctement et lentement, il écoutait avec une grande attention, me demandait parfois de m'arrêter un instant ou bien de répéter plus clairement un mot qu'il n'était pas sûr d'avoir bien entendu. Généralement il restait les yeux fermés pendant l'expérience, ou bien fixait un point dans l'espace. Quand l'énumération était terminée, il me priait de faire une pause, vérifiait mentalement ce qu'il avait entendu et ensuite répétait toute la liste d'affilée, sans interruption.

L'expérience a montré qu'il était capable de reproduire avec la même facilité une longue liste en ordre inversé ; il pouvait aisément dire quel était le mot qui suivait ou précédait un mot énoncé. Dans ce dernier cas, il se taisait quelques instants, comme s'il cherchait le mot en question, et ensuite répondait sans se tromper.

Il ne faisait pas de différence entre les mots ayant un sens et des syllabes non significatives ; ni entre les chiffres et les sons ; qu'ils fussent donnés oralement ou par écrit lui était égal. La répétition de n'importe quelle liste ne lui posait aucune difficulté, à condition que tous ses éléments fussent séparés par un intervalle de 2-3 secondes.

Bientôt je me sentis gagné par un désarroi croissant. En effet, Veniamin ne semblait pas éprouver le moindre embarras devant l'allongement de la liste et il m'avait fallu admettre que sa mémoire n'avait pas de limites précises. Je me voyais incapable de résoudre ce problème, élémentaire pour tout psychologue : comment mesurer l'étendue de sa mémoire ? Je lui fixai un autre rendez-vous, puis un troisième. D'autres rendez-vous suivirent, dont certains étaient échelonnés sur des périodes de plusieurs jours ou semaines, et même de plusieurs années.

Ces rencontres ne firent que compliquer la situation de l'examinateur que j'étais.

Il fallait reconnaître que la mémoire de Veniamin n'avait pas de limites définies, ni dans son étendue ni dans sa constance. Il était capable de reproduire sans erreur ni effort apparent n'importe quelle liste de mots qui lui avait été donnée une semaine, un mois, et même une ou plusieurs années plus tôt. Certaines de ces expériences, toujours couronnées de succès, avaient lieu 15 ou 16 ans après une première mémorisation de la liste et sans aucune préparation. Veniamin s'asseyait, fermait les yeux, se taisait quelques instants, puis disait : « oui, c'est bien ça... c'était dans votre ancien appartement, vous étiez assis devant la table et moi dans un fauteuil à bascule... vous portiez un complet gris et vous me regardiez comme ça... voilà, je vois ce que vous me disiez... » et ensuite il énumérait sans la moindre erreur tous les éléments de la liste qui lui avait été donnée quelques années plus tôt.

Ce phénomène semblait d'autant plus surprenant qu'à cette époque Veniamin était devenu une célébrité en tant que « mnémoniste » et qu'il lui fallait se souvenir de centaines et de milliers de listes.

Tout cela m'avait incité à poser le problème sur un plan différent et tenter non pas de mesurer sa mémoire mais d'en étudier les propriétés et d'en écrire la structure psychologique.

Plus tard un autre problème — déjà mentionné plus haut — s'était posé à moi, celui des particularités du processus psychique de cet être extraordinaire.

J'orientai donc mes recherches vers la solution de ces deux problèmes et, après ces longues années, je vais maintenant essayer d'exposer les résultats de ces recherches.

Un exemple type d'expérience

Pendant toute la durée de nos expériences, la mémorisation de Veniamin avait gardé *son caractère de spontanéité*. Tantôt il CONTINUAIT DE VOIR les listes de mots ou de chiffres qu'on lui présentait, tantôt il transformait ces mots et chiffres en images visuelles. Les listes de chiffres inscrits au tableau noir à la craie étaient pour lui les plus faciles à mémoriser.

Veniamin examinait le tableau avec attention, puis il fermait les yeux, les ouvrait un instant plus tard, se détournait et, à mon signal, reproduisait la liste, soit en remplissant les cases vides du tableau voisin, soit en nommant rapidement à la file les chiffres donnés. Il n'éprouvait aucune difficulté à remplir les cases vides avec les chiffres qui lui étaient indiqués en désordre ni à lire la même liste en sens inverse. Il nommait sans hésitation les chiffres figurant dans telle ou telle rangée, soit à la verticale, soit en diagonale, ou encore il formait avec ces chiffres un nombre unique.

Pour retenir un tableau de 20 chiffres il lui fallait 35 à 40 secondes de lecture ; un tableau de 50 lui prenait un peu plus de temps, mais il le retenait facilement en 2,5 à 3 minutes, pendant lesquelles il fixait plusieurs fois le tableau du regard, et ensuite — les yeux fermés — vérifiait ce qu'il avait retenu.

Voici un exemple typique de l'une des dizaines d'expériences que nous avons menées avec lui (Expérience 10 V 1939).

Veniamin a commencé par examiner attentivement le tableau inscrit sur une feuille de papier (tabl. 1), avec pauses et contrôle mental, le tout pendant 3 minutes.

Tableau 1

6	6	8	0
5	4	3	2
1	6	8	4
7	9	3	5
4	2	3	7
3	8	9	1
1	0	0	2
3	4	5	1
2	7	6	8
1	9	2	6
2	9	6	7
5	5	2	0
x	0	1	x

Ensuite, il a reproduit ce tableau (en nommant successivement les chiffres) en 40 secondes ; il parlait d'une voix rythmée, presque sans interruption. La reproduction des chiffres de la troisième colonne a été plus lente et a pris 1 minute 20 secondes. Il a nommé les chiffres de la deuxième colonne en 25 secondes ; il a fallu 30 secondes pour nommer tous les chiffres en sens inverse ; 35 secondes pour ceux placés en diagonale (sur quatre rangées en zigzag) ; et 50 secondes pour les chiffres encadrant le tableau. Il a mis 1 minute 30 secondes pour transformer ces cinquante chiffres en un nombre unique et pour le lire.

Le contrôle de la « relecture » de ce tableau, effectué quelques mois plus tard, a révélé, comme indiqué précédemment, que Veniamin reproduisait le tableau « fixé » aussi complètement et à peu près dans le même laps de temps que la première fois. La seule différence était qu'il lui a fallu plus de temps pour « reconstituer » les circonstances dans lesquelles l'expérience avait eu lieu : « revoir » la pièce où nous nous trouvions alors, « réentendre » ma voix, se « représenter » lui-même en train de regarder le tableau. Le processus même de « relecture » n'avait guère demandé de délai supplémentaire.

On a obtenu des données analogues en lui présentant des lettres isolées tracées soit au tableau noir, soit sur une feuille de papier. La « fixation » et la « relecture » des rangées de lettres n'ayant aucun sens (le tableau 2 représente l'expérience faite avec Veniamin en présence de l'académicien L. A. Orbeli) a pris à peu près le même temps que lorsqu'il s'agissait de chiffres. Veniamin a reproduit ce matériel avec la même facilité et ni le volume ni la stabilité du matériel mémorisé par lui n'avaient apparemment de limites définies.

Tableau 2

g	c	j	t	i	p	r
k	p	o	s	m	k	i
l	t	o	a	l	h	t
m	t	g	s	k	r	c

et ainsi de suite, 20-25 lignes

Comment se déroulait le processus de « fixation » et de « relecture » du tableau présenté ?

Pour répondre à cette question, nous n'avions pas d'autre moyen que d'interroger notre sujet lui-même.

A première vue, la réponse à cette interrogation paraissait très simple.

Veniamin a déclaré qu'il continuait de voir la liste inscrite sur le tableau noir ou sur une feuille de papier et qu'il n'avait qu'à la « lire » en nommant successivement les chiffres ou les mots qui la composaient. C'est pourquoi il lui était indifférent de « lire » cette série de signes à partir du commencement ou de la fin, soit verticalement, soit en diagonale, ou bien en suivant le « cadre » du tableau. Quant à transformer les chiffres isolés en un seul nombre, cela ne présentait pas pour lui plus de difficulté qu'à n'importe lequel d'entre nous à qui on aurait demandé d'effectuer cette opération avec le tableau devant les yeux.

Veniamin continuait de voir les chiffres « fixés » sur le même tableau noir ou sur la même feuille de papier sur lesquels on les lui avait montrés. Les chiffres gardaient pour lui la même configuration, et dans le cas où le tracé de l'un d'entre eux était flou, Veniamin pouvait se tromper en le « lisant », par exemple prendre un 3 pour un 8 ou un 4 pour un 9.

Pourtant, certains détails de ces expériences nous laissaient supposer que le processus de mémorisation n'avait pas du tout un caractère aussi simple qu'il nous avait semblé au début.

La perception colorée des sons

Une simple observation, qui paraissait sans grande importance, avait tout déclenché.

Veniamin avait déclaré à plusieurs reprises que lorsque l'expérimentateur prononçait certains mots, par exemple « oui » ou « non », que ce soit pour confirmer l'exactitude de la reproduction ou pour signaler une erreur, il apparaissait une tache sur le tableau qui, en se dilatant, cachait les chiffres, ce qui l'obligeait à « modifier » intérieurement le tableau. Le même phénomène se produisait s'il y avait du bruit dans la salle. Ce bruit se transformait en « nuages de vapeur » ou en « éclaboussures », ce qui rendait la « lecture » du tableau plus difficile.

Cette remarque nous a amené à supposer que le processus de mémorisation ne se limitait pas à la simple fixation de traces visuelles directes, mais qu'il contentait d'autres éléments dénotant chez Veniamin des synesthésies fortement développées.

Si l'on se fie aux souvenirs d'enfance de Veniamin — et nous y reviendrons plus tard —, on trouve ces synesthésies dès son plus jeune âge.

« Lorsque j'avais 2 ou 3 ans, racontait Veniamin, on avait commencé à m'enseigner les mots hébreux de prières. Je ne les comprenais pas et les percevais sous forme de nuages vaporeux et d'éclaboussures... Je les vois encore maintenant lorsque j'entends certains sons... »

Le phénomène synesthésique apparaissait chaque fois qu'on donnait à Veniamin à entendre certains sons, et lorsqu'il percevait d'abord une voix et ensuite des paroles, et ceci sous une forme encore plus complexe.

Voici le procès-verbal des expériences faites avec Veniamin au laboratoire de physiologie de l'ouïe, à l'Institut de neurologie de l'Académie de médecine.

« On lui donne un son du niveau de 30 hz et d'une puissance de 100 db. Il dit qu'il voit d'abord une bande de 12-15 cm de large, couleur vieil argent ; cette bande rétrécit progressivement, comme si elle s'éloignait, ensuite elle se transforme en un objet indéterminé qui brille d'un éclat d'acier. Puis le son prend la couleur de la lumière du soir ; il continue d'étinceler comme de l'argent.

On lui donne un son de 50 hz et 100 db. Veniamin voit une bande brune sur fond sombre avec des langues rouges ; le goût de ce son rappelle une soupe aigre-douce, la sensation gustative gagne toute la langue.

On lui donne un son de 100 hz et 86 db. Veniamin voit une large bande dont le milieu est d'un rouge orangé devenant progressivement rose sur les bords.

On lui donne un son de 250 hz et 64 db. Veniamin voit une ganse de velours dont les poils se hérissent de tous les côtés. Elle est d'une couleur rose orangé tendre, très agréable.

On lui donne un son de 500 hz et 100 db. Il voit un éclair qui fend le ciel en deux, en ligne droite. Lorsque le son est réduit à 74 db, il voit une couleur orange intense, comme si une aiguille pénétrait dans le dos ; cette aiguille diminue progressivement.

On lui donne un son de 2 000 hz et 113 db. Veniamin dit : « Ça

ressemble à un feu d'artifice rose-rouge..., la bande est rêche, désagréable..., d'un goût déplaisant, on dirait de la saumure... On
risque de se blesser la main. »

On lui donne un son de 3 000 hz et 128 db. Il voit un balai
couleur de feu. Le manche s'éparpille en points de feu...

Ces expériences ont été répétées pendant plusieurs jours et les
mêmes excitations provoquaient invariablement les mêmes réactions. »

Ainsi Veniamin se situait effectivement dans ce remarquable
groupe de gens, auquel appartenait entre autres le compositeur
Skriabine, chez qui la sensibilité « synesthésique » complexe était
particulièrement forte. Chaque son faisait naître spontanément une
impression de lumière et de couleur et, comme nous le verrons plus
tard, des sensations gustatives et tactiles.

On pouvait également observer des réactions synesthésiques quand
Veniamin écoutait une voix.

« Votre voix est jaune et friable », disait-il un jour à L. S. Vygotski
qui causait avec lui. « Il y a des gens qui parlent à plusieurs voix,
ça fait une véritable symphonie, un bouquet, disait-il une autre
fois. S. M. Eisenstein avait cette voix, c'est comme si une flamme,
avec des nervures, avançait vers moi... Je commence à m'intéresser à cette voix et voici que je ne comprends plus ce qu'il
dit... Il y a aussi des voix instables, il m'arrive souvent de ne pas
reconnaître une voix par téléphone, non seulement parce que l'écoute
est mauvaise, mais parce que la voix de cette personne change 20,
30 fois au cours d'une journée... Les autres ne s'en rendent pas
compte, mais moi je m'en aperçois...

« Je n'ai jamais pu me débarrasser de cette perception colorée du
son... Je vois d'abord la couleur de la voix, ensuite elle disparaît
parce qu'elle gêne... Quelqu'un prononce un mot, je le vois, mais
il suffit que j'entende une autre voix pour que des taches apparaissent,
des syllabes s'infiltrent et je ne peux plus rien distinguer... »

Les synesthésies dans le processus de fixation

Une « ligne », des « taches » et des « éclaboussures » étaient produits non seulement par un son, un bruit ou une voix. Chaque élément
d'une phrase suscitait chez Veniamin une image visuelle très nette,
chaque son avait sa forme, sa couleur, ses qualités gustatives. Les
voyelles se présentaient sous des formes simples, les consonnes étaient
des éclaboussures, quelque chose de solide qui s'éparpillait en gardant
toujours sa forme.

« *A,* c'est blanc et long, disait Veniamin ; *i* s'éloigne, on ne peut pas le dessiner ; *ille* est plus aigu ; *iou* est pointu, plus effilé que *e* ; *ia* est grand, on peut rouler dessus ; *o* vient de la poitrine, il est large et le son va vers le bas ; *hé* s'en va de côté, et je sens le goût de chacun des sons. Quand je vois des lignes, elles émettent des sons, elles aussi. Par exemple ⟋— c'est quelque chose entre *è - y - ille* ; ⟿ est une voyelle... qui ressemble à *r,* mais ce n'est pas un *r* bien net... impossible de savoir si ça vient d'en bas ou d'en haut ; si ça vient d'en haut, c'est un son, mais d'en bas ce n'est plus un son mais une sorte de crochet pour suspendre des seaux ; ⟍⟋ est quelque chose de sombre, mais si on le trace plus lentement, c'est autre chose... Si vous aviez fait ⟍ ⟋, — ce serait un *e*... »

Veniamin réagissait aux chiffres de manière analogue.

« Pour moi 2, 4, 6, 5 ne sont pas simplement des chiffres. Ils ont une forme... 1 est un chiffre pointu, indépendamment de sa représentation graphique, c'est quelque chose de fini, de dur ; 2 est plat, rectangulaire, blanchâtre, parfois grisâtre ; 3 est un tronçon aiguisé qui tourne ; 4 est rectangulaire lui aussi, obtus, il ressemble au 2 mais en plus important et gros ; 5 est absolument parfait, en forme de cône, de tour, il est solide ; 6 c'est le premier après 5, blanchâtre ; 8 est inoffensif, d'un bleu laiteux, ça ressemble à de la chaux ».

Il était évident qu'il n'existait pas chez Veniamin de frontière bien nette entre la vue et l'ouïe, entre l'ouïe et le toucher ou le goût. Ces vestiges de synesthésies, qui subsistent sous forme rudimentaire chez un certain nombre de personnes normales (et qui d'entre nous ignore que les sons hauts ou bas ont des colorations différents, qu'il y a des tons « chauds » et « froids » ; que « vendredi » et « lundi » n'ont pas la même teinte), ces vestiges constituaient la principale caractéristique de la vie psychique de Veniamin. Ils se manifestèrent de très bonne heure et ne le quittèrent jamais ; comme nous le verrons plus tard, ils laissaient leur empreinte sur sa perception, son intelligence, son raisonnement ; ils constituaient la composante fondamentale de sa mémoire.

Si l'on faisait entendre à Veniamin des sons isolés, des syllabes dépourvues de sens ou des termes inconnus, la fixation mnémonique intervenait sous forme de « lignes » et d' « éclaboussures ». Il disait alors que les bruits, les voix ou les mots suscitaient en lui des impressions visuelles : des « nuages vaporeux », des « éclaboussures », des « lignes unies ou brisées » ; d'autres fois ils provoquaient une sensation de goût sur la langue, ou encore de contact de quelque chose de mou ou de piquant, de lisse ou de rugueux.

Ces composantes synesthésiques de toute excitation visuelle, et davantage encore auditive, jouaient un rôle très important dans la fixation mnémonique lors de la première période de son développement. Ce n'est que plus tard, avec le développement de la mémoire significative et imagée, qu'elles reculèrent à l'arrière-plan, tout en participant à chaque exercice de mémorisation.

La valeur de ces synesthésies dans le processus de fixation mnésique consistait, objectivement parlant, en la création d'une sorte de fond à chaque souvenir, et en un apport complémentaire d'une information « excédentaire », qui garantissait l'exactitude de la mémorisation : si pour quelque raison que ce soit (comme nous le verrons plus tard) Veniamin reproduisait un mot inexactement, les sensations synesthésiques complémentaires qui ne correspondaient pas au mot original lui faisaient sentir que « quelque chose ne collait pas » dans sa reproduction et l'amenaient à corriger l'erreur.

« Je me guide non seulement d'après les images mais toujours d'après l'ensemble des sensations produites par chaque image. C'est difficile à expliquer, ce n'est ni la vue ni l'ouïe... ce sont des sensations en général... D'habitude, je sens le goût et le poids du mot, et il ne me reste plus aucun effort à faire, le souvenir me revient tout seul... mais je ne peux pas décrire ça. Je sens glisser dans ma main quelque chose de gras, composé d'une quantité de points minuscules très légers, un léger chatouillement dans la main gauche — et je n'ai besoin de rien d'autre... » (Expérience 22 V 1939.)

Les sensations synesthésiques qui jouaient un rôle actif dans la mémorisation de la voix, des sons isolés ou de groupes de sons, perdaient leur caractère dominant et étaient reléguées au second plan lorsqu'il s'agissait de mots.

Nous allons examiner de plus près ce phénomène.

Quand rien ne peut s'oublier...

La surprenante clarté et la stabilité des images, sa faculté de les garder en mémoire pendant de longues années et de les évoquer de nouveau à son gré, permettaient à Veniamin d'emmagasiner un nombre pratiquement illimité de mots et ce pour un temps indéfini. Cependant ce procédé de « notation » n'était pas exempt de certaines difficultés.

Lorsque nous eûmes constaté que l'étendue de la mémoire de Veniamin n'avait pratiquement pas de limites, qu'il n'avait pas besoin « d'apprendre par cœur » les images, mais qu'il lui suffisait de les « enregistrer », et qu'il pouvait rappeler à lui ces images après de très longues périodes (nous verrons plus loin avec quelle exactitude Veniamin reproduisait une liste qui lui avait été donnée dix et même seize ans plus tôt), nous avons évidemment abandonné toute tentative de « mesurer » sa mémoire et avons abordé le problème sous un angle différent : est-il capable d'OUBLI ? Nous nous sommes alors appliqués à relever chaque omission commise par Veniamin.

De tels cas se produisaient en effet et, chose curieuse, même assez souvent.

Comment expliquer un « oubli » de la part de cet homme doué d'une mémoire aussi puissante ? Comment, d'autre part, expliquer les lacunes parmi les éléments mémorisés alors que leur reproduction ne présentait presque jamais d'inexactitudes (comme par exemple remplacement du mot original par un synonyme ou par un autre terme associativement proche) ?

La réponse à ces deux questions nous fut aussitôt donnée par l'analyse. Veniamin n' « oubliait » pas les mots : ils les « omettait » pendant la « reproduction » et ces omissions s'expliquaient toujours très simplement.

Pour peu que Veniamin « place » une image de manière qu'il lui soit difficile de la « voir », par exemple dans un endroit mal éclairé ou là où elle risquait de se confondre avec le fond et devenait peu distincte, cette image lui échappait à la « relecture » et Veniamin « passait » devant elle sans « l'apercevoir ».

Ces lacunes, fréquemment observées chez Veniamin (particulièrement dans la première période de nos observations, lorsque sa technique de mémorisation n'était pas encore suffisamment développée) indiquaient qu'il s'agissait non de défauts de mémoire, mais de défauts de perception, autrement dit, qu'elles étaient dues non aux particularités neurodynamiques de conservation des traces, bien connues en psychologie (freinage rétroactif et proactif, extinction des traces, etc.) mais par des particularités tout aussi connues de PERCEPTION visuelle (netteté, contraste, relief, éclairage, etc.).

Ainsi la clé de ses erreurs était fournie par la psychologie de la perception et non par la psychologie de la mémoire.

Pour illustrer cette constatation, nous donnons ci-après quelques extraits des nombreux procès-verbaux.

En reproduisant une longue série de mots, Veniamin avait omis le mot « crayon ». Dans une deuxième liste, le mot « œuf » ; dans une troisième, « étendard » ; dans une quatrième, « dirigeable »... Enfin, dans une autre liste, le mot « poutamen » qu'il ne comprenait pas.

Voici comment il expliquait ses erreurs :

« J'avais placé le " crayon " près de la barrière, vous savez, cette barrière dans la rue, le crayon s'était confondu avec la barrière et je passai sans l'apercevoir... La même chose est arrivée avec " l'œuf ". Il s'était confondu avec la blancheur du mur contre lequel il était placé. Comment distinguer un œuf blanc sur un fond blanc ?... C'est ainsi que le dirigeable gris s'était confondu avec la chaussée grise... En ce qui concerne « l'étendard rouge », je l'avais appuyé contre le mur du Mossoviet qui est rouge, comme vous le savez, et je ne l'ai pas remarqué en passant... Quant à « poutamen », je ne sais pas ce que c'est... c'est un mot très sombre et je n'ai pas pu le distinguer, le réverbère était loin...

« Il m'arrive parfois de placer un mot dans un endroit mal éclairé et ça ne va pas non plus : par exemple le mot " tiroir " s'est trouvé dans le rencognement d'une porte cochère où il faisait sombre et il était difficile de l'apercevoir... D'autres fois, si j'entends quelque bruit ou une voix étrangère, des taches apparaissent qui cachent tout... ou bien des syllabes qui ne figuraient pas avant s'insinuent... et je risque de dire qu'elles y étaient... Tout cela m'empêche de me souvenir... »

Ainsi les « défauts de mémoire » de Veniamin étaient en réalité des « défauts de perception » ou des « défauts d'attention », et leur analyse, sans diminuer la valeur de la puissance de sa mémoire, nous permettait d'examiner de plus près les procédés de mémorisation de cet homme remarquable.

Un examen plus poussé nous fournit la réponse à la deuxième question : pour quelle raison la mémoire de Veniamin ne présentait-elle jamais de déformations ?

Ce fait s'explique par la présence des composantes synesthésiques aussi bien dans l' « enregistrement » que dans la « relecture » du matériel.

Comme il a été dit plus haut, Veniamin ne se bornait pas à convertir les mots en images. Chaque mot lui laissait encore une sorte d' « information complémentaire » sous forme de sensations synesthésiques (visuelles, gustatives, tactiles) produites soit par le son, soit par la représentation graphique du mot. De sorte que s'il se trompait en « relisant » l'image fixée par lui dans sa mémoire, cette « information complémentaire » ne coïncidait pas avec les signes distinctifs du synonyme utilisé ou du terme associativement le plus proche du mot juste, et il en résultait une sorte de désaccord qui permettait à Veniamin de constater l'erreur commise.

Il m'est arrivé un jour, en quittant avec Veniamin l'institut où nous faisions des expériences avec L. A. Orbeli, de dire à Veniamin, oubliant à qui j'avais affaire : « Vous n'oublierez pas le chemin pour aller à l'institut ! »

« Bien sûr que non répondit-il. Comment le pourrais-je ? Ce mur a un goût tellement salé, il est si rugueux et il produit un son tellement strident... »

Il est évident que l'association d'un grand nombre de signes distinctifs, que l'information complémentaire donne grâce aux synesthésies à partir de chaque impression, garantissait l'exactitude du souvenir et rendait peu probable le moindre écart du matériel visuel.

Les difficultés : bruits de fond et parasitages divers

En dépit de tous les avantages de la fixation mnésique spontanée par images, il arrivait à Veniamin de se heurter à certaines difficultés. Ces difficultés augmentaient à mesure que le matériel à mémoriser devenait plus abondant et changeant, ce qui avait lieu de plus en plus souvent depuis que Veniamin, ayant quitté son emploi précédent, était devenu un « mnémoniste » professionnel.

La première de ces dificultés venait de ce que, désormais, en tant que professionnel, Veniamin ne pût plus se permettre de laisser des images isolées se confondre avec le fond, ni de se tromper, en « reproduisant » le texte, en raison de son « éclairage insuffisant ».

Il ne pouvait pas davantage admettre que des bruits étrangers produisent des « taches », des « éclaboussures » ou des « nuages vaporeux » cachant les images disposées par lui, et les rendant difficilement discernables.

« Le moindre bruit me gêne, disait-il... Il se transforme en lignes et m'embrouille... J'avais le mot « omnia » et puis un bruit est survenu et j'ai inscrit « omnion »... On me dit un mot et aussitôt je vois des lignes, je les tâte, elles semblent s'élimer au contact de mes mains... une fumée apparaît, une brume... Et plus j'entends parler, plus j'ai du mal... et bientôt il ne reste plus rien du sens des mots. »

Les mots qu'on lui donnait à mémoriser étaient parfois si distants quant à leur signification qu'ils risquaient de rompre l'ordonnance choisie par Veniamin pour « l'alignement » des images.

« A peine ai-je quitté la place Maïakovsky qu'on me dit " Kremlin " et je dois aussitôt me trouver au Kremlin. Bon, je lance une corde jusqu'au Kremlin... Ensuite on dit " poésies " et je me retrouve place Pouchkine... Et si l'on dit " indien " je dois me transporter en Amérique. Bon, je lancerai une corde à travers l'océan. Mais ces voyages sont très fatigants... »

Ce qui compliquait encore la situation, c'était que le public lui donnait souvent des mots très longs, compliqués à dessein ou dénués de sens. Dans ce cas il avait forcément recours aux « lignes », aux représentations visuelles des courbes, nuances, éclats, qui se substituaient à la voix, et c'était un travail pénible...

La mémoire visuelle de Veniamin n'est plus alors assez économe et il doit faire l'effort de l'adapter à des conditions nouvelles.

Ici commence la seconde étape — celle de la simplification des procédés de rétention, de la recherche de nouvelles techniques pouvant enrichir la mémorisation, la rendre indépendante des incidents imprévus, garantir la reproduction rapide et exacte de n'importe quel matériel dans n'importe quelles circonstances.

La première tâche de Veniamin était de libérer les images de toute influence fortuite pouvant rendre difficile leur « recognition ».

Ce problème se révéla des plus simples.

« Je sais que je dois faire attention à ne pas laisser un objet m'échapper — c'est pourquoi je l'agrandis. Je vous ai parlé du mot " œuf ". Il est facile de ne pas l'apercevoir... aussi je le fais très grand, je le pose contre le mur d'une maison et je l'éclaire mieux avec le réverbère... Je ne place plus les objets dans des passages sombres... Il m'est plus facile de les apercevoir sous un bon éclairage. »

L'agrandissement du volume des objets, un meilleur éclairage, leur disposition judicieuse — voici le premier pas de « l'eidotechnique » (technique imaginative) qui caractérise la seconde étape du développement de la mémoire de Veniamin. Un autre procédé consistait à réduire et à symboliser les images, il n'avait pas existé au cours de la première période et était devenu l'un des procédés de base à l'époque du travail en tant que « mnémoniste » professionnel.

« Autrefois, pour mémoriser une situation, je devais me la représenter dans son ensemble. A présent, il me suffit d'en prendre quelque détail conventionnel. Si l'on me donne le mot " cavalier ", je n'ai qu'à me représenter un pied avec un éperon. Autrefois, quand on me disait " restaurant ", je voyais son entrée, des gens à table, un orchestre roumain, des musiciens qui accordent leurs instruments, et beaucoup d'autres choses encore... Aujourd'hui, si vous me dites " restaurant ", je vois seulement une sorte de magasin, l'entrée d'une maison, quelque chose de blanc — et je retiens le mot " restaurant ". C'est pourquoi les images aussi sont devenues différentes. Autrefois elles étaient plus vives, plus réelles... Maintenant elles ne sont ni aussi nettes, ni aussi claires... J'essaie de faire ressortir l'essentiel. »

Réduction des images, élimination des détails, leur généralisation — voici la deuxième étape suivie par la « technique » imaginative de Veniamin, plus abstraite désormais, parce que moins dépendante des formes visuelles.

« Auparavant, pour me rappeler le mot " Amérique ", je devais tendre une longue corde à travers l'océan — de la rue Gorki jusqu'en Amérique — pour ne pas m'égarer. Aujourd'hui je n'en ai plus besoin. On me dit " éléphant " et je vois un zoo ; on me dit " Amérique " et je place ici l'oncle Sam ; " Bismark ", et le voici près du monument de Bismark ; on me dit " transcendant ", et je vois mon professeur Tcherbine qui se tient devant le monument et le regarde... A présent je n'ai plus besoin d'effectuer toutes ces opérations compliquées et de courir d'un pays à l'autre. »

Cette méthode de simplification des images et de leur symbolisation amena Veniamin à un troisième procédé qui devait graduellement devenir pour lui l'élément principal de son travail.

Lorsque, au cours de ses séances publiques, il avait à retenir des milliers de mots compliqués à dessein et dépourvus de sens, il lui fallait transformer ces mots en images significatives. Pour cela, le moyen le plus simple était de décomposer une phrase longue et absurde en ses éléments primitifs et d'attribuer un sens à quelque syllabe, en utilisant une notion associativement proche. Veniamin avait acquis une véritable virtuosité dans la pratique de cette opération qu'il devait répéter tous les jours pendant plusieurs heures. Le point de départ de ce travail, qu'il exécutait avec une rapidité et une facilité surprenantes, était la « sémantisation » des images auditives ; pour compléter ce procédé, Veniamin se servait des ensembles synesthésiques qui « garantissaient » l'exactitude du souvenir.

« On me dit : *Ibi bene ubi patria*. Je ne sais pas ce que cela veut dire... Mais voici qu'apparaît Benia (bene) et pater (père)... et je retiens : ils sont dans une petite maison quelque part en forêt et... ils se disputent... »

Nous ne citerons qu'un exemple illustrant la virtuosité avec laquelle Veniamin manipulait la sémantisation et la technique imaginative. C'est en raison de l'extrême difficulté (reconnue par le sujet lui-même) inhérente à ce type d'exercice que nous l'avons choisi de préférence à quelques centaines d'autres. Mémoriser une rangée de syllabes sans la moindre signification est en effet d'une complexité inouïe. Nous allons voir comment Veniamin tournait la difficulté et sortait vainqueur de l'obstacle.

Les prodiges de l'imagination

Un jour que Veniamin donnait une séance publique dans un sanatorium, on lui proposa de reproduire fidèlement les séries suivantes (composées, rappelons-le, de syllabes sans signification aucune) :

1. MAVANASANAVA
2. NASANAMAVA
3. SANAMAVANA
4. VASANAVANAMA
5. NAVANAVASAMA
6. NAMASAVANA
7. SAMASAVANA
8. NASAMAVAMANA, etc.

Veniamin avait reproduit cette série.

Quatre ans plus tard, Veniamin avait, sur ma demande, reconstitué le chemin qu'il avait suivi pour fixer cette liste. Voici son compte rendu.

« En automne 1965, j'ai donné une séance publique que je considère comme la plus difficile de toute ma carrière. Vous m'aviez envoyé à ce moment-là une petite note me demandant de décrire la séance. Il ne m'a pas été possible de le faire plus tôt, pour des raisons indépendantes de ma volonté, et ce n'est qu'aujourd'hui, après un délai de plus de quatre ans, que je le fais. Bien que plusieurs années se soient écoulées depuis, je revois toute la séance avec la même précision que si, au lieu d'avoir quatre ans d'ancienneté, elle n'était éloignée que de quatre mois.

Pendant la séance, mon assistant épelait les mots en les décomposant en syllabes : MA — VA — NA — SA — NA — VA, etc. Dès que j'eus entendu la première syllabe, je me vis sur un sentier en forêt, non loin du hameau Malta où je passais mes vacances étant enfant. A ma gauche, à la hauteur de mes yeux, jaillit une ligne gris-jaune, très mince (toutes les consonnes s'appuient sur la voyelle A). Des mottes, des éclaboussures, des taches bigarrées, de poids et de densité inégaux, surgissent sur cette ligne, pour figurer les lettres M, B, N, S, etc.

Le deuxième mot est épelé.

Les mêmes consonnes apparaissent immédiatement, mais dans un ordre différent. Je tourne à gauche et continue de suivre la ligne horizontale.

Troisième mot. Fichtre ! c'est toujours la même chose mais la disposition n'est pas la même. Je demande à mon assistant : « Y en a-t-il encore beaucoup du même genre ? » Il répond : « Presque tous sont de ce genre ! » Je suis déconcerté. La répétition uniforme de quatre consonnes en alternance avec la monotone voyelle A, d'une forme primitive, ébranle mon habituelle assurance. Si encore à chaque mot je pouvais changer de sentier, bien palper, renifler, scruter, et m'imprégner de chaque tache, cela me faciliterait le travail mais exigerait quelques secondes en plus, alors que sur scène chaque seconde compte. Je vois quelqu'un sourire dans la salle. Ce sourire se transforme en une pointe aiguisée ; je ressens au cœur une piqûre violente, et décide de recourir à la mnémotechnique. »

En souriant aimablement, je prie mon assistant de relire les trois premiers mots en entier, sans les décomposer. La monotome voyelle A crée un certain rythme et donne un accent tonique. Ça fait : MAVA — NASA — NAVA. Et voici que le processus de fixation se déclenche et se poursuit sans interruption au tempo requis pour la scène. J'écoute et je vois : MAVA — NASA — NAVA.

1. MAVANASANAVA. Ma logeuse (MAVA) de la rue Sliska à Varsovie se met à la fenêtre donnant sur cour ; de la main gauche elle désigne l'intérieur de la chambre (NASA), de la main droite elle fait un signe négatif (NAVA) au fripier juif qui se tient dans la cour, un sac jeté sur l'épaule droite, pour lui dire qu'elle n'a rien à vendre. « Mouvi », c'est « parler » en polonais. « Nasa », c'est « notre » en russe, puis-

que j'avais remplacé « ch » par « ss » ; en outre, quand ma logeuse a dit « nasa », j'ai vu scintiller un rayon orange, couleur caractéristique de « s ». « Nava » c'est « non » en letton. Quant aux voyelles, elles n'avaient pas d'importance puisqu'il n'y avait que « a » entre les consonnes.

2. NASANAMAVA. Le fripier est maintenant dans la rue, devant la porte cochère. Il écarte les bras dans un geste de surprise causée par les paroles de ma logeuse que « nous (nasa) n'avons rien à vendre ». Il désigne une femme avec une grosse poitrine (NAMA, c'est « nourrice » en hébreu, « a'nam »). Un passant, indigné, s'écrie « vaï » (va) : il est malséant pour un vieux juif de reluquer une nourrice.

3. SANAMAVANA. Je suis dans la rue Sliska, près de la Tour Soukharev, du côté de la Pervaïa Mestchanskaïa (je me vois souvent à cet angle au cours de mes séances). A l'entrée de la Tour, un traîneau (SANA) ; sur le traîneau ma logeuse (MAVA) tenant une longue planche blanche (NA) qu'elle lance à travers le passage, mais où ? La longue planche est une image passe-partout pour NA ; NAD, c'est la même planche, mais qui dépasse la hauteur d'homme et des maisons en bois à un étage.

4. VASANAVANAMA. Ah ! voici à l'angle de la place des Kolkhozes et de la rue Stretenka un grand magasin ; la gardienne, ma vieille connaissance, la laitière Vasilissa (VASA) au teint blanc, se tient devant. De la main gauche elle fait un geste négatif : le magasin est fermé (NAVA). Ce geste s'adresse à la nourrice (NAMA) qui a déjà figuré plus tôt ; elle voulait entrer dans le magasin.

5. NAVANAVASAMA. Tiens, encore ce NAVA. Je vois apparaître près de la porte Sretenka une énorme tête humaine transparente, qui se balance à travers la rue comme un pendule (image classique pour « non »). Une autre tête semblable se balance plus loin, près du pont Kouznetski. Au centre de la place Dzerjinski s'élève une forme imposante — la statue de la commère russe (SAMA veut dire « ménagère » dans la littérature russe).

6. NAMASAMAVANA. Il serait dangereux d'évoquer de nouveau la nourrice et la commère. Je descends vers le passage du Théâtre. Dans le square du Théâtre Bolchoï, sur un banc, est assise Noémie de la Bible (NAMA) ; elle se lève, tenant un grand samovar blanc (SAMA) qu'elle porte vers la baignoire (VANA) posée sur le trottoir devant le cinéma Vostok ; la baignoire est en zinc, blanche à l'intérieur, verte à l'extérieur.

7. SAMASAVANA. Comme c'est facile ! La grosse commère s'éloigne de la baignoire (SAMA) sur laquelle un suaire blanc (SAVANA) est

étendu. Je suis près de la baignoire ; je vois son dos. Elle se dirige vers le bâtiment du Musée de l'Histoire. Qu'est-ce qui m'attend là-bas ? Allons voir.

8. NASAMAVAMANA. C'est trois fois rien ! Il s'agit de combiner plutôt que de mémoriser. NASA, c'est une forme éthérée mal réussie. J'empiète sur la syllabe suivante ; qu'est-ce que ça donne ? « N'chama », c'est « âme » en hébreu (NASAMA). Quand j'étais enfant je m'imaginais l'âme sous forme des poumons et du foie, tels que je les voyais souvent sur la table de cuisine. Et voici, devant le perron du musée, une table avec « l'âme » — foie et poumons — et plus loin une assiette de purée, et un homme de type oriental qui se tient près de la table et s'écrie : « Vaïvaï ! (VA). Je ne veux plus de purée ! (MANA).

9. SANAMAVANAMA. C'est une bien naïve provocation ! Je reconnais la scène devant la Tour Soukharev (troisième mot) avec en plus la syllabe MA au bout. Je reconstitue la même scène entre le Musée de l'Histoire et la grille du Jardin Alexandre, et j'installe sur une planche une femme avec un bébé dans les bras — maman (MA).

10. VANASANAVANA. Ce jeu peut continuer jusqu'à demain ! Dans l'allée centrale du jardin Alexandre, deux baignoires en faïence blanche (pour les distinguer du n° 6) (VANA — VANA), et une infirmière en blouse blanche (SANA) entre elles, et voilà ! »

Nous croyons qu'il est inutile de poursuivre la lecture du procès-verbal. A la succession monotone de syllabes se substituent des images aux couleurs vives, et la « lecture » de ces images ne présente aucune difficulté. C'est donc, sans contexte, l'imagination — et, oserions-nous dire, elle seule — qui est ici mise à contribution. Une imagination servie, il est vrai, par une mémoire sans faille, puisque je demandai huit ans plus tard à Veniamin de me rappeler les différentes phases de cette expérience, ce qu'il fit sans le moindre effort ni la moindre erreur.

PROFESSEUR A. R. LURIA

Chapitre VI

L'expérience du calendrier ou comment simuler une mémoire prodigieuse

Le cas de Veniamin reste unique en parapsychologie. L'étude approfondie du professeur Luria a montré que Veniamin n'exclut pas la réflexion et l'imagination la plus vive pour sonder sa mémoire qui enregistre tout. Pourtant aucun trucage n'explique ses performances.

Les méthodes employées par les prestidigitateurs sont d'un autre ordre. Elles ne nécessitent qu'un esprit logique et une mémoire ordinaire, quoique bien entraînée. A titre d'exemple, nous donnons l'expérience dite du calendrier.

Cette expérience consiste à énoncer le jour de la semaine correspondant à une date déterminée. Pour la réaliser commodément voici une méthode pratique que nous appliquons d'abord à la période s'étendant de 1860 à nos jours.

Trois tableaux doivent être retenus.

Le premier est très simple car il ne comprend que 7 et ses trois multiples : 7, 14, 21, 28.

Le second tableau est celui-ci :

Janvier	correspond	à 0
Février	—	— 3
Mars	—	— 3
Avril	—	— 6
Mai	—	— 1
Juin	—	— 4
Juillet	—	— 6
Août	—	— 2
Septembre	—	— 5
Octobre	—	— 0
Novembre	—	— 3
Décembre	—	— 5

Le troisième tableau, composé des années bissextiles (y compris 1900 qui n'est pas bissextile), est un peu plus compliqué :

1860 et 1900	correspondent	à	0
1864 et 1904	—	—	5
1868 et 1908	—	—	3
1872 et 1912	—	—	1
1876 et 1916	—	—	6
1880 et 1920	—	—	4
1884 et 1924	—	—	2
1888 et 1928	—	—	0
1892 et 1932	—	—	5
1896 et 1936	—	—	3
1940	correspond	à	1
1944	—	—	6
1948	—	—	4
1952	—	—	2
1956	—	—	0
1960	—	—	5
1964	—	—	3
1968	—	—	1
1972	—	—	6
1976	—	—	4
1980	—	—	2
1984	—	—	0

et ainsi de suite.

Voyons maintenant comment on utilise ces trois tableaux et quels sont les calculs permettant d'obtenir le résultat désiré.

Tout d'abord, il faut, dans les calculs qui suivent, ramener les nombres à un chiffre inférieur à 7 en partant de ce principe que 7 et ses multiples doivent être décomptés. Ainsi 7 est ramené à 0 puisque $7 - 7 = 0$; 8 est ramené à 1 puisque $8 - 7 = 1$; 16 est ramené à 2, car $16 - 14 = 2$; 27 est ramené à 6 puisque $27 - 21 = 6$.

Ce principe étant admis et les tableaux étant sus, voici les opérations qu'il convient d'effectuer.

La première opération consiste à transformer le quantième du mois en un chiffre inférieur à 7, selon le principe que nous venons d'énoncer.

La deuxième opération consiste à ajouter au chiffre obtenu le chiffre correspondant au mois et donné par le deuxième tableau. On ramènera le total à un chiffre au-dessous de 7 selon la méthode déjà employée.

Enfin, dans la troisième opération, on ajoute à ce chiffre celui qui est fourni directement par le troisième tableau.

Ici, deux cas sont à considérer.

Premier cas. — Si l'année choisie est bissextile le chiffre est fourni par le tableau. Cependant, si le mois demandé est janvier ou février, il faut diminuer ce chiffre d'une unité. L'addition terminale faite, on ramènera le total au-dessous de 7 conformément à la règle générale. Le chiffre obtenu fournira le jour de la semaine, étant entendu que 1 correspond à lundi, 2 à mardi, 3 à mercredi, etc., et 0 à dimanche.

Il convient de remarquer que l'année 1900 devrait être bissextile car 1900 est divisible par 4, mais elle ne l'est pas parce que, d'une part, elle est séculaire, et parce que, d'autre part, les années séculaires ne sont bissextiles que si leurs deux premiers chiffres sont divisibles par 4 comme c'est le cas pour 1600 2000, 2400, etc. Il n'y aura donc pas lieu de diminuer d'une unité pour janvier et février 1900.

Deuxième cas. — Si l'année choisie n'est pas bissextile, on considérera l'année bissextile la plus proche de millésime inférieur, on retiendra le chiffre qui lui correspond, et, à ce chiffre, on ajoutera la différence entre les deux années. Si le total est supérieur à 7, on retranchera ce chiffre. Le résultat final sera ajouté, comme précédemment, à celui fourni par les deux premières opérations, ce qui permettra d'obtenir le jour de la semaine.

Quelques exemples vont faire saisir la simplicité des calculs.

PREMIER EXEMPLE. — *Quel était le jour du 9 juin 1884 ?*

Première opération. — Il faut ramener 9 à un chiffre inférieur à 7. Nous retranchons 7, ce qui donne 2.

Deuxième opération. — A juin correspond le chiffre 4. Nous comptons $2 + 4 = 6$. Ce total étant inférieur à 7, nous le conservons.

Troisième opération. — 1884 figure dans le tableau et le chiffre qui lui correspond est 2. On a donc : $6 + 2 = 8$. Ce chiffre étant supérieur à 7, nous lui retranchons 7, ce qui donne 1. Donc le jour du 9 juin 1884 était un *lundi*.

DEUXIÈME EXEMPLE. — *Quel était le jour du 4 janvier 1884 ?*

Première opération. — 4 étant inférieur à 7, il n'y a pas lieu de transformer ce chiffre.

Deuxième opération. — A janvier correspond le chiffre 0. On a donc : $4 + 0 = 4$.

Troisième opération. — Le chiffre qui correspond à 1884 est 2, mais comme le mois demandé est janvier il faut diminuer ce chiffre d'une unité. On aura donc $4 + 1 = 5$. Le jour du 4 janvier 1884 était, par conséquent, un *vendredi*.

TROISIÈME EXEMPLE. — *Quel était le jour du 5 juin 1898 ?*

Première opération. — 5 étant inférieur à 7, il n'y a pas lieu de transformer ce chiffre.

Deuxième opération. — A juin correspond le chiffre 4. Nous comptons : $5 + 4 = 9$. Ce total étant supérieur à 7, nous lui retranchons ce chiffre, ce qui donne 2.

Troisième opération. — 1898 ne figure pas dans le troisième tableau. L'année bissextile la plus proche de millésime inférieur est 1896. Le chiffre qui lui correspond est 3, auquel nous ajoutons la différence $1898 — 1896 = 2$. Nous obtenons 5 et nous ajoutons 2 déterminé dans la deuxième opération, ce qui donne 7. A ce chiffre, nous enlevons 7 et nous avons 0. Le 5 juin 1898 étant donc un *dimanche*.

QUATRIÈME EXEMPLE. — *Quel était le jour du 27 mars 1900 ?*

Première opération. — Il faut ramener 27 à un chiffre au-dessous de 7. Nous retranchons donc 21 (7×3), ce qui donne 6.

Deuxième opération. — A mars correspond 3. Nous comptons : $6 + 3 = 9$, et nous retranchons 7, ce qui donne 2.

Troisième opération. — Comme à 1900 correspond 0, le jour du 27 mars 1960 était un *mardi*.

CINQUIÈME EXEMPLE. — *Quel était le jour du 11 novembre 1918 ?*

Première opération. — Ramenons 11 à un chiffre inférieur à 7 : $11 — 7 = 4$.

Deuxième opération. — A novembre correspond 3. On a donc : $4 + 3 = 7$. Ramenons ce total à un chiffre inférieur à 7 : $7 — 7 = 0$.

Troisième opération. — 1918 ne figure pas dans le troisième tableau. L'année bissextile la plus proche de millésime inférieur est 1916, dont le chiffre est 6. D'où : $0 + 6 = 6$. A ce résultat, nous ajoutons la différence de $1918 — 1916 = 2$, ce qui donne 8, duquel nous retranchons 7, puisque 8 lui est supérieur, ce qui donne 1. Le jour du 11 novembre 1918 était donc un *lundi*.

SIXIÈME EXEMPLE. — *Quel était le jour du 25 décembre 1967 ?*

Première opération. — Ramenons 25 à un chiffre inférieur à 7 : $25 — 21 = 4$.

Deuxième opération. — A décembre correspond 5. On a donc : $4 + 5 = 9$. Ramenons ce total à un chiffre inférieur à 7 : $9 — 7 = 2$.

Troisième opération. — 1967 ne figurant pas dans le troisième tableau, nous considérons l'année bissextile la plus proche, de millé-sime inférieur, soit 1964, dont le chiffre est 3. D'où : 2 + 3 = 5. A ce résultat, nous ajoutons la différence 1967 — 1964 = 3, ce qui donne 8, duquel nous retranchons 7, ce qui donne 1. Le jour du 25 décembre 1967 était donc un *lundi*.

Deux remarques doivent être faites afin que rien ne soit laissé dans l'ombre.

Notons d'abord que 1860, 1888, 1928, etc., années bissextiles, ont pour valeur 0. Comme on ne peut pas, en arithmétique usuelle, retrancher un nombre de 0, il s'ensuit que si l'on demande, dans ces années, une date de janvier ou de février, on remplacera 0 par 7, puisque ces deux chiffres sont équivalents, et on calculera : 7 — 1 = 6.

En second lieu, à cause de la valeur particulière de 1940, qui est 1 au lieu de 0, les chiffres qui correspondent aux années venant après cette date sont : 2 pour 1941, 3 pour 1942, 4 pour 1943, 6 pour 1944, 4 pour 1948, 2 pour 1952, et, selon la règle générale, 7 ou 0 pour 1945, 8 ou 8 — 7 = 1 pour 1946, 9 ou 9 — 7 = 2 pour 1947, 5 pour 1949, 6 pour 1950, 7 ou 0 pour 1951, 3 pour 1953, 4 pour 1954, 5 pour 1955, et ainsi de suite. Ainsi, 1956 vaut 0, 1960 vaut 5, 1964 vaut 3, 1968 vaut 1, etc.

Un procédé applicable depuis 1582

Ce procédé, que nous venons de décrire, devient applicable à tout le calendrier grégorien, depuis son institution (le 15 octobre 1582) jusqu'à nos jours, grâce à une modification apportée par le prestidi-gitateur Léon Monthenolle. La voici telle qu'elle est rapportée par le docteur Dhotel, dans son magistral ouvrage : *La Prestidigitation sans bagages.*

« Il faut d'abord ajouter, au troisième tableau, le chiffre des années bissextiles depuis 1840 jusqu'à 1860, c'est-à-dire 1840 vaut 3 ; 1844 vaut 1 ; 1848 vaut 6 ; 1852 vaut 4 ; 1856 vaut 2. Remar-quez que la succession de ces valeurs est identique à celles qui viennent ensuite : 3, 1, 6, 4, 2. Le troisième tableau devient alors le suivant, avec une disposition légèrement différente :

```
1840 vaut 3
1844  —   1
1848  —   6
1852  —   4
1856  —   2
```

1860	—	0 ;	même	valeur	pour	1900
1864	—	5 ;	—	—	—	1904
1868	—	3 ;	—	—	—	1908
1872	—	1 ;	—	—	—	1912
1876	—	6 ;	—	—	—	1916
1880	—	4 ;	—	—	—	1920
1884	—	2 ;	—	—	—	1924
1888	—	0 ;	—	—	—	1928
1892	—	5 ;	—	—	—	1932
1896	—	3 ;	—	—	—	1936

A titre de rappel, 1940 vaut 1.

« Pour les dates antérieures à 1840, il suffira d'ajouter au chiffre final des opérations indiquées précédemment ce que nous appellerons « la valeur du siècle ». Ce sera :

« Si la date est comprise dans les 39 premières années du siècle, la valeur du siècle sera 2 après 1800, c'est-à-dire de 1800 à 1839 inclus ; 4 après 1700, c'est-à-dire 1700 à 1739 inclus ; 6 après 1600, c'est-à-dire de 1600 à 1639 inclus.

« Si la date est comprise dans les 60 dernières années du siècle, la valeur du siècle sera 2 après 1700, c'est-à-dire de 1740 à 1799 inclus ; 4 après 1600, c'est-à-dire de 1640 à 1699 inclus ; 6 après 1582, c'est-à-dire de 1582 à 1599 inclus. »

Voici deux exemples qui préciseront le mécanisme des opérations à effectuer.

PREMIER EXEMPLE. — *Quel est le jour du 3 mai 1613 ?*

Nous aurons :

Le quantième 3
La valeur du mois (mai) 1
La valeur de la bissextile immédiatement antérieure à 1913 (qui équivaut à 1613), c'est-à-dire 1912 1
La différence entre 1912 et 1913 1
La valeur du siècle (comprise entre 1600 et 1639) 6

Total 12

De 12, nous retranchons 7, ce qui donne 5. Donc, le 3 mai 1613 était un *vendredi*.

Les tours de prestidigitation n'expliquent pas les phénomènes paranormaux authentiques. ▶

DEUXIÈME EXEMPLE. — *Quel est le jour du 14 juillet 1789 ?*

Nous aurons :

Le quantième : 14 — 7 × 2 0
La valeur du mois (juillet) 6
La valeur de la bissextile immédiatement antérieure à 1889 (qui
    équivaut à 1789), c'est-à-dire 1888 0
La différence entre 1888 et 1889 1
La valeur du siècle (comprise entre 1740 et 1799) 2
                                    Total 9

De 9 nous retranchons 7, ce qui donne 2. Donc, le 14 juillet 1789 était un *mardi*.

Notons que pour vérifier la justesse des réponses concernant des dates anciennes il est nécessaire que les spectateurs aient à leur disposition des calendriers annuels ou des calendriers perpétuels.

PROFESSEUR ROBERT TOCQUET

On sait maintenant que l'ordinateur ne peut pas mentir, mais qu'il ne peut pas non plus dire·la vérité. Toute technologie avancée, tout savoir scientifique apparaît comme un « vide » lorsqu'il n'est pas utilisé à des fins supérieures. La science mécaniste ne remplace pas l'exploration intérieure de la conscience.

Chapitre VII

Un témoignage :
voyance et mathématiques

*Le document que nous publions ici relate des expériences inté-
rieures vécues par l'éminent mathématicien Gérard Cordonnier [1].
Il constitue un texte essentiel à la compréhension des états supérieurs
de conscience. Il situe la recherche sur les nombres et les pouvoirs
paranormaux dans une optique où la science ne supplante pas la
conscience de ce que l'homme est réellement dans une dimension de
lui-même qui échappe, pour l'instant, à toute investigation scientifique.*

*Gérard Cordonnier donne aussi une description absolument nou-
velle du génie mathématique. Il suggère une méthode de fonctionnement de l'esprit qui n'a jamais été envisagée par l'enseignement offi-
ciel, et qui est parallèle à l'ascèse mystique. Il n'est pas dit que de
telles méthodes ne puissent, un jour prochain, être scientifiquement
examinées et mises au point. Elles révolutionneraient profondément
les formes de notre culture. Elles susciteraient de grands progrès dans
tous les domaines de la connaissance.*

---

1. Ancien élève de l'Ecole Polytechnique, licencié ès sciences et diplômé de
l'Institut d'Optique ; quoique appartenant au Génie Maritime, a commencé sa
carrière de 1930 à 1936 au Service de Photographie aérienne du Ministère de
l'Air. Il y revint à nouveau de fin 1939 à juin 1940 comme Chef adjoint du Service
des Recherches physiques. Dans la suite il professa un cours d'Analyse géométrique
et de Théorie du Navire, tout en se consacrant aux problèmes théoriques et pratiques d'organisation documentaire. Depuis 1958, il a poursuivi ses recherches au
C.N.R.S., et il a été nommé délégué français à la Commission internationale
O.E.C.E. pour l'exploitation de la documentation scientifique et technique des
« pays de l'Est ». Il est maintenant Ingénieur général du G. M. (2e section).

Si les dons de « voyance » sont assez largement répandus, ils semblent être plus rares dans le domaine scientifique et spécialement mathématique. C'est pourquoi mes amis m'ont demandé de laisser un témoignage de mon expérience à ce sujet.

Dans ma jeunesse, j'ai eu un attrait prononcé sous la solitude, et j'étais heureux lorsque je pouvais, au bois de Vincennes, m'installer en haut d'un arbre avec un cours à étudier. Aucun jeu ne valait pour moi mon livre de géométrie, et je me complaisais à résoudre tous les problèmes posés à la fin des chapitres. Je recherchais sur les quais de vieux livres pour avoir d'autres problèmes et, les ayant épuisés, je me plongeais dans les programmes de l'année suivante. Avec un tel entraînement, je me sentais de plus en plus à l'aise, si bien que je voyais instantanément les solutions et que je devinais même les problèmes avant que mon professeur ait fini de me les poser. « Faites attention, me disait-il en m'interrogeant. Vous m'énoncez immédiatement les solutions avec toutes leurs particularités, avant de rien démontrer. Cela vous saute aux yeux, et vous paraît évident. Mais vous risquez aux examens d'avoir 0 au lieu de 20 parce qu'un examinateur qui ne vous connaît pas ne croira jamais que vous trouviez instantanément les résultats, et il pensera que vous êtes tombé par hasard sur un exercice déjà fait dont vous donnez le résultat de mémoire, sans savoir le démontrer. »

En fait, tout en aimant dessiner des figures très soignées, j'avais pris l'habitude de me représenter des figures imaginatives, les yeux fermés, et en un instant très bref une foule de propriétés liées aux éléments de la figure surgissaient, interféraient, jouaient dans mon esprit, et me présentaient bien souvent plusieurs solutions simultanées. Leur évidence était pour moi aussi claire que tout détail de raisonnement. Au lieu de *cheminer* dans un sentier de démonstration, je *survolais* le domaine géométrique et c'est avec répugnance que je me résignais à choisir une des solutions et à en écrire ou énoncer la démonstration. Il y avait pour moi une satisfaction esthétique à contempler simultanément les diverses voies d'accès à un problème, comme les diverses faces d'un sommet en montagne.

En « math-élém » le cours de philo sur « l'attention » m'avait déplu. On nous parlait de concentrer son esprit sur un point particulier, et instinctivement je sentais que ce n'était là que le « B, A, BA » de la question, et que l'attention était une faculté en germe, comme le grain de sénevé, « la plus petite des semences », dit l'Evangile, qui peut croître et devenir un grand arbre... La parabole qui me venait ainsi à l'esprit était une de celles du « Royaume de Dieu », et d'autres paroles surgissaient aussi : « Le Royaume de Dieu est au-dedans de vous » et « Je le conduirai dans la solitude et Je parlerai à son cœur ». Elevé avec piété, mais ignorant encore tout de la mystique, il me semblait avoir découvert dans la solitude, une des portes du Royaume du Dieu Géomètre. La clé de la porte était la contemplation par laquelle l'attention se développe, prend racine, déploie ses branches où se posent les « oiseaux du Ciel », et couvre de son ombre une étendue toujours plus grande... L'attention d'abord « ponctuelle » s'étend ensuite à plusieurs points au lieu d'un seul, devient « linéaire », puis s'épanouit en « dimensions » nouvelles... Il y a là un « talent » à faire fructifier, et c'est là un secret essentiel que malheureusement on ne nous enseigne pas, parce que nous avons des professeurs et non des « maîtres » ! « Malheur à vous, qui avez la clé de la Science, qui n'entrez pas, et qui empêchez les autres d'entrer. »

Un des avantages essentiels du développement de l'attention était de pouvoir visualiser imaginativement mes figures en surveillant simultanément toutes leurs particularités, en les faisant varier si nécessaire pour engendrer en esprit des « lieux géométriques ». Parfois je simplifiais la figure pour avoir une première idée en vue d'orienter ma recherche, mais le plus souvent, au contraire, je généralisais la figure pour discerner ce qui était essentiel à la solution. Je me représentais dans l'espace un problème posé dans le plan, et bien loin d'aboutir à une complication plus grande, l'évidence surgissait souvent, pour des raisons qui n'étaient pas « en relief » dans le plan...

Mais jusqu'à la classe « math-spéciales », tous les problèmes que je me posais restaient directement accessibles comme des applications du programme ; c'était un jeu passionnant. Il n'allait plus en être de même par la suite.

Exercices de contemplation active

Entré à Polytechnique en 1926, et délivré du souci d'être reçu, j'ai pu aborder les nouveaux programmes avec un esprit tourné davantage vers la recherche que vers la simple étude des cours. Je ne pouvais suivre les leçons aux « amphis », ayant tantôt l'impression de perdre mon temps, parce que tout était évident, et tantôt au contraire celle que l'on traversait trop vite un domaine où je sentais une foule de choses intéressantes à explorer. J'emmenais toujours d'autres feuilles de cours à lire et méditer, tout en écoutant distraitement le cours pour savoir de quoi il s'agissait.

Le soir, je pouvais enfin retrouver ma solitude de mon « tableau noir » en fermant les yeux. Mais un instinct mystérieux me poussait à rechercher une solitude plus profonde, en fermant la porte « derrière moi » à toutes les distractions, à tous les bruits possibles. Il me fallait aussi me reposer le corps, sinon l'esprit. Comment concilier ces besoins d'une détente profonde du corps, et d'un recueillement attentif de l'esprit ? Le mot « relaxation » n'existait pas ; mais qui donc m'inspirait de contrôler le relâchement de tous mes muscles, et de faire des respirations lentes et profondes à une cadence et sur un rythme spécial qui tenait davantage de la danse que de l'exercice respiratoire ? Mon corps sombrait dans une profonde détente, et bientôt il dormait, tandis que mon esprit libéré, resté attentif à sa contemplation, s'éveillait dans un monde purement intellectuel, où il n'avait plus la moindre notion de son corps ni de l'espace physique.

Première initiation à cette méthode de travail en « méta-sommeil » dont j'allais expérimenter la fécondité. Il me semblait nécessaire au départ de mettre tous mes muscles au zéro comme si chaque cellule du corps était un cadenas de sûreté qui ne s'ouvre que pour certains chiffres. L'esprit s'éveillait dans un espace intellectuel à plusieurs dimensions et n'osait avoir la moindre activité de peur de s'y égarer et d'effaroucher la solution qui s'enfuirait. Il ne pouvait que contempler le panorama de ses connaissances, mises en ordre, et semblant échanger entre elles des ondes harmoniques. Un certain dédoublement faisait que l'esprit se regardait lui-même contempler. Il se produisait malgré l'immobilité un effet d'ascension lente, permettant de dominer de plus haut le panorama intellectuel, d'étendre le regard plus loin en situant ici ou là dans le lointain des domaines encore inconnus qu'il me faudrait explorer avant de pouvoir résoudre certaines questions. Des brumes recouvraient certains domaines plus proches mais que je n'avais pas scrutés à fond. Une certaine résonance éclairait les relations entre différentes régions et le but de mon exploration actuelle, dont toutes les faces accessibles s'éclairaient plus ou moins simultanément. Finalement, l'esprit se reposait sur une ou plusieurs voies d'accès évidentes qui lui paraissaient plus harmonieuses. La joie de la contemplation me réveillait, et je retombais ensuite dans un sommeil ordinaire. Ce réveil était peut-être nécessaire pour que je puisse garder en mémoire, le matin, les résultats contemplés la nuit.

Les approches de l'état d'éveil

Je tiens à insister sur plusieurs points. L'immobilité de l'esprit ressemble à celle du chasseur à l'affût, mais il y a en fait une activité d'ordre supérieur dans un effort de patience et une attention généralisée. Parfois le gibier ne se montre pas ; on ne « lève » pas tout de suite la solution ! Aussi avais-je l'habitude de laisser souvent mûrir en esprit une demi-douzaine de problèmes à la fois, en les surveillant de temps en temps. La notion de brume est essentielle dans mon expérience. Il y a passage progressif de l'état de *veille* à l'état d'*éveil* et non instantanéité de la vision. Si les calculateurs prodiges font penser aux machines électroniques numériques, la vision *géométrique* fait penser au contraire aux machines *analogiques*. Il semble que certains phénomèmes de propagation analogique et d'équilibre peuvent s'y produire au ralenti. L'activité de l'esprit n'est d'ailleurs pas la même s'il se propose de faire l'ascension d'un théorème en en contemplant toutes les faces accessibles, ou s'il veut au contraire explorer tout un domaine encore inconnu. *Je dors mais mon cœur veille* : il me semble que cette parole fait allusion d'abord au sommeil des sens, mais aussi à une certaine immobilité de l'esprit dont le cœur veille. Il n'y a pas de « courant », pas de raisonnement, mais des « tensions », des potentiels qui correspondent bien aux désirs et affections du cœur... L'esprit sonde simultanément les propriétés qu'il connaît, en écoute les échos comme un radar, et la solution se dessine sur un écran intérieur à plusieurs dimensions. Peut-être ce sondage n'est-il au début qu'un balayage ultra-rapide, mais l'essentiel c'est l'attitude *contemplative* qui permet de tout examiner à la fois. L'image intérieure ressemble à celle des papiers photographiques à noircissement direct ; elle surgit progressivement, plus ou moins vite selon la sensibilité de l'esprit et selon une certaine tension critique du cœur qui attire la solution, qui pressent sa direction avant même de transpercer les brumes.

Je vais citer maintenant quelques anecdotes caractéristiques. A l'occasion d'une des premières leçons de géométrie à Polytechnique, je *vois* en sommeil quatre démonstrations plus simples d'un théorème exposé le matin. J'envoie mon quadruple texte à mon professeur Maurice d'Ocagne. Mais un de mes camarades, Goguel, lui envoie de son côté l'une de mes quatre démonstrations. D'Ocagne en est frappé, et choisit celle-là pour remplacer la sienne. Dans son cours a figuré les années suivantes une petite note qui est restée en mémoire des promotions suivantes : « Démonstration donnée indépendamment l'un de l'autre par les élèves Cordonnier et Goguel. » Mais j'ai regretté les trois autres faces d'accès toutes aussi simples ! Presque à chaque leçon, j'ai donné ainsi de nouvelles démonstrations à Maurice d'Ocagne qui en a gardé une demi-douzaine dans son cours.

Vers la fin de ma deuxième année à Polytechnique, une sciatique m'obligea à trois mois d'infirmerie. On m'y apportait les feuilles des cours, et je n'étais nullement privé de ne pas assister aux amphis. Arrive enfin mon premier jour de sortie, un mercredi. A 13 heures vient me chercher Faure, un de mes camarades de salle, qui doit m'emmener visiter avec lui le Salon de l'aéronautique. Il m'apporte les feuilles de géométrie du matin, et parie que cette fois je ne trouverai pas mieux.

Avant de lire le théorème en jeu, je lui réponds : « D'accord je me prive de manger ce soir à 19 heures si je n'ai pas trouvé une démonstration que toi-même trouves plus simple que celle de Maurice d'Ocagne. »

Je lis alors le fameux théorème, et nous partons. Tenant à gagner son pari, Faure m'entraîne au Salon, me traîne de stand en stand, et bavarde sans cesse. Il ne me laisse pas un instant tranquille, alternant les bourrades, les tapes sur le dos et les épaules, les questions et les interjections !... Mais deux ans d'entraînement à explorer « l'espace intellectuel » m'avaient permis de m'y introduire même en dehors du « sommeil ». J'étais comme dédoublé, regardant tout ce que me montrait Faure, répondant à toutes ses questions, mais intérieurement j'étais à la chasse, flairant mon gibier géométrique, absolument certain de le « lever » avant l'heure fatidique. J'avais « vu » ma voie d'accès, mais un passage restait infranchissable et caché dans la brume. Je connaissais cette brume résiduelle qui se dissipe à l'improviste ; sur la Marne un jour, en pleine course d'aviron, une « brume » lointaine s'était déchirée qui me cachait un point ultime concernant une question que je me posais depuis un an, la laissant doucement mûrir ! Cette fois, il fallait trouver avant l'heure, et augmenter les « tensions internes » pour accélérer les processus...

A 18 h 45, nous étions de retour à Polytechnique, en salle. Faure menait un chahut monstre, sautant, chantant à tue-tête : « Tu ne vas pas manger ! Tu ne... » Je souriais, certain d'aboutir avant le dernier quart d'heure. A « moins cinq », la brume était dissipée, je ne cherchais plus qu'à m'exprimer avec la plus extrême concision. Une minute encore, et j'écrivais quatre lignes qui rendaient la chose évidente. Faure me reconnut gagnant.

J'écrivais aussitôt une lettre à M. d'Ocagne. Il me convoquait bientôt à la Direction des études pour me demander des explications. Le lendemain, il me rappela : « Votre texte est si concis que je n'arrive plus à le suivre après votre départ. » Le surlendemain, j'étais encore convoqué : « Vos quatre lignes se suffisent, mais elles sont trop difficiles à comprendre. Je veux les mettre avec vous à la portée des élèves pour mon cours de l'an prochain. » J'ai dû accepter un texte nouveau de près d'une page. Hélas !

Pendant un cours de « Mécanique rationnelle », à l'occasion d'un exposé analytique classique me paraissant peu satisfaisant, j'entrevis tout un domaine à explorer, une théorie nouvelle que j'intitulai déjà *géométrie des masses ponctuelles ou vectorielles*. La nuit venue, l'exploration fut vite faite, sans brumes. Le lendemain, je rédigeais une note pour M. Jouguet, mon professeur de « Méca Ra ». Ma théorie et mes résultats lui étaient inconnus. Il a voulu m'emmener à la bibliothèque de Polytechnique consulter l'*Encyclopédie mathématique,* dont j'ignorais même l'existence. De 1850 à 1900, trois auteurs allemands avaient élaboré, dans des travaux analytiques successifs et complémentaires, la plus grande partie de ma théorie survolée la nuit, sans calcul. Le plus curieux fut qu'ayant à nommer beaucoup « d'êtres géométriques », j'avais été conduit à utiliser successivement : a, b, c... ; A, B, C... ; α, β, γ... ; et ensuite des lettres gothiques, de la même manière que les trois auteurs allemands. En survolant ce nouveau domaine avais-je voulu respecter les « noms » déjà donnés par les premiers explorateurs, tout en fuyant les cheminements souterrains de leurs calculs ?

A l'examen de « sortie », en géométrie, après six questions ayant toutes provoqué des solutions nouvelles, mon examinateur m'a déclaré vouloir me poser enfin une septième question « facile et classique » pour m'obliger tout de même à donner une « réponse du cours ». Mais, précisément, la fameuse solution classique présentait un « cas d'indétermination ». J'ai montré alors que l'indétermination n'était qu'apparente, et qu'elle était levée par une généralisation facile conservant la simplicité de la méthode classique. Enthousiasmé, l'examinateur m'avoua : « Je n'ai pas osé l'an dernier vous noter plus de 19,5... mais cette année je n'hésite plus à vous mettre 20. »

Mon examen de sortie en Physique fut plus curieux encore. M. Becquerel a voulu le prolonger, une heure trois quarts au lieu d'une. A la fin il me déclara : « Vous m'avez exposé une théorie de Poincaré restée inédite. Avez-vous pu en prendre connaissance, ou bien l'avez-vous élaborée indépendamment ?... Je vous mets 20. » Dix ans après, Becquerel croit me reconnaître en vacances sur la Côte d'Azur, et m'aborde : « Ne seriez-vous pas Cordonnier, de la promo 26 ? Je me rappelle encore toutes les questions que je vous ai posées et vos réponses. Je n'ai jamais vu un examen comme le vôtre ! »

Mais j'ai bien failli n'avoir aucun de ces deux « vingt ». Peu auparavant, on nous avait proposé comme sujet de français de « faire l'éloge du savant ». J'avais exposé que je n'accepterais pas un tel lieu commun, et montré que bien souvent le savant se retirait dans une tour d'ivoire pour se consacrer égoïstement à une recherche plus passionnante que tous les jeux. Je citais, entre autres, Fermat lançant son fameux théorème comme un défi, sans jamais dévoiler sa démonstration.

Je concluai en disant que l'idéal à proposer aux jeunes n'était pas le savant qui s'isole, mais le saint qui se dévoue et se sacrifie. Ayant obtenu la note 4 sur 20, j'ai écrit une lettre sévère au correcteur, lui reprochant de n'avoir pas eu le respect d'une opinion que j'avais exposée avec conviction et soin. Et je le priai de réparer le grave préjudice qu'il me portait, étant donné le coefficient élevé du « français ». Le correcteur M.T., de l'Académie, s'est estimé injurié. J'ai été convoqué devant le général commandant l'Ecole : « Cordonnier, je suis très ennuyé. M.T. me demande de vous mettre à la porte. J'ai demandé l'avis des professeurs, et M. d'Ocagne a déclaré que depuis vingt ans il n'avait jamais eu un élève comme vous. D'autres ont fait les mêmes éloges. Je voudrais que vous fassiez des excuses à M. T. — Je refuse, répondis-je. C'est à M. T. à me faire des excuses et à réparer une injustice. » Il n'y eut pas d'excuses et j'ai gardé mon 4 méprisant.

Mes deux dernières notes de « sortie » ont été aussi lamentables. « Je vous mets un demi sur quarante, par indulgence, m'a dit l'examinateur d'anglais, parce que le zéro est éliminatoire, et que je ne veux pas éliminer un élève qui a actuellement dix-neuf un quart de moyenne. » N'ayant jamais assimilé la prononciation, je n'avais pas compris une seule question, toutes posées en anglais, et n'avais donc rien répondu ! Et pour finir un « trou de mémoire » en chimie m'avait valu un dix !

Mathématiques et mystique

Après l'école du génie maritime où l'enseignement appliqué laissait peu d'occasions à exercer ma méthode, l'Institut d'Optique devait me le permettre largement. Le cours de calcul d'instruments d'optique du célèbre M. Chrétien comportait 1 400 pages entièrement remplies de calculs. Je n'ai pas eu le courage d'en parcourir plus des 70 premières. En suivant seulement l'objet des leçons, j'ai conçu le projet de refaire entièrement le Cours par une méthode nouvelle que j'ai appelée en 1930 *Analyse géométrique* par opposition à la « géométrie analytique ». On m'y avait invité en me montrant un article allemand, « Théorie générale des pinceaux lumineux » traité par le calcul tensoriel, où l'auteur arrivait à un classement en pinceaux « non tordus », « semi-tordus » et « tordus ». « L'auteur n'arrive à aucune application, me dit-on. Vous devriez nous trouver une théorie géométrique. » Mais c'était un travail de longue haleine dont je n'ai alors conçu que les principes, sans rien rédiger. A l'examen écrit de « sortie », traitant directement la question sans souci du cours, j'ai obtenu 19,5 alors que le reste de la promo avait moins de 10.

A cette époque j'ai ressenti profondément le « vide » des mathématiques, et d'ailleurs de toute connaissance qui ne serait pas utilisée pour des fins supérieures. Il me semblait être appelé dans une voie nouvelle, contemplative, pour laquelle je devais sacrifier la science. La géométrie n'était qu'un tremplin pour m'élancer plus haut. Elle m'avait servi pour me former aux méthodes contemplatives, me montrer leur fécondité, et me donner confiance. Grâce à la géométrie j'avais toujours pu vérifier le matin ce que j'avais vu la nuit en songe. J'allais pouvoir aborder d'autres domaines *invérifiables,* en sachant quel profond *silence intérieur* est nécessaire, et quelle *humilité d'esprit* pour « *percevoir* » sans y mêler de fantaisie imaginative « parasite ».

Après une crise religieuse de doute, je venais de retrouver et d'approfondir la foi de mon enfance. « C'est en Lui que nous sommes, en Lui que nous vivons », nous dit saint Paul. Il me semblait pressentir Dieu comme « l'Espace infini » à infinies dimensions incluant tous les autres, en contact intime avec tous les points de notre « espace-temps », relié à Lui par une suite indéfinie d'espaces intermédiaires, les échelons de « l'échelle de Jacob » où les anges montent et descendent... « Depuis le commencement du monde, dit encore saint Paul, Dieu nous est manifeste par Sa Création. » Le cosmos était donc un *langage divin* polysémique, un bouquet de paraboles. Il me fallait contempler l'univers en me mettant « à l'écoute de Dieu ».

Ce sentiment de la présence divine devait me conduire un soir à une curieuse vision. Une pensée m'obsédait depuis quelque temps, celle que notre vision des choses était extérieure et perspective à partir de la position des yeux, tandis que celle d'un Esprit omniprésent à la manière d'un « champ » devait être intérieure et « conforme », en contact plus ou moins intime avec la création. Soudain, les yeux clos, je fus plongé en esprit dans une telle vision, limitée en étendue à l'intérieur de ma chambre. Tout était vu simultanément et de partout. J'ignore la durée de cette « survision » ; elle ne s'est jamais reproduite. Je précise d'ailleurs qu'elle s'est limitée aux apparences sans contact en profondeur avec les « substances »...

Une expérience de voyance

J'aurais sans doute abandonné définitivement les mathématiques si les circonstances ne m'y avaient ramené malgré moi. Après la défaite de juin 1940, l'école du génie maritime a été refoulée à Toulon. Son directeur m'a proposé d'enseigner le cours de Théorie du Navire. J'ai demandé quarante-huit heures de réflexion pour voir si mon analyse géométrique imaginée pour l'optique « géométrique », mais jamais rédigée, me permettrait de refaire toute la « statique » des flotteurs. J'en ai vu rapidement la possibilité. Mais ce fut un travail de longue haleine qui n'a malheureusement pu être achevé en 1950, date à laquelle j'ai été appelé à d'autres fonctions. Six fascicules d'analyse géométrique ont été imprimés comme introduction à la fois à la Théorie du Navire et à l'Optique géométrique. Quatre fascicules relatifs à la Statique du Navire ont été rédigés ; mais un cinquième concernant les applications n'a pu l'être. Toute mon « Optique » reste encore à écrire !

La première année d'enseignement fut difficile, devant moi-même redécouvrir une à une toutes les propriétés, et sans pouvoir m'aider d'aucun cours antérieur dont j'avais abandonné totalement les méthodes de calcul. L'essentiel de mon travail avait lieu de midi à quatorze heures en allant dormir au soleil et nager, au lieu de manger ; la nuit aussi bien sûr ! Dans la journée je rédigeais ce que j'avais vu, choisissais des notations, et dessinais des figures très soignées. Bien entendu mon effort ne fut apprécié de personne ou presque ; mais c'est une autre histoire qui serait à raconter un jour !

Une nuit où j'étais de service à l'Arsenal, j'ai voulu tenter une expérience de voyance dans un domaine très différent. Un planton m'apportait sous double enveloppe le mot de passe, nom d'une ville de France ou de l'Empire, et aussi la couleur du verre à mettre au fanal pour sortir. J'ignorais le nom de l'officier ayant choisi le mot et la couleur. Après recueillement de quelques secondes, je ressens intérieurement : « vert » et « Tunis ». J'ouvre les deux enveloppes : c'était exact. Je décidai de faire la même tentative le lendemain, mais j'ai dû faire des efforts continuels pour chasser la curiosité de l'imagination voulant s'exercer prématurément... Le lendemain soir, j'avais conservé difficilement le « silence intérieur » au moment de recevoir l'enveloppe. Coup de radar intérieur, et j'énonce : *violet, Bône*. J'ouvre l'enveloppe, et je lis : « violet, Beaume »... L'imagination avait réussi à m'influencer en un éclair, à se glisser entre phonétique et graphique, par suite du « Tunis » de la veille. C'était là une magistrale leçon de prudence ! Je n'ai plus jamais voulu répéter de telles expériences matérielles, et suis devenu extrêmement méfiant envers toutes les manifestations d'une intuition superficielle qui peut si facilement être influencée entre sa source profonde et son jaillissement sensible.

J'ai voulu limiter ici le récit de mes expériences à des domaines scientifiques et spécialement mathématiques. Je le compléterai peut-être un jour en ce qui concerne les domaines philosophiques et religieux, dont le survol me passionne désormais davantage. Pour terminer, je dirai quelques mots concernant mes recherches actuelles relatives aux moyens d'organiser la documentation, et spécialement la création d'une *langue auxiliaire universelle*. Mes recherches sur ces sujets ont commencé vers 1933, et après une première publication en 1943 à l'U.F.O.D., elles ne se sont poursuivies que lentement, parallèlement à mes autres recherches. J'en ai fait le point dans diverses notes récentes, et spécialement à l'occasion de la Conférence internationale de septembre 1959 à Cleveland (Ohio) consacrée à la recherche d'un langage commun à l'homme et à la machine, pour les besoins de la traduction et de la sélection documentaire. Ma première publication de 1943 rejoignait, sans que je le sache, les préoccupations de Leibniz concernant une *caractéristique universelle*. Recherchant sans cesse les solutions les plus simples pour répondre à un ensemble de besoins, il sera facile pour le critique de retrouver de nombreuses « antériorités » partielles ressemblant plus ou moins à certaines de mes propositions de détail. L'originalité principale de mes solutions est de constituer un ensemble cohérent appréhendé par la méthode contemplative que j'ai cherché à exposer. L'esprit considère simultanément l'ensemble des conditions à remplir, et entrevoit l'ensemble des solutions à la manière d'une machine analogique opérant sur un ensemble d'équations. L'esprit contemplatif fait, avant la lettre, de la « recherche opérationnelle », comme M. Jourdain faisait de la prose ! Dans un « espace intellectuel à n dimensions », il voit directement la ou les solutions « optima » compte tenu des possibilités techniques les plus diverses qu'il connaît ou qu'il entrevoit.

Sans doute n'avons-nous pas tous les mêmes dons et les mêmes talents... Puisse mon témoignage inviter pourtant quelques chercheurs à faire fructifier ce qu'ils ont en germe, en fuyant l'activisme pour se donner le plus possible à l'action contemplative, même dans le domaine de leur profession et, à travers celle-ci, vers des fins supérieures.

GÉRARD CORDONNIER.

DEUXIÈME PARTIE

Création
et
créativité

Chapitre premier

La précocité
chez les savants
et les artistes

La réalisation par un enfant de moins de dix ans d'une œuvre artistique dont la valeur est reconnue unanimement, ou de travaux scientifiques, est d'une rareté comparable à la production de phénomènes parapsychologiques.

Cette rareté ne signifie pas que les deux catégories de faits soient explicables par la même cause.

Il n'est pas sûr non plus qu'il n'y ait pas de lien.

Dans tous les cas, une force inconnue se déclenche.

Son étude pourrait conduire à réviser notre notion actuelle, peut-être trop étroite et artificielle, du champ où les faits paranormaux, les facultés « psi » se manifestent.

Les extra-sensoriels ne sont pas forcément télépathes ou calculateurs prodiges. Ils peuvent être en relation avec d'autres aspects de l'univers et de l'esprit.

La précocité intellectuelle peut se rencontrer en musique, en littérature, en sciences et, en règle générale, dans toutes les disciplines de la pensée, mais elle est surtout fréquente dans l'ordre musical.

Mozart à trois ans jouait du piano. A quatre ans, il fut surpris par son père écrivant un concerto pour le clavecin. Un jour que Schachtner tenait la partie de second violon d'un trio qu'on déchiffrait dans la maison du père de Mozart, l'enfant, alors âgé de quatre ans, se plaça derrière lui et voulut absolument le doubler. Il n'avait pas encore appris les premiers éléments de l'instrument, et son père ne voulut pas laisser troubler la partie pour le caprice de l'enfant, mais comme, à ce refus, il se mit à pleurer, on finit par se laisser attendrir : « Assieds-toi, lui dit son père, et gratte

◄ *Quelle lumière intérieure frappe les enfants prodiges ?*

les cordes, puisque tu le veux, mais si doucement que personne ne t'entende. » A peine le trio fut-il commencé, que Schachtner, qui rapporte l'anecdote, s'aperçut que sa présence était inutile. Le petit Mozart tenait parfaitement sa place, et acheva seul le morceau commencé. Se heurtant parfois aux difficultés, mais se tirant toujours d'affaire avec une adresse étonnante, l'enfant démontra ce fait incroyable qu'il savait jouer du violon sans l'avoir appris. En 1763, âgé de sept ans, ce petit prodige jouait aussi bien du piano que du violon, et donnait des concerts qui émerveillaient ses auditeurs. A dix et onze ans il donne des pièces musicales d'un acte jouées à Salzbourg. En 1768, âgé de douze ans, il compose un opéra en trois actes, *La Finta Semplice*, représenté le 12 décembre 1769 chez l'évêque de Salzbourg. A quatorze ans, il composa, en quelques mois, un opéra en trois actes, *Mitridate ré di Ponto*, qui, représenté à la Scala de Milan, le 27 décembre 1770, eut quarante représentations.

On rapporte qu'on le voyait parfois s'arrêter au milieu d'une promenade, sortir rapidement son petit calepin, et y tracer fiévreusement des notes. Au camarade qui l'accompagnait, il disait : « Ne me parlez pas, ne me troublez pas, on chante en mon oreille, il faut que je le note. »

Franz Liszt commence à jouer du piano à six ans. Depuis l'âge de huit ans il donne des concerts, et le 17 octobre 1834, l'Opéra de Paris représente son opéra *Don Sancho*. Il avait alors quatorze ans.

Schubert a écrit, à l'âge de onze et douze ans, des sonates, symphonies et opéras. A treize ans, il écrivit la fameuse *Plainte d'Agar*, et à quinze et seize ans, sa production musicale était déjà prodigieuse.

Beethoven a donné son premier concert à l'âge de huit ans, le 26 mai 1778, à Cologne. A treize ans il avait déjà publié trois sonates, qui sont des chefs-d'œuvre.

Weber, à douze ans, a écrit six symphonies, trois sonates, un opéra. A treize ans il a écrit un opéra en deux actes, *Das stumme Waldmädchen,* qui a été représenté avec succès à Prague, Vienne et Pétersbourg. Il n'avait pas encore quinze ans, quand il fit paraître son opéra *Peter Schmoll et ses voisins.*

Mendelssohn écrivit à douze ans un psaume qui fut présenté au Conservatoire. A l'âge de quatorze ans, il écrivit l'ouverture, *Sommernachtstraum.* A l'âge de quinze ans il avait déjà écrit quatre opéras.

Le plus extraordinaire pour la précocité musicale fut Groteh, qui a commencé à jouer du piano à l'âge de deux ans, et en 1779, à l'âge de trois ans et demi, jouait à Piccadilly ses compositions sur l'orgue.

Enfin, nous avons vu il y a une vingtaine d'années, des chefs d'orchestre en culottes courtes, Pietrino Gamba et Roberto Benzi, diriger de grandes formations telles que l'Orchestre des Concerts Colonne ou l'Orchestre des Concerts du Conservatoire, avec une sûreté, une netteté, une précision incomparables, le souci du moindre détail et la connaissance des rythmes exacts ainsi que des nuances les plus délicates.

Précocité du génie mathématique

Lorsqu'on passe des musiciens, dont le génie se manifeste, pourrait-on dire, dès le berceau, aux mathématiciens, on reste stupéfait de leur précocité, peut-être encore plus grande que celle des musiciens. Ainsi Frédéric Gaus, dès l'âge de trois ans, calculait, résolvait des problèmes numériques, et traçait dans la poussière des lignes et des figures de géométrie.

Mieux que tout autre, Blaise Pascal donne l'exemple que le génie vient avec la naissance, avec une connaissance antérieure à la conscience, une connaissance toute formée, avant le savoir qu'on acquiert par l'étude. Son père, bon mathématicien, ayant observé en 1635, chez son fils alors âgé de douze ans, un goût très marqué pour les mathématiques mais désirant que son fils apprenne d'abord le latin et le grec avant d'étudier les mathématiques, avait enfermé les ouvrages techniques. L'enfant insistait pour savoir au moins ce que c'était que la géométrie, qu'il avait entendu nommer. Son père lui répondit d'une manière générale que c'était le moyen de faire des figures justes et de trouver les rapports et proportions de ces figures et de leurs parties entre elles. Il n'en fallut pas davantage pour permettre à l'enfant de découvrir lui-même ce qu'on refusait de lui enseigner. Il se mit à songer, pendant ses heures de loisir, et bientôt les murs et le plancher de la salle où il prenait ses récréations furent

*A douze ans,
Blaise Pascal
avait réinventé seul
les mathématiques.*

couverts de cercles, de triangles, d'axiomes, de théorèmes. Il arriva ainsi, sans aucun secours, sans enseignement ni guide, jusqu'à la trente-deuxième proposition du premier livre des *Eléments* d'Euclide. Comme il ignorait les termes scientifiques, il se servait de mots vulgaires, appelant un cercle un rond, une ligne une barre, et ainsi de suite. En réalité, il avait à douze ans réinventé les mathématiques. A seize ans, il composa un *Essai sur les coniques*, qui représente un si grand effort d'esprit que depuis Archimède on n'avait rien vu de tel. A dix-huit ans, il invente une machine arithmétique à l'aide de laquelle on peut exécuter, avec une vérité infaillible, les calculs les plus compliqués.

Ampère, avant qu'on lui eut appris à connaître et à tracer les chiffres, trouvait son plus grand plaisir à exécuter, avec des cailloux ou des haricots, des opérations arithmétiques. Pendant une grave maladie, sa mère lui ayant, par sollicitude, retiré ce moyen de calcul, il y suppléa par les morceaux d'un biscuit qu'on lui avait accordé après une diète absolue de plusieurs jours. Calculer pour lui était une nécessité plus grande que manger, même lorsqu'il avait faim. A l'âge de quatre ans, en 1779, ne connaissant ni lettres ni chiffres, il menait à bien d'impressionnantes opérations de calcul mental. Il devint l'un des plus grands physiciens français.

Très connu des savants par ses recherches mathématiques, le célèbre Alexis Claude Clairaut (1713-1765) fut aussi un enfant merveilleusement précoce. A l'âge de dix ans il avait lu et compris l'*Analyse démontrée* de Guinée ainsi que le *Traité des sections coniques*, passablement abstrait, du Marquis de l'Hôpital. Vers le milieu de sa treizième année, il composa un mémoire : *Recherches sur les courbes à double courbure,* qui fut approuvé et imprimé par l'Académie des sciences. A l'âge de dix-huit ans, il fut nommé membre de l'illustre assemblée, soit, par conséquent, à un âge encore plus tendre que d'Alembert (vingt-trois ans), Maupertuis (vingt-cinq ans), Condorcet (vingt-six ans), La Condamine (vingt-neuf ans), qui ont compté parmi les plus jeunes académiciens.

On peut rapprocher de ce cas celui, beaucoup plus récent, du jeune Bobby Gordon qui en 1950 présenta à la Western University une thèse de chimie qui lui valut le grade de docteur ès sciences. A l'âge de cinq ans, l'enfant connaissait le nom des principales étoiles et, en latin, celui de cent quatre-vingts constellations. A six ans, c'est-à-dire à l'âge où la plupart des bambins ânonnent leur syllabaire, il écrivit un mémoire sur la constitution de l'atome. A sept ans, il commença ses études systématiques de chimie à la Western University, passa ses examens à dix ans et, comme nous l'avons dit, soutint, à onze ans, une thèse de doctorat.

José Comas Sola, astronome espagnol, avait dix ans, en 1877, quand il écrivit son premier ouvrage d'astronomie. A douze ans il rédigea un second livre, plus important, avec des dessins faits par lui-même. A treize ans, avec une petite lunette de 50 mm d'ouverture, il fit ses premières observations de la lune et du soleil où il releva des taches solaires.

Brunswick, à l'âge de trois ans, en 1780, calculait, résolvait des problèmes numériques et traçait dans la poussière des lignes et des figures de géométrie.

Lorsque nous quittons les génies en musique et en mathématiques, les plus précoces parmi tous les génies, et que nous passons ensuite aux arts plastiques, nous n'observons pas une précocité aussi grande.

Raphaël dessine depuis l'âge de huit ans. A douze ans, en 1495,

Raphaël
peint à douze ans
Le Songe du Chevalier
qui se trouve
à la National Gallery
de Londres
(portrait de Raphaël).

il fait des dessins, dont le plus célèbre, *Le Massacre des Innocents,* se trouve à l'Académie de Venise, et le charmant petit tableau, *Le Songe du Chevalier,* qu'on voit à la National Gallery de Londres. De seize à dix-neuf ans, ses tableaux le rendirent déjà célèbre.

Claude-Joseph Vernet, à quatre ans, crayonnait très bien et à vingt ans, il était déjà un peintre renommé. Greuze débute à huit ans, Giotto à dix ans, ainsi que Van Dyck ; Michel-Ange à treize ans, Dürer à quinze ans, Titien, Rubens, Jordaens furent aussi précoces [1].

Bernini, à dix ans, avait sculpté dans le marbre une tête d'ange. Grasser, à treize ans, sculptait déjà des statues.

Chez les écrivains, l'ardente imagination, la divination des caractères, de la vie intime des êtres, la pénétration des passions humaines se présentent comme autant de dons qui paraissent innés, et que l'expérience — parfois assez réduite — ne fait qu'affiner.

DOCTEUR SERGE VORONOFF

1. Parmi les peintres dont le talent s'est révélé tôt, mentionnons également Picasso, qui à l'âge de quatorze ans, n'avait pratiquement plus rien à apprendre des techniques enseignées par les académies.

Chapitre II

Surdoués et créatifs

Les problèmes rencontrés par les enfants prodiges ou surdoués sont à la mesure de leurs talents.

Une des sources principales de ces problèmes est que leurs dons innés n'apparaissent généralement pas de façon immédiate aux yeux de leur entourage.

Cette différence est perçue d'abord comme embarrassante ou négative, même pour les surdoués. L'ajustement social ne se fait pas toujours, et il arrive que le surdoué contribue lui-même à l'extinction de ses dons.

Ce rejet de ce qui est autre relève en fait d'une habitude mentale qui frappe de la même manière les phénomènes paranormaux, pourtant les mieux établis, comme la prémonition ou la clairvoyance.

Peut-être est-ce même une probable dimension paranormale en certains surdoués ou créateurs qui est inconsciemment rejetée à travers eux.

Une connaissance meilleure de la nature des forces psi et de la relation qui pourrait exister avec les mécanismes créateurs devrait, hors de tout préjugé ou superstition, contribuer à une insertion sociale plus fructueuse des surdoués.

La situation de ceux-ci a fait l'objet d'études psychosociologiques qui sont un signe de l'intérêt nouveau porté à ce problème.

Les enfants surdoués préfèrent marcher seuls vers la résolution des problèmes intellectuels qu'ils se posent, plutôt que sous la direction d'un pédagogue, mais ◄ *ils souffrent de se sentir des intérêts si différents des autres.*

Toutes sortes de raisons ont empêché, en Europe, et tout particulièrement en France, l'étude systématique des enfants présentant une supériorité intellectuelle sur leurs camarades [1]. Il en va tout différemment aux Etats-Unis où des psychologues de grande valeur, tels que Terman, Frierson, Hollingworth, Kaunitz, Rœper et Martinson, se sont penchés sur ce problème. Ils sont arrivés, quoiqu'assez tardivement, à la conviction qu'il fallait distinguer entre trois types d'enfants à l'intelligence supérieure. Mais, dans la plupart de leurs travaux, on a parfois les plus grandes difficultés à deviner s'il s'agit de doués (c'est-à-dire, somme toute, de très bons élèves), de créatifs (qui ne méritent pas tellement le qualificatif de bons élèves, mais qui n'en sont pas moins fort intéressants) ou de superdoués, c'est-à-dire de prodiges plus ou moins inquiétants.

Passons rapidement sur le premier type, qui ne nous intéresse pas ici en tant que tel. Qu'on sache seulement que les enfants doués jouissent en général d'une bonne santé, contrairement au préjugé des plus répandus qui veut qu'un « fort en thème » soit en même temps en piètre condition physique. Leur équilibre psychologique est bon. Non seulement leur intelligence est supérieure à la moyenne, mais leur force de caractère, leur énergie, leur désir d'exceller en tout, leur confiance en eux, leur sensibilité esthétique, leur sens des responsabilités et leur sociabilité. Ils sont enfin dotés d'un ascendant sur leurs camarades, d'un « leadership », tout à fait remarquable. La fréquence avec laquelle les enfants doués sont les inspirateurs des jeux ou les chefs de groupe est étonnante. Cette tendance persistera d'ailleurs dans la vie adulte.

Les surdoués : un Q.I. de 170 et plus...

Les surdoués sont une tout autre histoire.

Parmi les nombreux sujets qu'étudia Terman dans sa célèbre enquête, 47 garçons et 300 filles montraient un Q.I. de 170 et au-dessus. Ce qu'on rencontre habituellement dans un cas sur plus de 3 000. Il est vrai que l'échantillon de Terman avait été présélectionné. Le Q.I. *moyen* dépassait légèrement 177, allait de 170 à 194 pour les garçons et de 170 à 200 pour les filles.

Terman chercha à distinguer ces sujets des autres doués en reprenant leur examen de plus près : du point de vue physique (début de

---

1. L'une des raisons essentielles, la voici : la plupart des pédagogues et psychologues français restent persuadés que l'homme dépend entièrement du milieu et que ses défauts sont seulement l'effet d'un environnement défavorable. On reconnaît ici une théorie d'inspiration marxiste ; mais si l'on quitte la métaphysique pour observer les faits, ils nous conduisent à une opinion bien différente.

la marche, début du langage parlé, puberté), pas de différence. La précocité de l'apprentissage de la lecture est nettement plus grande : 42,8 % des surdoués ont appris à lire avant cinq ans, contre 18,4 % du groupe total étudié (doués + surdoués). Cette différence est hautement significative du point de vue statistique.

Pour les filles, les chiffres correspondants sont de 25 % contre 18 % pour le groupe total des surdouées. La proportion des sujets qui savaient lire avant quatre ans est de deux fois et demie plus élevée pour les surdoués que pour le groupe total.

Quelques détails curieux cependant, concernant les débuts du développement : Hollingworth (1942) trouve que les enfants à très haut Q.I. ont généralement certaines difficultés à apprendre à écrire et à participer aux jeux et aux tâches qui demandent une bonne coordination neuromusculaire. Il semble que la rapidité de leurs processus mentaux et leur niveau élevé sont des causes d'impatience et de conflit quand une habitude à acquérir exige de la précision (c'est-à-dire de la patience) et une certaine lenteur, qui entrave le jaillissement des idées.

Garçons et filles ont également une avance scolaire moyenne de près d'un an par rapport au groupe total.

La santé générale n'offre rien de très différent par rapport au groupe des doués. La santé mentale non plus (avec des symptômes tout de même plus fréquents de mauvais ajustement social chez les femmes surdouées). Ce facteur d'ajustement social a été considéré de plus près par Terman et il semble bien qu'on tienne là une assez grande différence par rapport au groupe des doués. Mais les difficultés dans les rapports sociaux paraissent se manifester surtout chez les « décagénaires » *(teen-agers)*. Elles ne sont probablement alors que l'expression de tensions qui ont commencé beaucoup plus tôt. Comme le dit Terman : « Considérez, par exemple, l'enfant de sept ans que nous avions dans notre groupe, dont l'âge mental était de treize ans, et dont la lecture favorite était *Le déclin et la chute de l'Empire romain* de Gibbon ! Une grande partie de son vocabulaire était absolument inintelligible pour l'enfant moyen de son âge ; c'était presque comme s'il eût parlé une langue étrangère. » On conçoit les troubles que peuvent entraîner ces difficultés radicales de communication, allant jusqu'à l'impossibilité de communiquer.

La réussite dans les études

Voilà sans doute le point capital : *elle n'est pas brillante dans tous les cas,* loin de là et, dans les meilleurs cas, les surdoués ne font pas mieux que les doués.

Terman se montre justement inquiet d'un fait en apparence aussi paradoxal. Il suggère plusieurs explications, dont l'une est très certainement que nos méthodes d'enseignement sont complètement inadaptées aux intelligences supérieures. Et aussi que les notes obtenues à l'école ne correspondent pas à l'avance intellectuelle réelle des sujets les plus brillants.

Les traits caractéristiques des surdoués sont les mêmes partout, signalés par tous les auteurs : anxiété, insécurité, sentiment d'isolement, maladresse manuelle et physique, souffrance de se sentir des intérêts si différents des autres, désir de lire sans cesse, préférence pour l'autodirection plutôt que pour la direction par un pédagogue. Et plus fort est le Q.I., plus sévères sont les problèmes d'ajustement social, et plus graves sont les persécutions à l'école (Hollingworth, 1942 ; Parkyn, 1948 ; Zorbaugh et coll., 1951).

L'insuccès chez les surdoués est si grave que Ralph, Goldberg et Passow (1966), étudiant justement cet insuccès sur 4 900 adolescents, trouvent que 54 % des garçons et 33 % des filles ont dès l'école ou le lycée des notes si mauvaises qu'ils ne pourront passer dans l'enseignement supérieur ; on pourrait même prévoir précocement dès la troisième quels seront les surdoués qui abandonneront ou ne pourront réussir. Les traits de caractère ou d'ajustement social qui mènent à l'insuccès seraient curables à ce stade, mais non pas plus tardivement.

Sans compter la discordance entre l'âge réel et l'âge mental (qui peut atteindre quatre ans) et qui cause déjà de grandes difficultés aux enfants supranormaux, il faut noter que les surdoués ont tendance à s'isoler, ce qui les rend plus impopulaires encore (surtout sans doute en Amérique !). Ils sont en réalité la proie de pressions si fortes de la part du milieu scolaire qu'on pourrait parfois parler de persécutions; c'est pourquoi beaucoup préfèrent renoncer, oublier leurs talents et rentrer dans la foule anonyme... La gêne qu'ils éprouvent se manifeste dès l'école maternelle (Martinson, 1961) : ils n'arrivent déjà que très difficilement à entrer en rapport avec leurs petits camarades. Hollander, Terman, Zorbaugh trouvent tous que les surdoués travaillent typiquement au-dessous de leurs capacités, qu'ils jugent particulièrement frustrante leur expérience de l'école (où ils s'ennuient) ; souvent leur développement physique est en retard, et de beaucoup, par rapport au mental si bien qu'ils se sentent inférieurs, inadaptés et dans l'insécurité au milieu de leurs camarades.

Tout change quand on les place dans un milieu approprié avec des maîtres spécialisés et d'autres surdoués, par exemple.

La chute du surdoué

Mais si on ne le fait pas (par exemple, parce que favoriser les jeunes gens qui ont déjà reçu de la nature des dons surabondants serait antidémocratique), il faut savoir que la chute sera rapide et atteindra un pourcentage important de surdoués. C'est pourquoi je poserai à nouveau la question autrement, d'une manière un peu emphatique peut-être : a-t-on le droit d'assassiner un génie ?

Peut-on réellement faire fi du bénéfice que ces enfants surdoués pourraient apporter à l'humanité ?

D'après Goldberg (1965), beaucoup d'adolescents doués réduisent leurs lectures progressivement au cours des années, alors qu'ils sont particulièrement voraces de livres : c'est pour ne pas paraître des « crânes d'œuf », comme disent les Américains, c'est-à-dire pour que cessent les persécutions de leurs condisciples ; certains n'ont pu avoir la paix qu'en se distinguant dans les sports (Tannenbaum, 1960). Ne rions pas de cette manie américaine des sports ; nous sommes logés exactement à la même enseigne. Tout le monde admet en effet qu'on pousse les futurs champions, qu'on aménage leurs études, qu'on les couve dans des instituts spécialisés. Mais lorsqu'il s'agit d'ouvrir un établissement pour les enfants doués, c'est un tollé...

La réussite dans la vie

Terman n'y voit pas tellement de différences par rapport aux groupes des doués. Mais cela dans l'édition de 1947 des *Genetic studies of genius*. En revanche, dans celle de 1930, comme nous allons le voir, l'image qu'il donnait des enfants à Q.I. très supérieur était nettement moins favorable.

De telles contradictions paraissent surprenantes, d'autant plus que Hollingworth et d'autres auteurs sont pessimistes sur les chances de réussite des surdoués. Voici en effet ce que dit Terman dans le tome de 1930 (p. 264).

« Le cas des enfants au Q.I. extraordinairement élevé pose un problème particulièrement grave. Si leur Q.I. est de 180, leur niveau intellectuel à six ans est égal à celui de onze ans ; à dix ou onze ans, il n'est guère éloigné de celui d'un étudiant quittant l'université. Le développement physique, d'autre part, n'est guère accéléré de plus de 11 %, et le développement des relations sociales de plus de 20 à 30 %. Le résultat inévitable est que l'enfant de Q.I. 180 doit résoudre un des problèmes les plus difficiles d'adaptation sociale qu'aucun être humain ait jamais rencontrés.

« La situation est si grave qu'on pourrait se demander comment il est même possible pour un tel enfant de devenir un adulte socialement normal. Il ne peut espérer que des enfants de son milieu mental

117

l'acceptent car, même s'il connaît bien leurs jeux, son aspect physique est trop immature pour qu'il trouve sa place dans leur groupe.

« Il n'est pas de mépris pire que celui des aînés pour les plus jeunes et les plus faibles qui aspirent à l'égalité avec eux, surtout si ces aînés sont conscients de leur relative infériorité en intelligence...

« Si, au contraire, l'enfant doué essaie de s'adapter à son propre niveau d'âge physique, le résultat ne sera pas meilleur. Il parle un langage que les enfants moyens de son âge ne comprennent littéralement pas. Leur stupidité le rend impatient ; ils ne s'intéressent à rien de ce qui l'intéresse.

« La courbe de distribution de l'intelligence implique que les enfants à Q.I. de 140 et 150 peuvent trouver un large groupe de camarades dont le développement mental et les intérêts ne soient pas désespérément derrière les leurs propres... L'enfant à Q.I. de 170 et 180, au contraire, se trouve dans une région de l'intelligence extrêmement dépeuplée. Il n'y a qu'un enfant sur des milliers pour réaliser des chiffres aussi élevés... » D'où l'impossibilité pratique d'avoir des camarades.

On s'étonne, encore une fois, que des enfants dont l'enfance a été si perturbée puissent avoir plus tard une réussite sociale comparable aux sujets à Q.I. de 130-140, comme Terman le dit.

Ici, d'ailleurs, les différents auteurs se contredisent souvent, par suite de la confusion continuelle entre doué, « surdoué moyen » et surdoué du type prodige. Le doué et le surdoué moyen peuvent s'en tirer, et les seconds arrivent parfois à surmonter leurs réelles difficultés d'ajustement social ; mais les « surdoués prodiges » jamais, ou presque jamais : la distance entre eux et le reste de l'humanité est trop grande...

Leurs difficultés sont dues, comme le dit Hollingworth en une formule pittoresque, à ce qu' « ils ne peuvent prendre leur parti de la sottise et de la folie » *(to accept fools gladly)*. La sensation d'isolement qu'ils éprouvent alors peut provoquer une angoisse grandissante devant les rapports sociaux à établir, cela avec tous les dérèglements qu'on peut imaginer. Les enfants au Q.I. de 140 à 150 s'ajustent au contraire beaucoup mieux au milieu social. Toutefois, ils n'échappent pas forcément, ni tous, à ce que Terman et Hollingworth considèrent comme le fardeau obligatoire de l'enfant doué : le sentiment d'isolement, la gêne dans leur besoin dévorant d'apprendre, l'ennui et leur souci très particulier des problèmes éthiques.

Les créatifs

Comme le disait William James (1911) : « L'humanité ne fait rien que par l'initiative des inventeurs, grands ou petits, que le reste d'entre nous imite : c'est le seul facteur actif dans le progrès humain. Les individus de génie montrent la voie et établissent les schémas que les gens du commun adoptent et suivent. »

Toutes sortes de problèmes relatifs à la créativité ont été soulevés ces dernières années : Quelle est la nature du processus de création ? Quelles sont les influences culturelles ou éducatives qui induisent la créativité ? Quel est le rapport du *cursus* universitaire au développement de l'esprit créatif ? Et, d'un autre côté, l'individu créatif, à quoi ressemble-t-il ? Comment travaille-t-il ? Est-ce qu'on peut apprendre à être créatif ?

A l'origine des réponses que l'on pourrait donner à ces questions se trouve forcément l'étude de l'enfant créatif. D'autant plus que les enfants présentent souvent la vive imagination, la flexibilité mentale, l'intuition qui sont si piteusement rigidifiées chez l'adulte, alors que l'individu créatif garde ces précieuses qualités en état de fonctionnement.

Mais, encore une fois, rien n'est plus obscur que la créativité. Cette obscurité est due en partie à la masse énorme de travaux qui se font toujours sur un sujet « dans le vent », et Dieu sait s'il existe de ces sujets, dans les sciences comme ailleurs !

Ensuite, tout le monde sent clairement l'importance du problème : si seulement on pouvait sélectionner les personnes créatives dès l'enfance ou tout au moins un peu avant qu'elles ne prennent, comme cela paraît fréquent, des carrières qui ne leur conviennent pas !

De plus, une masse d'observations, dont certaines deviennent progressivement de plus en plus sérieuses, montrent qu'il n'y a pas une forte corrélation entre les tests de quotient d'intelligence et ceux de créativité, ce qui tendrait à faire admettre que les deux types de tests ne mesurent pas la même chose. Qui d'entre nous d'ailleurs ne connaît des personnes fort intelligentes (ou peut-être vaudrait-il mieux dire fort instruites ?) qui restent tout à fait stériles et incapables du moindre travail original ?

Ces incertitudes sont cause du fait que beaucoup d'hommes, même cultivés, mettent en doute le Q.I. comme mesure de l'intelligence, quoique leurs critiques soient plutôt sentimentales que rationnelles : elles procèdent souvent, en effet, du malaise éprouvé devant les tentatives d'enclore dans des chiffres ou des échelles rigides quelque chose d'aussi varié que l'intelligence et d'aussi difficile à définir dans la vie courante.

On sait peu que ce malaise est partagé depuis longtemps par plus d'un psychologue ; mais leur défiance à eux est fondée sur une analyse précise de la manière dont on mesure un Q.I., et aussi de l'observation trop souvent répétée d'élèves à Q.I. élevé qui ne réussissent pas dans leurs études et vice versa. Il faut donc bien que le Q.I. laisse filer entre ses mailles un certain nombre d'informations sans doute utiles.

Une critique grave vise le fait que le Q.I. et ses méthodes de mesure remontent à un passé déjà lointain de l'histoire de la psychologie, et les différentes révisions qu'ont subies les tests historiques de Binet n'y changent pas grand-chose.

Comme le disent Getzels et Jackson : « La métrique du Q.I. s'est montrée spécialement immunisée contre les progrès de nos connaissances sur la pensée et le comportement. »

Il y a plus grave : lorsqu'on invente un nouveau test d'intelligence, on apprécie souvent son utilité par les corrélations qu'il montre avec les anciens tests, ce qui aboutit à perpétuer des conceptions tout à fait dépassées sur plus d'un point. Les recherches de Guilford sur la structure de l'intellect (quelles que soient les critiques qu'on puisse leur faire) entrent fort malaisément dans le cadre des mesures du Q.I.

Ce sont les recherches modernes sur la créativité qui ont amené à remettre le plus sérieusement en question les anciens tests, comme non exhaustifs, comme n'épuisant pas tout ce qu'on peut apprendre d'utile sur un sujet. Non pas que les tests de créativité soient eux-mêmes à l'abri de toute critique, mais leur imperfection ne doit pas cacher la gravité et l'intérêt du problème auquel ils s'adressent.

L'imperfection des tests classiques du Q.I. vient du fait qu'ils se sont développés dans un milieu universitaire, où l'on se souciait surtout de trouver un moyen de prédire la réussite scolaire ; les particularités mentales qui favorisent le succès ou l'insuccès dans le reste de l'existence paraissaient d'une utilité moins immédiate. Or, si l'on admet que les situations rencontrées par l'étudiant dans sa vie ultérieure et les problèmes qu'il aura à résoudre *n'ont à peu près aucune relation avec ceux qu'il a rencontrés à l'école* (et quel est l'homme de bon sens qui refuserait de l'admettre ?), on voit combien est grave la perte d'information subie au cours de la mesure classique du Q.I.

Getzels et Jackson, dans une étude célèbre, se sont proposé les buts suivants :

1. Identifier deux groupes d'écoliers montrant d'une manière indiscutable deux types d'intelligence supérieure : le premier groupe, d'intelligence supérieure, mais pas forcément de créativité éle-

vée ; et le second de créativité élevée, mais non obligatoirement d'intelligence aussi grande.

2. Rechercher la nature de leur comportement à l'école, ce qu'en pensent leurs maîtres et le sens qu'ils attachent eux-mêmes à leur expérience de l'enseignement.

3. Rechercher leur sens des valeurs, le type de carrière auquel ils aspirent, comment ils conçoivent la réussite dans la vie, quel est leur type de fantaisie imaginative.

4. Enfin, quel est leur environnement familial, comment leurs parents les voient et les élèvent.

On se méfie des créatifs

Les sujets une fois repérés (292 garçons et 241 filles, de plusieurs âges scolaires), furent soumis à une quarantaine de tests et de questionnaires dont quelques-uns sont détaillés au chapitre 6 (Les tests) ; d'autres exemples seront donnés au cours de ce chapitre.

Un premier point, très frappant, est *la méfiance inspirée aux maîtres par l'élève créatif*, méfiance qui ne s'avoue pas, qui est niée avec vigueur par l'intéressé, mais qui cependant est bien visible dans les réponses aux questionnaires. Les maîtres estiment plus doué, meilleur élève, le sujet à Q.I. élevé, plutôt que le sujet à créativité élevée, à Q.I. égal. Inversement d'ailleurs, les sujets à Q.I. élevé cherchent à se modeler plus ou moins sur leurs maîtres, et les sujets créatifs pas le moins du monde. On s'en aperçoit en leur faisant remplir un questionnaire où ils doivent cocher une liste des qualités qu'ils préfèrent et une liste des qualités que le maître préfère d'après eux ; il existe une forte corrélation entre les deux listes chez les sujets à Q.I. élevé et une corrélation négative chez les créatifs. Ce qui veut dire que l'esprit frondeur dont tous les créatifs font montre peu ou prou, les pousse à s'opposer plus ou moins consciemment au maître, et c'est bien ce qui explique l'attitude consciente ou inconsciente du maître envers eux.

Plus curieux encore : on soumet aux deux groupes un questionnaire où ils doivent cocher dans une liste les qualités qui, d'après eux, mènent au succès, et dans une seconde liste les qualités qu'ils voudraient posséder. Les sujets à Q.I. élevé et les créatifs cochent à peu près les mêmes qualités dans la première liste. Mais les Q.I. élevés ont choisi les mêmes qualités pour eux dans la seconde liste, et les créatifs des qualités souvent fort différentes.

Comme disent Getzels et Jackson : « C'est comme si le Q.I. élevé disait : " Je sais ce qui mène au succès et ce que le maître préfère, et c'est aussi ce que je veux avoir ", alors que le créatif dirait :

Figure A

Test du dessin à faire d'après un thème vague : « Jeu dans une cour d'école. » Le seul qui réponde vraiment au thème est le premier du haut à gauche, exécuté par un sujet à haut Q.I., non particulièrement

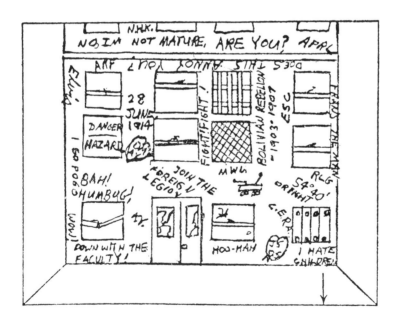

créatif. Les trois autres sont réalisés par des créatifs qui ont amplement profité de la consigne (*draw any picture you like*, dessinez ce que vous voulez) pour se livrer aux fantaisies les plus bizarres. (D'après Getzels et Jackson.)

" Je sais aussi bien que toi ce que le maître désire et ce qu'il faudrait avoir pour réussir, mais j'aime mieux autre chose. " »

Mais savez-vous ce qui fait la plus grande différence ? C'est que le créatif place *le sens de l'humour parmi les toutes premières qualités qu'il voudrait posséder* (en fait, il lui donne le troisième rang), alors que le Q.I. élevé ne lui donne que le neuvième... Evidemment, ce sens de l'humour qu'il désire, le créatif l'a déjà et il l'exerce souvent aux dépens du maître : on comprend mieux le résultat de certains questionnaires remplis par les maîtres.

La créativité se manifeste souvent dans les productions imaginatives. Le test consiste à présenter aux sujets une série de cartes représentant des histoires sans paroles, avec prière d'inventer une légende. Les différences entre sujets à haut Q.I. et créatifs sont très frappantes, nous allons le voir. Les créatifs se distinguent par des conclusions inattendues, par l'humour, l'incongruité, la fantaisie et aussi, fait qui s'explique mal, par *la plus grande violence* déployée dans leurs historiettes.

Par exemple, une des cartes représente un homme assis dans un avion, revenant d'un voyage d'affaires ou autre : c'est tout.

Voici une histoire de sujet à Q.I. élevé : M. Durand retourne chez lui après un fructueux voyage d'affaires. Il est très satisfait et pense à sa charmante famille, et combien il sera content de la revoir. Il s'imagine lui-même dans une heure quand son avion atterrira et que Mme Durand et ses trois enfants lui souhaiteront la bienvenue à la maison.

C'est une histoire qui ne brille pas par son originalité. Voici maintenant celle du créatif : cet homme revient de Reno, où il a tout juste divorcé d'avec sa femme. Il ne pouvait plus la supporter, a-t-il dit au juge, parce qu'elle se mettait tellement de crème sur la figure la nuit que sa tête glissait sur l'oreiller et venait le heurter. C'est pourquoi il songe à inventer une nouvelle crème de beauté qui ne glisse pas...

On donne aux élèves quatre minutes au plus pour rédiger leur historiette.

Voici maintenant un exemple du caractère typiquement non conformiste du créatif (et n'oublions pas qu'il s'agit ici d'élèves américains chez qui, mise à part une minorité (hippies, etc.), on n'aime guère se singulariser). La carte représente un étudiant d'université en train de travailler.

Légende du Q.I. élevé : Jean est un étudiant d'université en train de travailler à la maison. C'est un jour normal avec le travail de tous les jours à faire. Jean s'est arrêté un instant pour poser afin qu'on fasse le dessin, mais il s'est remis au travail tout de suite après. Il travaillait déjà depuis une heure et il en a encore pour une heure. Quand il aura fini, il lira un livre, puis ira se coucher. Ce qu'il a à à faire n'est pas patriculièrement facile, mais il faut le faire.

Légende du créatif : le gars est un étudiant typique d'université, qui ne se révolte pas contre les conventions ; il a une amie qui s'appelle Loïs et qui est très typique elle aussi. Il étudiait lorsque quelqu'un qu'il aime bien est entré dans sa chambre. Il a une vie ennuyeuse pour quiconque n'est pas dans la moyenne. Ses parents sont enchantés parce qu'il est un boy américain type, au sang bien rouge. En fait, il est horriblement dans la moyenne. Il ira à l'université, prendra le métier de papa, épousera une fille quelconque et en fin de compte ne fera absolument rien.

Ces exemples peuvent sembler caricaturaux, mais un certain humour, non exempt de mauvais goût, et les bizarreries de l'imagination, sont tout à fait typiques des créatifs ; c'est au point qu'on peut se demander si ce « test de l'historiette », quoique difficile à quantifier, n'est pas un de ceux qui « piègent » le mieux la créativité.

On peut en tirer quelques conclusions quant à la manière dont fonctionne l'esprit du créatif. En ce qui concerne le stimulus de l'image, les créatifs sont très libres et ne le prennent que comme point de départ pour laisser vagabonder leur imagination, alors que le Q.I. élevé se focalise sur le stimulus. Le créatif crée ses propres catégories, comme dans un jeu ; c'est d'ailleurs l'attitude du jeu qu'il prend le plus volontiers en présence de nombreux problèmes. Cela va parfois jusqu'au canular.

Un autre test (fig. A) consiste à donner au sujet une feuille de papier en lui demandant d'y dessiner ce qu'il veut, en réponse à une indication des plus vagues. Dans le cas qui nous occupe, l'indication était : « Jeu dans une cour d'école. » L'un des sujets rendit une feuille blanche ; il s'était contenté d'inscrire au-dessous du titre : « Jeu dans une cour d'école par temps de brouillard. »

Quant aux familles dans lesquelles se développent soit les créatifs, soit les sujets à Q.I. élevé, la plus grande différence entre elles est que *les mères des créatifs sont bien plus permissives que les autres* et se polarisent moins sur les études de leurs enfants (souci constant, et parfois obsessionnel, des mères des Q.I. élevés). Ces mères de créatifs, lorsqu'on leur demande de parler d'elles-mêmes, laissent apparaître d'autres différences intéressantes, quoique difficiles à quantifier : par exemple, elles parlent beaucoup moins d'argent et de difficultés financières, elles tendent beaucoup moins à signaler qu'elles appartiennent à la classe moyenne américaine si bien qu'on est tenté d'admettre qu'une plus grande insécurité règne au foyer des enfants à Q.I. élevé qu'au foyer des créatifs.

De plus, comme on pouvait s'y attendre, les qualités que les mères des Q.I. élevés apprécient le plus sont la propreté, les bonnes manières, le goût pour l'étude. En revanche, les mères des créatifs mettent plutôt l'accent sur l'ouverture à la vie et le sens des valeurs. En un mot, les premières ont beaucoup plus peur du risque et de l'insécurité que les secondes.

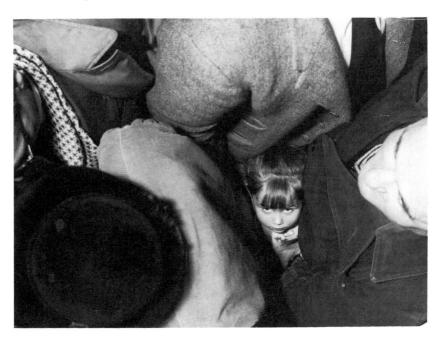

L'éducation scolaire et familiale trop rigide imposée par les adultes risque d'étouffer les facultés des enfants créatifs.

Les créatifs et les tests de créativité

On comprend mieux maintenant pourquoi ces enfants ne sont pas forcément en tête de leur classe quand on leur propose des tests classiques d'intelligence : c'est tout simplement parce qu'ils n'admettent pas les normes du test, trouvent celui-ci absurde ou refusent de s'y intéresser. En outre, les enfants créatifs se comportent de plus en plus mal, à mesure que l'âge vient, dans les besognes de groupe : ils tiennent absolument à travailler seuls (c'est la caractéristique peut-être la plus importante de la créativité). Et rien n'est pire qu'un groupe de créatifs, dont on pourrait pourtant penser

126

que les capacités vont s'additionner. Bien au contraire, ils ne cherchent qu'à se brimer mutuellement, et les membres du groupe que l'on contrarie se réfugient très vite dans l'agressivité, l'entêtement, le silence ou l'apathie.

Des études récentes montrent que créativité et Q.I. ne sont pas tant en désaccord que le veulent certains auteurs. En effet, il n'y a pas de créativité nette sans un Q.I. élevé, de 120 au moins ; *mais au-dessus de 120*, la corrélation diminue brutalement entre créativité et Q.I. Dans les classes sociales défavorisées, au-dessous de dix ans, il semble exister une corrélation nette entre un fort Q.I. et la créativité.

D'autre part, les tests de créativité sont multiples, en voie de prolifération explosive, mais ils ne présentent pas entre eux une grande corrélation, sans que l'on puisse dire pourquoi. La créativité correspond peut-être, comme l'intelligence, à un ensemble de qualités diverses, qui sont à inventorier séparément.

Il faut ajouter qu'un test bref de créativité, administré sans étudier le reste du caractère de l'enfant, peut mener à des conclusions tout à fait erronées sur la réussite future de celui-ci ; il ne suffit pas en effet d'avoir des idées originales : l'enfant a-t-il aussi l'énergie, la persévérance qui lui permettront de développer ses dons ?

L'école et le créatif

Quant aux conditions scolaires, nous n'en connaissons guère l'influence. Hildreth avoue que, « jusqu'à présent, il n'existe pas de preuve que les facilités d'expression qu'on fournit à l'enfant et une atmosphère *informelle* et permissive pendant la classe [...] développent la créativité plus que les méthodes traditionnelles ». D'ailleurs, il faut bien remarquer que l'éducation classique rigide de l'ancien temps, seule filière offerte aux jeunes gens, n'a pas empêché les esprits créatifs de se manifester. Mais elle peut en avoir étouffé un certain nombre.

La créativité dans les classes populaires

D'après Torrance, le destin des enfants créatifs est bien plus sombre que celui des enfants à Q.I. élevé : il va jusqu'à dire qu'ils n'ont pas une seule chance de devenir des adultes créatifs si on ne les aide pas. En effet, le côté paradoxal, primesautier et volontiers farceur de leurs réactions irrite rapidement les éducateurs, qui auront tendance à les brimer ; *or, l'enfant créatif se décourage vite.*

Witt (1968) a donc pensé que ce découragement devait être beaucoup plus marqué dans les classes pauvres, et c'est de ce côté qu'il a dirigé son enquête. Il n'a pas tardé à identifier un groupe d'enfants hautement créatifs dans un ghetto noir d'Amérique. Ils étaient seize, avec un goût spécial pour la musique, l'art, la science et la littérature. Au début, le changement de milieu scolaire parut sans doute difficile à assimiler, pour ces enfants dont on ne s'était jamais occupé, et leurs nouveaux éducateurs se demandèrent s'ils étaient vraiment créatifs en quoi que ce soit. Mais passé la première période d'adaptation, les réalisations des enfants devinrent surprenantes. Le programme continue encore à l'heure actuelle avec un plein succès, en ce sens que les jeunes Noirs ne « se sont pas éteints », comme c'est malheureusement si fréquent avec les créatifs, et qu'ils continuent à donner les plus beaux espoirs.

« *Grands hommes* » *et créativité*

Il faut noter que selon la fameuse étude « rétroactive » des génies à laquelle se livra Cox sous l'égide de Tolman, la plupart des génies les plus considérables de l'humanité n'auraient pas eu un Q.I. tellement élevé (100 à 130 seulement) ; en revanche, ils étaient extrêmement créatifs. Mais lorsqu'ils étaient encore enfants et adolescents, beaucoup apparurent à leur maître comme de mince mérite ; certains même étaient les derniers de la classe. Il n'est que de se rappeler Pasteur, que ses maîtres trouvaient particulièrement nul en chimie !

On dispose d'un certain nombre d'informations sur ces grands hommes, qui permettent de conclure qu'il eût été possible de prédire leur créativité : dans leur jeunesse, les personnages célèbres ont généralement été des enfants extrêmement précoces. Milton dévorait les classiques à douze ans ; Goethe arrangeait et faisait jouer des pièces de théâtre à six ans ; les sœurs Brontë écrivirent des romans à treize ou quatorze ans. Parmi les hommes de science, rappelons-nous que lorsque Galilée fit ses fameuses observations sur le pendule, il était âgé de dix-sept ans. Pascal retrouva les principales lois de la géométrie à onze ans et écrivit à douze un traité d'acoustique, etc.

PROFESSEUR RÉMY CHAUVIN

Chapitre III

Qu'est-ce que l'inspiration ?

L'idée créatrice finit par posséder ceux qu'elle touche. Elle est une révélation, parfois foudroyante, de l'inconnu. Elle peut naître sans que l'individu semble y contribuer volontairement, au cours d'un rêve par exemple, mais peut surgir aussi au terme d'un labeur intense.

L'analyse de son cheminement montre qu'elle est toujours le résultat d'une motivation ancrée profondément dans la personne. Intuition, inspiration sont des concepts ordinaires qui recouvrent une réalité que nous ne connaissons pas à fond, celle de notre esprit.

Goethe parle de son « somnambulisme poétique ».

La joie et l'enthousiasme qui accompagnent parfois jusqu'à une sorte d'état de transe l'inspiration font de celle-ci une fête pour le créateur, qui doit toutefois s'astreindre ensuite à un travail représentant une ascèse pour parvenir à la réalisation concrète.

Les multiples formes de l'inspiration ne diffèrent pas essentiellement, et elle se prolonge dans le domaine religieux où les prophètes et les grands inspirés sont aussi couramment parmi ceux qui produisent les faits paranormaux les plus nets et variés, de la lecture de pensée à la bilocation.

Le fondement de la découverte est avant tout une pensée productive. W.I.B. Beveridge, dans son ouvrage *l'Art de l'investigation scientifique,* nous en donne la description : « Il est important de réaliser que la production d'idées n'est pas un acte délibéré, volontaire. C'est quelque chose qui nous arrive, plutôt que quelque chose que nous faisons. Dans la pensée ordinaire, des idées nous " arrivent " continuellement de cette façon pour relier les étapes du raisonnement et nous sommes si accoutumés au processus que nous en sommes à peine conscients. Habituellement, les idées et les combinaisons nouvelles surgissent de la pensée immédiatement précédente, appelant des associations qui ont été développées dans l'esprit par l'expérience et l'éducation passées. A l'occasion, toutefois, jaillit dans l'esprit une idée totalement originale, ou fondée sur des associations passées ou, au moins, pas sur des associations immédiatement apparentes. On perçoit soudain pour la première fois le lien entre plusieurs choses ou plusieurs idées, ou bien on fait un énorme bond en avant au lieu du petit pas habituel où les liens entre chaque paire ou système d'idées sont bien établis et " évidents ". Ces progressions vastes et soudaines surviennent non seulement lorsque l'on s'attaque consciemment au problème, mais aussi assez couramment lorsque l'on ne pense à rien de particulier, ou même lorsque l'on est vaguement occupé à quelque chose d'autre, et dans ces circonstances elles sont souvent étonnantes. Quoiqu'il n'y ait probablement aucune différence fondamentale entre ces idées et les plus banales qui nous viennent à peu près continuellement, et qu'il ne soit pas possible de tracer une distinction nette, nous les considérons séparément dans un prochain chapitre sous le titre *intuitions* [1]. » Suit une série d'exemples d'intuitions scientifiques.

Comment naît l'étincelle créatrice ?

Les chimistes américains Platt et Baker ayant entrepris une enquête parmi leurs confrères, rapportent quelques-unes des réponses obtenues à propos de la naissance de l'étincelle créatrice : « Libérant mon esprit de toutes pensées concernant le problème, je descendais allégrement la rue, quand soudain à un endroit précis que je pourrais situer aujourd'hui — comme tombant du ciel clair au-dessus de moi — une idée m'entra dans la tête d'une manière aussi emphatique que si une voix l'avait criée. »

De même : « Je décidais d'abandonner mon travail et toute pensée à son sujet, lorsque, le lendemain, occupé à une tâche d'un tout autre type, une idée me vint à l'esprit, aussi soudaine qu'un éclair et c'était la solution... son extrême simplicité me fit me demander pourquoi je n'y avais pas pensé avant. »

Ou encore : « L'idée vint avec un tel choc que je me souviens de ma position exacte, très nettement [2]. »

Von Helmholtz, physicien allemand, raconte que, après avoir retourné un problème dans tous les sens, « ... les bonnes idées survenaient inopinément sans effort comme une inspiration ». Et Me-

1. W.I.B. Beveridge : *The Art of Scientific Investigation* (New York, Vintage Books, 1950), p. 73.
2. « The Relationship of the Scientific " Hunch " Research », *J. Chem. Educ.* 8, 1969.

dawar commente : « Il se rendait compte que les idées ne lui venaient pas lorsque son esprit était fatigué ou lorsqu'il était à sa table de travail, mais souvent le matin après une nuit de repos ou en grimpant des collines boisées par un jour ensoleillé [1]. »

La même excitation soudaine transparaît dans le récit que nous fait Metchnikoff de l'origine de l'idée de phagocytose : « Un jour que toute la fouille était allée au cirque voir un numéro de singes extraordinaire, je demeurai seul avec mon microscope, observant la vie dans les cellules en mouvement d'une larve transparente d'étoile de mer, lorsqu'une idée nouvelle me traversa soudain l'esprit. Je fus frappé de ce que des cellules semblables pouvaient servir à défendre l'organisme contre les intrus, sentant qu'il y avait là quelque chose d'un intérêt remarquable. Je fus si excité que je commençai à marcher de long en large dans la pièce et allai même sur la plage pour reprendre mes esprits [2]. »

Le mathématicien Gauss, relatant la brusque découverte d'une solution, insiste encore davantage sur l'aspect quasi miraculeux de l'intuition : « ... Deux jours auparavant je réussis enfin... Comme en un éclair, l'énigme se trouva résolue. Je ne peux pas dire moi-même quel fut le fil conducteur qui relia ce que je savais déjà avec ce qui rendit mon succès possible [3]. »

Avertis de ce jaillissement inopiné de l'idée clef, beaucoup de chercheurs ont compris à la fois qu'il était vain de forcer l'inspiration mais qu'il fallait se tenir prêt à l'accueillir. W. B. Cannon, par exemple, explique comment il reste sur le qui-vive chaque fois qu'il a un travail important en train : « ... J'ai longtemps fait confiance aux processus inconscients pour me servir — par exemple, lorsque j'ai à préparer une allocution publique. Je réunis les points essentiels et je les jette schématiquement sur le papier. Durant les quelques nuits qui suivent, je me réveille brusquement sous une poussée d'illustrations, de phrases pertinentes et de nouvelles idées en rapport avec celles que j'ai déjà notées. Papier et crayon à portée de la main ont permis de capter ces pensées fugaces avant qu'elles ne s'effacent dans l'oubli. Le processus a été pour moi si courant et si sûr que je supposais qu'il était au service de tous. Mais l'évidence indique qu'il n'en est rien [4]. »

L'abondance d'exemples du même type que ceux que nous venons de citer semble, sans prouver la théorie de la création incons-

1. P. B. Medawar : *The Art of the Soluble* (Londres, Methuen, 1967), p. 93.
2. E. Metchnikoff, cité par B. M. Fried : *Arch. Path.* 26, 700 (1938).
3. Cité par J. Hadamard, in *The Psychology of Invention in the Mathematical Field* (Oxford University Press, 1945).
4. W. B. Cannon : *The Way of an Investigator* (New York, W. W. Norton and Co., 1945).

ciente, accréditer l'idée que l'inspiration se manifeste aux frontières de la conscience. Elle ne naît cependant pas, nous l'avons vu, sans un travail préalable intense. Elle ne se fixe pas non plus sans lui.

Claude Bernard exprime dans ses notes ce caractère spontané et apparemment désinvolte de l'inspiration, et souligne en même temps l'énergie que doit employer le chercheur pour la retenir : « Les idées se développent spontanément dans l'esprit et, quand on se laisse aller à ses idées, on est comme un homme à la fenêtre qui regarde les passants. On regarde donc en quelque sorte passer ses idées. Cela n'exige aucun effort ; cela a même un grand charme. Là où est le travail, la fatigue, c'est d'arrêter l'idée au collet, comme on arrêterait le passant malgré son désir de fuir, de la retenir, de la fixer, de lui donner son caractère, etc. [1]. »

Son commentateur, Mirko Drazen Grmek, décrit la méthode qu'il employait dans ce but : « Il se servait de ce qu'on peut appeler le " système des petits papiers ". A chaque instant quand une idée germait dans son esprit ou, comme il le dit lui-même, se présentait à sa fenêtre intérieure, il la cueillait au vol et la fixait sur une feuille de papier, la première qu'il trouvait sous sa main. Le soir venu, il résumait ou développait ces notes provisoires en les écrivant dans ses cahiers [2]. »

En effet, dit Claude Bernard, les intuitions, qu'elles soient scientifiques ou poétiques, sont le point de départ indispensable à toute création : « On dit : voilà une belle création, une inspiration. Un artiste ne sait jamais comment il arrive aux choses. De même un savant ne sait pas comment il trouve les choses. Mais une fois trouvées, on raisonne et on applique ; mais il faut le point de départ, il faut trouver et c'est là qu'on ne sait plus, car il faut toujours des prémisses et elles sont inconnues [3]. »

L'inspiration finit par posséder ceux qu'elle touche

Lorsque, enfin, elle se manifeste, l'inspiration mobilise toutes les forces de l'individu. La biographe de Sonia Kovalevskaïa relève, par exemple, l'exaltation qui s'emparait de son amie en de tels moments : « Elle pouvait passer de longues heures à sa table de travail, dans une tension d'esprit extraordinaire, et lorsque, après une journée d'étude, elle mettait ses papiers de côté et quittait sa table, c'était pour marcher de long en large dans sa chambre, absorbée dans

---

1. C. Bernard : *Cahier de notes* (Paris, Gallimard, 1965), p. 89.
2. Idem, p. 93.
3. Idem, p. 135.

ses pensées, et d'un pas si rapide qu'elle finissait parfois par courir en se parlant à haute voix, parfois même en éclatant de rire. Elle paraissait alors comme soulevée de terre, emportée loin de toute réalité sur les ailes de la fantaisie, mais jamais elle ne parlait des idées qui l'occupaient en pareil cas [1]. »

Car l'intuition subite, immédiatement éclairante, produit un choc qui détache l'individu de son cadre habituel et crée le réajustement intellectuel qui conduit à la découverte. Pour illustrer ce processus, citons la description de Charles Nicolle, identifiant à l'hôpital de Tunis le typhus exanthématique : « Ce choc, cette illumination subite, cette possession instantanée de soi par le fait nouveau, j'en puis parler. Je les ai éprouvés, vécus. C'est bien ainsi que me fut révélé le mode de transmission du typhus exanthématique.

« Un jour, un jour comme les autres, un matin, pénétré sans doute de l'énigme du mode de contagion du typhus, n'y pensant pas consciemment toutefois (de cela je suis bien sûr), j'allais franchir la porte de l'hôpital lorsqu'un corps humain, couché au ras des marches, m'arrêta.

« C'était un spectacle coutumier de voir de pauvres indigènes, atteints de typhus, délirants et fébriles, gagner, d'une marche démente, les abords du refuge et tomber, exténués, aux derniers pas. Comme d'ordinaire, j'enjambai le corps étendu. C'est à ce moment précis que je fut touché par la lumière. Lorsque, l'instant d'après, je pénétrai dans l'hôpital, je tenais la solution du problème. Je savais, sans qu'il me fût possible d'en douter, qu'il n'y en avait pas d'autre, que c'était celle-là. Ce corps étendu, la porte devant laquelle il gisait m'avaient brusquement montré la barrière à laquelle le typhus s'arrêtait. Pour qu'il s'y arrêtât, pour que, contagieux dans toute l'étendue du pays, à Tunis même, le typhique devînt inoffensif, le bureau des entrées passé, il fallait que l'agent de la contagion ne franchît pas ce point. Or, que se passait-il en ce point ? Le malade y était dépouillé de ses vêtements, de son linge, lavé, rasé. C'était donc quelque chose d'étranger à lui, dans son linge, sur sa peau qui causait la contagion. Ce ne pouvait être que le pou. C'était le pou... Ce que j'ignorais la veille, ce que nul de ceux qui avaient observé le typhus depuis le début de l'histoire... n'avait remarqué, la solution indiscutable, immédiatement féconde du mode de transmission venait de m'être révélée [2]. »

1. S. Kovalevskaïa : in *Souvenirs d'enfance et biographie* (Paris, Hachette, 1907), p. 196.
2. C. Nicolle : *Biologie de l'invention* (Paris, Alcan, 1932), pp. 70, 71.

Einstein analyse le mécanisme intellectuel de la découverte

Dans une lettre à Jacques Hadamard, Albert Einstein essaie de démontrer le mécanisme intérieur qui provoque la découverte. Il tente de répondre aux questions posées par l'enquête de *l'Enseignement mathématique : A quelles images internes, de quelle forme de parole intérieure vous servez-vous ?* Et : *Dans la recherche, les images mentales et les paroles intérieures se présentent-elles en pleine conscience, à la limite de la conscience, ou à « l'antichambre de la conscience » selon la définition de Galton ? » :*

« Mon cher collègue,

« Dans ce qui suit, j'essaie de répondre brièvement à vos questions du mieux que je suis capable. Je ne suis moi-même pas satisfait de ces réponses et je suis prêt à répondre à d'autres questions si vous croyez que cela peut vous être de quelque utilité dans le très intéressant et difficile travail que vous avez entrepris.

« *a)* Les mots ou le langage, qu'ils soient écrits ou parlés, ne semblent jouer aucun rôle dans le mécanisme de ma pensée. Les entités psychiques qui semblent servir d'éléments de pensée sont certains signes et des images plus ou moins claires qui peuvent être " volontairement " reproduits et combinés. Il y a, bien sûr, un certain rapport entre ces éléments et les concepts logiques qui y affèrent. Il est également clair que le désir d'arriver finalement à des concepts logiquement reliés constitue le fondement émotionnel de ce jeu assez vague avec les éléments mentionnés plus haut. Mais pris d'un point de vue psychologique, ce jeu combinatoire semble être la caractéristique essentielle de la pensée productive — avant que s'établisse un lien quelconque avec une construction logique en mots ou autres types de signes communicables aux autres.

« *b)* Les éléments mentionnés ci-dessus sont, dans mon cas, de type visuel et, pour certains, musculaire. Ce n'est que dans une étape secondaire que des mots ou d'autres signes conventionnels doivent être laborieusement déterrés, lorsque le jeu des associations est suffisamment établi et peut se reproduire à volonté.

« *c)* Selon ce qui a été dit, le jeu des éléments mentionnés vise à être analogique aux rapports logiques que l'on cherche [1].

« *d)* Visuels et moteurs. Lorsque les mots interviennent, ils sont, dans mon cas, purement *auditifs,* mais ils n'interfèrent qu'à un stade secondaire, comme je l'ai déjà mentionné [2].

« *e)* Il me semble que ce que vous nommez " pleine conscience "

---

1. *a, b, c* correspondent à la première question.
2. *d* répond à une question de Jacques Hadamard sur les éléments psychologiques habituels dans la pensée courante.

est un cas limite qui ne peut jamais être totalement atteint. Ceci me semble lié avec le fait appelé « l'étroitesse de la conscience » *(Enge des Bewusstseins)* [1].

« Remarque : le professeur Max Wertheimer a tenté de fouiller la distinction entre la simple association ou combinaison d'éléments reproductibles et la compréhension *(organisches Begreifen)* ; je ne peux pas juger à quel point son analyse psychologique touche le point essentiel [2]. »

Cet essai d'introspection de son propre mécanisme intellectuel n'éclaire qu'indirectement l'inspiration, montrant comment les systèmes logiques n'interviennent qu'à un second stade, après les « intimations » qui ont déclenché le processus analogique. Il reste qu'on ne peut faire de différence entre les diverses formes d'inspiration : tous les créateurs sont saisis du même bouleversement.

Chez les artistes

Pour l'opinion commune, les artistes sont ceux qui dépendent le plus étroitement de l'inspiration. On se les représente volontiers en proie à une fièvre permanente, courbés sous le joug de l'œuvre à accomplir. Pourtant, l'émotion qu'ils traduisent est, comme chez les scientifiques, fonction de leur tempérament et non pas de leur métier.

Mozart, le type même du génie en état de grâce, celui que l'on a appelé le « divin » Mozart, était véritablement possédé par la musique. Désireux de composer un opéra, il écrit à son père : « ... Vous savez que je suis, pour ainsi dire, tout enfoncé dans la musique... que j'en ai tout le jour l'esprit préoccupé, que j'aime à y réfléchir..., à l'étudier..., à la méditer. Je vous assure que si l'on me donne un opéra à écrire, je n'en serai nullement inquiet. C'est le diable qui a fait cette langue, il est vrai, et je vois parfaitement les difficultés que tous les compositeurs y ont trouvées. Mais, malgré cela, je me sens en état de les surmonter aussi bien que tous les autres. Au contraire, bien souvent, lorsque je me représente que tout va bien pour mon opéra, je sens tout mon corps en feu, et mes mains et mes pieds tremblent de l'ardent désir d'apprendre aux Français à connaître, à estimer et à craindre toujours davantage les Allemands [3]. »

Ce désir d'écrire des opéras, demeuré insatisfait pour des raisons

1. *e* correspond à la seconde question.
2. Cité dans *la Psychologie de l'invention en mathématiques,* titre anglais : *The Psychology of Invention in the Mathematical Field,* par J. Hadamard (Princeton, Princeton University Press, 1949).
3. « Lettre du 31 juillet 1778 », in *Lettres choisies* (Paris, Hachette, 1888), p. 239. Mozart faisait à cette époque un séjour à Paris.

matérielles, se transforme en une passion dont la force décuple les possibilités du musicien : « Ah, je vais bientôt perdre patience, de ne plus pouvoir écrire pour mon opéra ! Il est vrai qu'en attendant je compose d'autres choses, mais ma passion est maintenant de ce côté et je n'aurais besoin que de quatre jours pour ce qui m'en demanderait quinze ordinairement. J'ai composé, en un seul jour, l'air en *la* d'Adamberger ; celui en *si* bémol de la Cavalieri, et le trio, je les ai écrits en un jour et demi [1]. »

Chez Berlioz, l'inspiration possède ce même caractère spontané et subit, donnant parfois l'impression au musicien que son œuvre s'accomplit sans qu'il y prenne garde. Au début de la composition de son opéra *les Troyens,* il décrit comment, malgré son mauvais état de santé et sa fatigue, la musique jaillissait : « ... Tout malade que je suis, je vais toujours ; ma partition se fait, comme les stalactites se forment dans les grottes humides, et presque sans que j'en aie conscience [2]. » Et huit ans plus tard, il évoque, dans une lettre à son fils, la pression impérieuse à laquelle il est soumis lorsque la grâce le tient : « Je ne puis suffire à écrire les morceaux de musique de mon petit opéra, tant ils se présentent avec empressement ; chacun veut passer le premier. Quelquefois j'en commence un avant que l'autre soit fini. A l'heure qu'il est, j'en ai écrit quatre, et il m'en reste cinq à faire [3]. »

L'intuition créatrice se manifeste souvent brutalement et exige un accomplissement rapide. Picasso, par exemple, raconte à Brassaï comment est née une de ses sculptures : « Devinez comment j'ai fait cette tête de taureau ? Un jour, j'ai trouvé dans un tas d'objets pêle-mêle une vieille selle de vélo juste à côté d'un guidon rouillé de bicyclette... En un éclair ils se sont associés dans mon esprit... L'idée de cette tête de taureau m'est venue sans que j'y aie pensé... Je n'ai fait que les souder ensemble... Ce qui est merveilleux dans le bronze, c'est qu'il peut donner aux objets les plus hétéroclites une telle unité qu'il est parfois difficile d'identifier les éléments qui les ont composés. Mais c'est aussi un danger : si l'on ne voyait plus que la tête de taureau et non la selle de vélo et le guidon qui l'ont formée, cette sculpture perdrait de son intérêt [4]. »

Mais parfois, l'intuition est moins nette, l'idée plus lente à se préciser. Van Gogh décrit à son frère Théo la progression d'un de ses plus célèbres dessins : *les Ramasseurs de pommes de terre.* Là, l'ins-

---

1. Idem : « Lettre du 6 octobre 1781 à son père », p. 406.
2. H. Berlioz : *Correspondance inédite* (Paris, Calmann-Lévy, 1908), pp. 239, 240.
3. H. Berlioz : *Correspondance inédite* (Paris, Calmann-Lévy, 1908), p. 270.
4. Brassaï : *Conversations avec Picasso* (Paris, Gallimard, 1964), p. 67.

Avec les recherches de la psychologie, les muses qui inspirent les artistes tendent à devenir des lois et des mécanismes naturels dépouillés de leur poésie antique, mais qui n'en sont pas moins mystérieux (portrait de Beethoven).

piration naît non pas d'une impression subite, mais d'une maturation de l'idée : « Pendant que je travaillais à ces études, le projet a commencé à se préciser en moi : celui d'un dessin, encore plus grand, de l'arrachage des pommes de terre. J'ai dans l'idée que tu y trouverais peut-être quelque chose. Comme paysage, je voudrais un terrain plat, avec une petite perspective de dunes. Les figures auraient environ un pied de haut ; composition en largeur, deux fois la hauteur. En avant, dans un coin, des femmes agenouillées qui ramassent les pommes de terre, et qui serviraient de repoussoir.

« Au second plan, une rangée de bêcheurs, hommes et femmes.

« Prendre la perspective du terrain de telle sorte que, dans le coin du dessin autre que celui où les ramasseuses sont accroupies, je trouverais à placer les brouettes...

« J'aimerais commencer à travailler à ce dessin ces jours-ci. Le terrain, je l'ai à peu près dans la tête. Je chercherai tout à mon aise un beau champ de pommes de terre ; j'en ferai des études pour les grandes lignes du paysage [1]. »

Van Gogh a déjà tout son dessin dans la tête et il indique même la marche qu'il compte suivre pour le réaliser. L'inspiration est déjà ordonnée.

Au contraire, Paul Gsell, dans ses *Entretiens sur l'art* avec Rodin, saisit l'inspiration du grand sculpteur dans sa phase élémentaire.

En décrivant la méthode de travail de Rodin, Paul Gsell montre comment l'idée naît d'un geste ou d'une attitude mobiles, inachevés. Après avoir souligné la singularité de ce système, il écrit : « Dans son atelier circulent ou se reposent plusieurs modèles nus, hommes et femmes. Rodin les paie pour qu'ils lui fournissent constamment l'image de nudités évoluant avec toute la liberté de la vie. Il les contemple sans cesse, et c'est ainsi qu'il s'est familiarisé de longue date avec le spectacle des muscles en mouvement...

« Il suit du regard ses modèles ; il savoure silencieusement la beauté de la vie qui joue en eux ; il admire la souplesse provocante de telle jeune femme qui s'incline pour ramasser un ébauchoir, la grâce délicate de telle autre... la nerveuse vigueur d'un homme qui marche, et quand celui-ci ou celles-là donnent un mouvement qui lui plaît, il demande que cette pose soit gardée. Alors vite il prend son argile... et une maquette est bientôt sur pied, puis avec autant de promptitude, il passe à une autre qu'il façonne de même [2]. »

Le fait qui ressort de ces confidences est, comme dans le cas des

---

1. V. Van Gogh : *Correspondance complète*, t. II (Paris, Gallimard, Grasset, 1960), p. 101.
2. A. Rodin : *Entretiens sur l'art*, avec Paul Gsell (Paris, Grasset, 1953), pp. 42, 43, 44.

scientifiques, le jaillissement impromptu de l'idée créatrice, l'absence de toute logique apparente, d'enchaînement prémédité. De là, le caractère miraculeux, les épithètes religieuses et quasi mystiques que l'on a attribués à l'inspiration. De là aussi, le mystère qui l'entoure et dont il est bien difficile de la dépouiller.

Chez les écrivains

De la manière paradoxale qui lui est coutumière, Jean Cocteau s'insurge contre la révérence que le public témoigne à ce qui n'est, après tout, qu'une étape de la création où le poète est particulièrement passif. Pourquoi louer ce qui n'est que paresse, faiblesse de la conscience devant les puissances inconscientes qui nous habitent ? « Le public se fait souvent de l'inspiration une idée assez fausse et presque religieuse. Hélas ! je ne pense pas que l'inspiration nous tombe du ciel. Je pense plutôt qu'elle résulte d'une paresse profonde et de notre incapacité à mettre en œuvre certaines forces qui nous habitent. Ces forces inconnues travaillent au fond de nous à l'aide des éléments de la vie quotidienne, de ses spectacles et de ses souffrances et, lorsqu'elles nous encombrent et nous obligent à vaincre l'espèce de sommeil où nous nous complaisons comme des malades qui tâchent de prolonger le rêve et redoutent de reprendre contact avec la réalité, bref lorsque l'œuvre qui se fait en nous et malgré nous, exige de naître, nous pouvons croire que cette œuvre nous arrive du dehors et nous est offerte par les dieux. L'artiste est plus endormi qu'il ne travaille. Il empêche par mille ruses son ouvrage nocturne de venir à la lumière du jour. Car c'est à ce moment que la conscience doit prendre le pas sur l'inconscience et qu'il faudra trouver des moyens qui permettent à l'œuvre informe de prendre une forme, de la rendre visible à tous. Écrire, vaincre l'encre et le papier, accumuler lettres et paragraphes, les couper de points et de virgules, est une autre affaire que de promener le songe d'une pièce ou d'un livre. " *Plus de lumière* " fut la dernière phrase de Gœthe. Cette phrase prend un sens lorsqu'on se représente la lutte de Gœthe contre l'ombre, et cette existence qu'il consacre à éclairer les moindres recoins de son être et à repousser le charme du chien et du loup. Je m'incline devant certaines scènes du *Second Faust*, celle de la chute d'Euphorion, par exemple, où Gœthe obtient l'état de grâce, en pleine possession de soi. Il serait inexact d'accuser un artiste d'orgueil lorsqu'il avoue que son œuvre nécessite du somnambulisme. Le poète est aux ordres de la nuit. Son rôle est humble, il doit nettoyer sa demeure et attendre sa propre visite.
« La pièce que je monte au théâtre de l'Œuvre, *les Chevaliers de la Table Ronde*, est une visite de cet ordre. J'étais malade et dégoûté

d'écrire, quand un matin, après m'être mal endormi, je m'éveillai en sursaut et assistai, comme d'un fauteuil d'orchestre, à trois actes qui suscitaient une époque et des personnages sur lesquels je ne possédais aucune documentation et que je tenais en outre pour rébarbatifs.

« Longtemps après, je parvins à écrire la pièce et je devinai les circonstances qui avaient dû me servir de prétexte [1]. »

Au premier abord, ce texte paraîtrait confirmer les affirmations de Freud sur la création inconsciente. Très vite, pourtant, Cocteau signale la présence de la conscience vouée au rôle capital de permettre la venue de l'inspiration. Et curieusement, lui qui reproche au public une ferveur religieuse, il emploie des mots presque bibliques comme humilité et visitation pour traduire l'effacement volontaire du poète devant la mission qu'il est né pour accomplir.

Un travail assidu, une lutte parfois longue et violente avec les idées, les mots, les couleurs, les faits, etc., précèdent l'inspiration. Mais lorsque, enfin, elle s'empare du créateur, lorsque l'œuvre semble couler de source, le bien-être est incomparable. Virginia Woolf, par exemple, révèle sa joie et son allant à mesure que se dessine *la Promenade au phare* : « Je suis secouée comme un vieux drapeau par mon roman : *la Promenade au phare*. Je pense qu'il est utile de noter, dans mon propre intérêt, qu'enfin, après cette bataille que fut *la Chambre de Jacob*, et cette agonie : *Mrs Dalloway* (car tout fut agonie, sauf la fin), j'écris maintenant plus rapidement et librement qu'il m'a jamais été donné de le faire dans toute ma vie, et beaucoup plus, vingt fois plus que pour aucun autre de mes romans. Cela prouve, je crois, que j'étais sur la bonne route et que je vais maintenant cueillir le fruit qui était suspendu dans mon âme... Je vis tout entière immergée dans ce livre, et quand je remonte à la surface, tout est obscur, et souvent je suis incapable de trouver un mot à dire quand nous nous promenons autour du square [2]... »

Mais l'inspiration due en apparence à un hasard heureux, à un fait accidentel, n'est jamais donnée. Elle doit, comme le souligne Gœthe, naître en soi, de son expérience et de ses facultés, d'un contact intime avec l'univers intellectuel, esthétique, sensible dans lequel chacun est plongé. L'étude, quelque importante qu'elle soit, ne suffit pas. Pour trouver un sujet de poème, il faut qu'une ardeur personnelle assimile, comme par empathie, toutes les occasions poétiques : « Les cours que je suivais à Leipzig m'avaient appris à apprécier l'importance du

---

1. J. Cocteau : « Procès de l'inspiration », in *le Foyer des artistes* (Paris, Plon, éd. citée : Grasset, 1945), pp. 57, 58.
2. V. Woolf : *Journal d'un écrivain* (Ed. du Rocher ; éd. citée : Grasset, 1958), p. 151.

choix d'un sujet et de la concision du style, mais personne ne m'avait indiqué le moyen de trouver un sujet noble et digne de me former un style concis. L'indifférence de mes compagnons d'études, la réserve des professeurs, les habitudes exclusives des habitants de la ville me forcèrent à chercher moi-même des sujets poétiques. Ce fut ainsi que je composai de petits poèmes en forme de chansons ; tous traitaient du passé et avaient presque toujours un cachet épigrammatique. Dès ce moment mon esprit prit la direction dont je n'ai pu le détourner pendant tout le cours de ma vie, c'est-à-dire que je convertissais en images et en poèmes tout ce qui me causait de la joie ou de la peine. Personne ne pouvait plus que moi avoir besoin de cette disposition, car ma nature me poussait sans cesse d'un extrême à l'autre, et mes œuvres ne doivent être considérées que comme autant de fragments d'une confession générale [1]... »

Décrivant plus loin la naissance de son *Werther*, le prototype du roman romantique, il montre comment l'idée surgit d'une confrontation entre son talent propre et un accident singulier : « Pour me rattacher sincèrement et joyeusement à la vie, j'avais besoin de reproduire, dans une conception poétique, tout ce que je venais de penser et de sentir. J'en avais rassemblé tous les matériaux, mais ils ne voulaient prendre aucune forme, car il me manquait la fable qui devait leur donner un corps. Tout à coup je reçus la nouvelle de la mort du jeune Jérusalem que j'avais vu à Wetzlar. On me donnait en même temps tous les détails de son suicide, qu'on ne pouvait attribuer qu'à son malheureux amour pour la femme de son ami. Ce fut un trait de lumière pour moi et je conçus à l'instant même le plan de *Werther* [2]. »

La puissance de ce choc fut telle que Gœthe écrivit *Werther* en un mois, totalement habité par l'inspiration : « Je commençai par ne plus sortir de ma chambre et par n'y recevoir aucune visite, puis j'éloignai de ma pensée tout ce qui n'avait pas un rapport direct avec l'ouvrage dont je venais d'arrêter le plan dans mon imagination ; après quoi je me mis à écrire sans autre travail préparatoire, et, en quatre semaines, *Werther* était terminé [3]. »

Mais cette force est fragile et doit être préservée. Un feu renaît de braises et non pas de cendres ; de même le talent poétique, s'il peut être entretenu de l'extérieur, n'est jamais mieux attisé que par sa propre flamme. Gœthe insiste sur la nécessité de manier l'inspiration avec douceur, de veiller à ce qu'aucune étincelle n'échappe : « Des circonstances extérieures pouvaient le [le talent poétique] surexciter et le déterminer, mais il ne se manifestait jamais plus joyeusement et

1. W. Goethe : *Poésie et Vérité* (Paris, Charpentier, 1872), p. 168.
2. Idem.
3. Idem, p. 306.

plus richement que lorsqu'il m'arrivait sans autre volonté que la sienne. Ce cas se manifesta si souvent au milieu de la nuit qu'à l'exemple d'un de mes prédécesseurs, j'eus l'idée de me faire faire un gilet de cuir, sur lequel j'aurais pu, à l'aide du toucher, fixer mes impressions nocturnes. J'étais si accoutumé à me dire à moi-même quelque petite poésie lyrique qu'un instant plus tard je ne retrouvais plus, que je finis par courir aussitôt à mon pupitre où, sans me donner le temps de mettre le papier dans le sens convenable, j'écrivais mes vers en lignes diagonales et toujours au crayon, car je m'étais aperçu que le bruit de la plume m'arrachait à mon somnambulisme poétique [1]. »

En écho à Gœthe, dans une lettre à Mme Roger des Genettes, Flaubert accentue l'autonomie de l'inspiration. Il révèle comment un sujet ou une idée s'imposent à l'auteur et comment il appartient à ce dernier de les traiter en restant fidèle à sa personnalité : « Un bon sujet de roman est celui qui vient tout d'une pièce, d'un seul jet. C'est une idée mère d'où toutes les autres découlent. On n'est pas du tout libre d'écrire telle ou telle chose. On ne choisit pas son sujet. Voilà ce que le public et les critiques ne comprennent pas. Le secret des chefs-d'œuvre est là, dans la concordance du sujet et du tempérament de l'auteur [2]. »

L'inspiration ne fait pas du poète un fou

Il est clair qu'un poète ne peut faire feu de tout bois et que la beauté ne naît pas d'intuitions désordonnées. L'inspiration ne détruit pas l'artiste, comme l'hallucination le fou. Elle apporte des éléments que le poète va utiliser.

Flaubert expose ainsi à Taine les raisons pour lesquelles il ne faut pas confondre vision poétique et hallucination. Ce faisant, il détruit la théorie qui voudrait faire de l'art l'expression privilégiée d'un monde chaotique. Il rejette tout rapprochement entre création et déraison : « N'assimilez pas la vision intérieure de l'artiste à celle de l'homme vraiment halluciné. Je connais parfaitement les deux états ; il y a un abîme entre eux. Dans l'hallucination proprement dite, il y a toujours terreur ; vous sentez que votre personnalité vous échappe ; on croit que l'on va mourir. Dans la vision poétique, au contraire, il y a joie ; c'est quelque chose qui entre en vous. Il n'en est pas moins vrai qu'on ne sait plus où l'on est... Souvent cette vision se fait lentement, pièce à pièce, comme les diverses parties d'un décor que l'on pose ; mais souvent aussi elle est subite, fugace comme les hallucinations hypnagogiques. Quelque chose vous passe devant les yeux ; c'est alors qu'il faut se jeter dessus avidement [3]. »

1. Idem, p. 353.
2. G. Flaubert : *Correspondance*, t. III (Paris, Fasquelle, 1912).
3. Idem.

La montée de l'inspiration, sous-jacente à la formation poétique, peut en effet parfois être comparée à une naissance. Rainer Maria Rilke, dans ses *Lettres à un jeune poète,* indique à Frank Xaver Kappus, comment l'inspiration est un moment qu'il faut préparer. Et d'abord en s'interrogeant sur la sincérité de sa vocation : « Personne ne peut vous apporter conseil ou aide, personne. Il n'est qu'un seul chemin. Entrez en vous-même, cherchez le besoin qui vous fait écrire ; examinez s'il pousse ses racines au plus profond de votre cœur. Confessez-vous à vous-même : mourriez-vous s'il vous était défendu d'écrire ? Ceci surtout : demandez-vous à l'heure la plus silencieuse de votre nuit : *Suis-je vraiment contraint d'écrire ?* Creusez en vous-même vers la plus profonde réponse. Si cette réponse est affirmative, si vous pouvez faire front à une aussi grave question par un fort et simple *Je dois,* alors construisez votre vie selon cette nécessité. Votre vie, jusque dans son heure la plus indifférente, la plus vide, doit devenir signe et témoin d'une telle poussée [1]. »

L'inspiration demande patience, humilité et soumission

L'inspiration se fait presque toujours prier. Il faut l'attendre, être patient : « Porter jusqu'au terme, puis enfanter : tout est là. Il faut que vous laissiez chaque impression, chaque germe de sentiment, mûrir en vous, dans l'obscur, dans l'inexprimable, dans l'inconscient, ces régions fermées à l'entendement. Attendez avec humilité et patience l'heure de la naissance d'une nouvelle clarté. L'art l'exige de ses simples fidèles autant que des créateurs.

« Le temps, ici, n'est pas une mesure. Un an ne compte pas ; dix ans ne sont rien. Etre artiste, c'est ne pas compter, c'est croître comme l'arbre qui ne presse pas sa sève, qui résiste, confiant, aux grands vents du printemps, sans craindre que l'été puisse ne pas venir. L'été vient. Mais il ne vient que pour ceux qui savent attendre, aussi tranquilles et ouverts que s'ils avaient l'éternité devant eux. Je l'apprends tous les jours au prix de souffrances que je bénis ; patience est tout [2]. »

On ne peut pas tricher avec l'inspiration. Tyrannique, elle a tendance à fuir si l'on ne s'y soumet pas. C'est pourquoi, lorsqu'elle apparaît, l'écrivain met à son service toutes ses forces, éprouvant, comme une femme qui accouche, fatigue, douleur, mais aussi joie. Kafka relate ainsi l'enfantement d'une de ses premières nouvelles, *le Jugement* : « Cette histoire..., je l'ai écrite tout d'une haleine dans la nuit du 22 au 23, de 10 heures du soir à 6 heures du matin. Je pus

---

1. R. M. Rilke : *Lettres à un jeune poète* (Paris, Grasset, 1941), pp. 17, 18, 19.
2. Idem, pp. 34, 35.

à peine retirer de dessous la table mes jambes devenues raides, à force d'avoir été assis. L'effort et la joie terribles à voir comment l'histoire se développait devant moi, comment je fendais les eaux. A plusieurs reprises, au cours de cette nuit, je portais tout mon poids sur mon dos. Ce n'est que de la sorte, ce n'est que dans un pareil enchantement qu'il est possible d'écrire, à la faveur d'une ouverture aussi entière de l'âme et du corps [1]. »

La plupart des auteurs d'œuvres courtes, d'ailleurs, doivent céder rapidement à l'inspiration de crainte que leur nouvelle ne s'évanouisse. John Middleton Murry raconte, par exemple, comment Katherine Mansfield composait : « ... Les inspirations de Katherine étaient beaucoup plus soudaines et inattendues qu'elle ne le supposait elle-même. Il lui fallait les saisir rapidement sous peine de les voir lui échapper. En tout cas, et c'est là un fait remarquable, rien ne subsiste de presque toutes ses nouvelles complètes, que ces nouvelles elles-mêmes. Pas de brouillons successifs, de faux départs, en dehors du seul manuscrit original écrit de plus en plus vite, si bien que vers la fin ce ne sont guère que des hiéroglyphes. Parfois il en existe une copie convenable qui contient très peu de changements [2]. »

Elle note elle-même : « J'ai réfléchi à cette nouvelle ce matin. Je pense que je n'y verrai jamais plus clair qu'à présent. C'est à croire. Si seulement le miracle se produisait, j'entrerais là de plain-pied, je la ferais mienne. Rien que d'écrire cela, je la sens plus proche. C'est très curieux, mais ce seul fait d'écrire n'importe quoi vous vient en aide. Il semble que cela vous dirige rapidement dans votre voie [3]... »

Les inspirations pratiques

Dans tous les domaines où les hommes ont porté leur curiosité, l'inspiration s'est manifestée. A la guerre, Foch expose comment : « ... A défaut d'une doctrine vivant de la sûreté qui seule permet d'agir sûrement, il ne peut qu'y avoir inspiration plus ou moins heureuse [4]. » Mais là non plus elle ne naît pas sans mal. Elle se nourrit de ce que Foch appelle l'instruction. Car le talent militaire sans les connaissances adéquates risque d'être inemployé ou dommageable : « ... La réalité du champ de bataille est qu'on n'y étudie pas simplement, on fait ce que l'on peut pour appliquer ce que l'on sait. Dès lors, pour y pouvoir un peu, il faut savoir beaucoup et bien [5]. »

1. F. Kafka : *Journal intime* (Paris, Grasset, 1945), pp. 173-174.
2. K. Mansfield : Introduction au *Cahier de notes* (Paris, Delalain et Boutelleau, 1944).
3. Idem, p. 215.
4. A. Grasset : *Préceptes et Jugements du maréchal Foch* (Paris, Berger-Levrault, 1919), p. 87.
5. Idem.

En effet, lorsqu'elle s'applique au monde concret, l'inspiration tombe sous le coup d'un contrôle sans pitié. En technicien, Henry Ford souligne le caractère précieux des idées, mais il insiste sur leur portée positive : « Les idées sont, par elles-mêmes, quelque chose de fort précieux, mais ce ne sont jamais que des idées. Il est à la portée de tout le monde d'en concevoir, mais ce qui importe c'est d'en tirer une application positive [1]. »

Il justifie par là le scepticisme à l'égard des idées nouvelles, la méfiance à l'égard de l'inspiration brute : « Je ne proteste pas contre l'attitude railleuse de la majorité à l'égard des idées nouvelles. Il vaut mieux être sceptique devant ces nouveautés, exiger qu'elles fassent leurs preuves, que de se précipiter dans une perpétuelle exaltation, à la suite de toute idée qui passe. Le scepticisme, si l'on entend par là la prudence, sert de volant à la civilisation. »

GABRIEL ET BRIGITTE
VÉRALDI

---

1. H. Ford et S. Crowther : *Ma vie, mon œuvre* (Paris, Bibliothèque politique et économique, 1928), p. 3.

Chapitre IV

La peinture automatique

Il est des cas où l'inspiration se signale moins par les œuvres qu'elle provoque que par la manière dont elle survient. Ce paradoxe n'en est un que dans la perspective où la création est rationnelle et constitue le terme logique d'un effort.

Il peut y avoir effort sans création majeure. Ce qui se passe dans les profondeurs de l'inconscient chez Léonard de Vinci ou Goya au moment où ils peignent est presque totalement insaisissable à tout autres qu'eux, et peut-être n'en ont-ils pas eux-mêmes une claire perception ?

Le problème peut être abordé par un biais.

En étudiant certains artistes mineurs, dont les œuvres ne figurent pas dans les grands musées, des mécanismes inconnus sont susceptibles d'être mieux observés.

Parmi ces artistes, Augustin Lesage est représentatif d'un travail mental sur lequel on ne s'est pas encore assez penché.

Augustin Lesage fut, en 1927, longuement étudié à l'Institut métapsychique international par le docteur Osty.

C'était un mineur. Son père et ses ascendants les plus lointains, dont il eut connaissance, étaient aussi mineurs.

Il fréquenta l'école primaire de son village et y fit de rares et rudimentaires dessins. A cet égard, ses dispositions étaient nulles.

Ayant acquis, à l'âge de quatorze ans, le certificat d'études, il prit sans tarder le chemin de la mine et devint un bon et consciencieux mineur, passant ses loisirs dans sa famille ou avec ses amis, sans préoccupation intellectuelle, particulièrement sans souci d'art.

Premier tableau peint en 1925 par Augustin Lesage, qui représente un univers ◄ fantasmagorique dont le centre est, presque invisible, une Croix.

Mais, un jour de 1911 (Lesage avait alors 35 ans) tandis qu'il extrayait du charbon au fond de la mine, un fait étrange se passa.

« Un jour, tu seras peintre. »

« Je travaillais, relate Lesage, couché dans un petit boyau de cinquante centimètres donnant sur une galerie éloignée du mouvement de la mine. Dans le silence, il n'y avait pour moi que le bruit de ma pioche. Quand, tout à coup, j'entends une voix, une voix très nette me dire : " Un jour, tu seras peintre ! "

Je regardai de tous côtés pour voir de qui venait cette voix. Personne n'était là. J'étais bien seul. Je fus stupéfait et effrayé.

Remonté de la mine, je ne dis rien à personne, ni à mes amis, ni à mes enfants, ni à ma femme. Je craignais qu'on me prenne pour un halluciné, un fou.

Peu de jours après, également dans la mine et travaillant seul, la voix se fit encore entendre. Personne n'était autour de moi, cette fois encore. Je fus épouvanté. Je gardai cet événement secret, et je fus très inquiet, craignant de devenir fou. J'ignorais à cette époque qu'il pouvait y avoir des choses inexplicables.

Ce fut pendant un certain temps avec terreur que je descendis dans la mine. Je craignais d'entendre les voix. Mais elles ne se firent plus entendre. Depuis je ne les ai plus jamais entendues.

Huit mois, dix mois peut-être passèrent. Je ne pensais plus aux voix ni à mes peurs, quand, un jour, comme j'étais avec quelques camarades de mine et que nous parlions, l'un d'eux dit : " Savez-vous qu'il paraît qu'il y a des esprits et que l'on peut communiquer avec eux ? J'ai lu cela. Ça s'appelle le spiritisme. "

Cette révélation me bouleversa. Je me dis : " Est-ce que cela ne serait pas en rapport avec mes voix ? "

Le camarade venait de lire quelques livres sur le spiritisme. Je les lus à mon tour.

Avec cet ami, Ambroise Leconte, mort maintenant, sa femme, ma femme, Raymond Gustin, mineur à Ferfay, et moi, nous décidâmes d'expérimenter le spiritisme. Mais nous étions fort embarrassés, nous ne savions pas comment nous y prendre ; aucun de nous n'avait jamais assisté à une séance.

Ayant lu que les groupes spirites évoquent les esprits en se tenant par les mains autour d'une table légère, nous nous assîmes autour d'un petit guéridon. Au bout de dix minutes un craquement se fit entendre et la table se souleva. L'un de mes camarades dit alors : " Est-ce Lesage qui est le médium ? " La table frappa un coup, ce qui, selon nos conventions, voulait dire *oui*. C'est tout ce que nous eûmes dans la première séance.

Augustin Lesage entendit une « voix » lui annoncer qu'il serait peintre, tandis qu'il travaillait au fond d'une mine.

Le jeudi suivant, nous recommençâmes l'expérience. La table commença de vaciller au bout de dix minutes et vint vers moi. Ma main droite se mit à trembler et je sentis qu'elle voulait écrire. Mon ami Leconte mit alors sur la table un crayon et du papier. Je pris le crayon et ma main se mit à écrire ce message que je ne puis oublier :

" Aujourd'hui, nous sommes heureux de communiquer avec vous. Les voix que tu as entendues sont une réalité. Un jour tu seras peintre. Ecoute bien nos conseils, et tu verras qu'un jour, tout se réalisera tel que nous le disons. Prends à la lettre ce que nous disons et ta mission s'accomplira. "

Ces conseils, essentiellement pratiques (achat de toiles, de pinceaux, de tubes de couleurs, etc.), furent effectivemnt donnés selon le même procédé, c'est-à-dire par le truchement de l'écriture automatique, et Lesage se mit à peindre après son travail quotidien.

Ses toiles, qui sont généralement de grandes dimensions (3 m × 3 m ; 3 m × 2,50 m ; 2 m × 1,80 m), représentent essentiellement des motifs décoratifs.

Ils sont d'une étrange originalité d'invention et d'une extraordinaire variété. Si nous examinons par exemple la première toile de Lesage, qui exprime au maximum la qualité foncière de son talent, nous remarquons, en haut, à droite, un enchevêtrement de formes d'une

149

très grande diversité et d'une étonnante finesse. A gauche, toujours en haut, nous voyons de plus vastes sujets de couleurs vives rappelant des figures décoratives d'Extrême-Orient. Au-dessous on croirait voir des soies brodées, des tapis, des châles aux tons subtilement nuancés et aux dessins habiles. Ailleurs, c'est une sorte de construction imposante faite d'un nombre considérable de parties enchevêtrées en tous sens, représentant chacune le commencement d'une petite œuvre décorative ayant sa physionomie propre. En d'autres endroits, on est devant une accumulation de motifs architecturaux de styles antiques : galeries, portails, colonnes, panneaux ornés, frises, etc.

Et, comme le remarque le docteur Osty : « On s'étonne qu'un homme inculte, sans hérédité artistique décelable, sans notions antérieures de dessin et de peinture, et sans attraction pour eux, se soit inspiré uniquement de conceptions décoratives des vieilles civilisations, surtout orientales, n'en faisant pas une " imitation " à la manière de quelqu'un dont la vue s'en serait imprégnée, mais transposant les manières antiques dans une invention personnelle de sujets. »

De son côté, un peintre notoire a écrit à propos de cette œuvre : « Combien il est étrange que ce mineur soit arrivé à cette forme d'art ! C'est bien le dernier des genres auxquels il eût dû penser... Cette toile est une profusion de beautés. Qu'un ouvrier, sans pratique de la peinture, ait été capable de la faire, c'est vraiment extraordinaire. Qu'il ait dédaigné tous les genres de peinture pour prendre celui-là, c'est, pour moi, plus étonnant encore ! »

PROFESSEUR ROBERT TOCQUET

Autoportrait
de Dominique Lagau
(1873-1960),
ancien mineur
qui commença à peindre
à l'âge de 75 ans.

Chapitre V

Artistes ou médiums ?

L'état second qui accompagne l'activité de certains créateurs débouche parfois sur des phénomènes si déroutants qu'ils ont été situés, pour en rendre compte, dans des doctrines occultes.

Ces doctrines ne sont pas forcément une explication des faits, mais ceux-ci existent bel et bien. Ils sont objets de science.

Une investigation scientifique ne conduira sans doute pas à confirmer les doctrines spirites et autres, qui se situent sur un autre plan, mais à distinguer, comme dans le cas de Thomas P. James, la nature véritable des liens qui unissent tous les êtres vivants entre eux, au-delà de notre notion habituelle d'individualité et de communauté.

On a beaucoup parlé des dessins « guidés » chez Victorien Sardou par... Bernard Palissy ! Ils sont, en effet, des plus curieux !

Sardou, alors beau garçon et jeune écrivain de vingt-sept ans, fréquentait les séances de Kardec : il était l'un des plus fermes tenants du spiritisme naissant. Encore loin de songer à sa *Madame Sans-Gêne* ou à *la Tosca,* il faisait passionnément tourner les tables et prêtait sa main aux esprits qui lui faisaient transcrire leurs communications.

L'habileté de sa main s'arrêtait là. Elle ne savait ni dessiner ni graver !

Un soir, un esprit se disant Bernard Palissy, « citoyen du royaume de la Justice » — lequel a élu domicile sur la planète Jupiter —, lui enjoignit de prendre un burin et une plaque de cuivre et de graver les dessins que lui, Palissy, allait lui faire exécuter, bien que Sardou fût un profane en cet art.

Sardou acquiesça et se mit au travail : en quelques heures, il réalisa une plaque de grande dimension, couverte d'un dessin compliqué, difficile, fouillé et de haute qualité, en un mot digne d'un excellent graveur !

Le plus extraordinaire était la méthode employée par le graveur néophyte : conduisant son travail contre les règles les plus élémentaires de l'art, commençant toutes les parties sans en achever aucune, puis continuant au hasard, et les achevant sans s'en rendre compte, donnant la très nette impression aux témoins de cet étrange travail — car Victorien ne travaillait pas dans la solitude — que sa main était guidée par une force étrangère à lui. Nous dirions aujourd'hui que Sardou était en « état second ».

Et cela continua pendant beaucoup de nuits. Toute une série de gravures extraordinaires, représentant les demeures fleuries des heureux réincarnés sur la planète Jupiter, sortirent du travail nocturne et inspiré du Terrien !

On pouvait lire, en 1858, dans *la Revue spirite* :

« Victorien Sardou s'occupe de compléter une collection de dessins représentant, outre des habitations de tous genres, des intérieurs, des végétaux, des animaux, des scènes de la vie privée. Le monde des esprits, qui se répartit entre les planètes suivant son degré de pureté, atteint la perfection de la vertu et du bonheur dans Jupiter, et c'est Bernard Palissy, citoyen de ce royaume de la Justice, qui a entrepris, spontanément, et sans y être sollicité, une série de dessins, aussi remarquables par leur singularité que par leur talent d'exécution, et destinés à nous faire connaître dans ses moindres détails ce monde si nouveau pour nous.

M. Victorien Sardou, jeune littérateur de nos amis, plein de talent et d'avenir, mais nullement dessinateur, lui a servi d'intermédiaire. Les plus remarquables des dessins sont ceux qui représentent les habitations, véritables chefs-d'œuvre dont rien, sur la Terre, ne saurait donner une idée ! Telle, par exemple, la " demeure de Mozart ", toute faite en notes, en clés et en instruments de musique ! »

Visite de la planète Jupiter

Avec cette « maison de Mozart » offerte aux lecteurs de *la Revue spirite,* en avant-première d'un petit atlas de « dessins de Jupiter par Bernard Palissy », par l'entremise de Victorien Sardou, la revue d'Allan Kardec publie un très long article du même Sardou portant le titre : « Des habitations de la planète Jupiter », article basé sur les révélations de Bernard Palissy et de Mozart.

Ecoutons ces cicerones et visitons avec eux la grosse et lointaine planète dont la tache rouge nous intrigue tant.

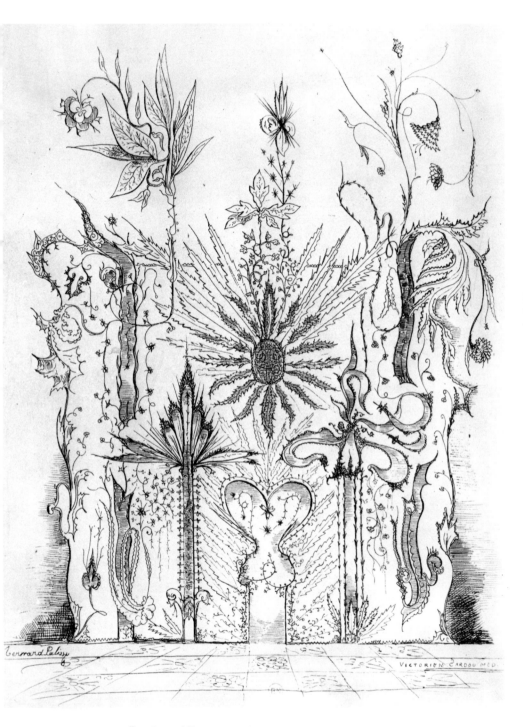

Dessin médiumnique de Victorien Sardou.

Portrait de Victorien Sardou, qui dessinait dans une sorte d'état second.

La matière constituant le corps des Joviens est « une vapeur insaisissable et lumineuse » rappelant le « corps glorieux » des élus du christianisme, et « lumineuse surtout aux contours du visage et de la tête », faisant songer — et Sardou en fait lui-même la remarque — au nimbe et à l'auréole des saints : ce qu'on appelle encore l' « aura », cette lueur qui entoure la tête, que certains d'entre nous voient, et que l'on a même pu photographier. Lueur constituée d'éléments subtils, légers, peut-être de radiations qui seraient à notre corps ce que sont à notre Terre les « ceintures de Van Allen ».

Quant aux animaux de Jupiter, ils évoquent un peu les faunes et les satyres de la fable : mi-hommes, mi-bêtes.

Ils sont vêtus de blouses et de vestes *(sic)*. Ils n'ont pas la parole ! Quelques-uns sont ailés, pour le service aérien et pour les travaux de construction, ce qui évite les encombrants échafaudages et nos grues aux longs bras !

La planète possède une grande cité du nom latin de Julnius, établie sur les rives du lac de la Perle, enchanteur comme son nom.

Ville amphibie, un peu comme notre Venise, elle se compose de deux parties superposées : la ville basse et la ville aérienne, la ville spirituelle flottant, se déplaçant dans l'air, agrémentée de plantes et de fleurs qui vivent aussi dans l'air, et dont les maisons sont des espèces de loges aériennes.

Cette cité, qui, vue d'en dessous, ressemble à des nuages de fleurs survolant la ville basse, offre un merveilleux spectacle, avec sa pierre fondant comme neige et d'une couleur verte, semblable à celle que prend parfois notre ciel au coucher du soleil, avec son ornementation creusée et coloriée par les habitants, avec ses plantes pour ainsi dire incrustées, pétrifiées et vitrifiées dans la matière même des demeures, qui paraissent ainsi des palais construits en verdure et en fleurs.

La nuit — une nuit qui dure cinq heures et alterne avec un jour égal de cinq heures — les heureux Joviens peuvent passer le temps en causeries, en promenades, en rêveries, ou à faire de la musique sous la lumière des lunes.

La demeure de Mozart borde une rivière, et celui-ci confie à Sardou :

« A gauche, je ne suis séparé que par une grande prairie du jardin de Cervantes. »

L'ornementation de la maison du compositeur de *la Flûte enchantée* est, nous l'avons dit, musicale : clés de *sol,* clés de *fa,* archets, lyre, orgue, *do, ré, mi, fa, sol, la, si, do...* Tandis que celle de Zoroastre — autre Jovien — a pour principaux motifs les astres et la flamme.

Sardou nous apprend encore, à propos de cette planète des bienheureux, que « l'harmonie de l'univers se résume toujours en une seule loi : *le progrès partout et pour tous* ».

Formule qui, si elle ne fut pas dictée par les esprits joviens, était celle des « esprits éclairés » du XVIIIe siècle, férus de « perfectibilité », et celle des disciples de Lamarck.

Et notre graveur improvisé de conclure avec justesse et prudence que ces dessins sont des phénomènes intéressants, même si ce ne sont que des fantaisies de l'esprit qui les lui fait tracer.

Confirmant, une cinquantaine d'années plus tard, les détails de l'exécution de la maison de Mozart, demeurée fameuse, à Jules Bois, qui préparait son livre, *L'Au-delà et les forces inconnues,* Victorien Sardou répétait que cette gravure fut tracée à peu près en *une heure et demie,* sans hésitation, sans arrêt, sans retouche —

155

d'ailleurs impossible — sous les yeux d'incrédules ahuris, que lui avait envoyés le libraire Didier, éditeur des livres d'Allan Kardec.

Il ajoutait : « Il y a beau jour que je sais à quoi m'en tenir sur ces prétendues demeures planétaires. Cela a tout juste la même valeur que le langage « martien » dont Hélène Smith nous a régalés dernièrement (Hélène Smith était à Genève, en 1894, le médium de Flournoy)... De l'origine, je ne donne pas quatre sous. Pour le fait, c'est une autre affaire !

Et voilà tout le spiritisme en deux mots ! »

Madame Sans-Gêne ne s'en est jamais laissé conter, et son créateur a tout simplement voulu dire que si les faits attribués aux « esprits » existent bel et bien, on en ignore la cause !

En un siècle de science, nous ne sommes pas plus avancés !

Le double mystère d'Edwin Drood

A la fin de sa vie, Charles Dickens avait commencé un curieux roman fantastique : *Le Mystère d'Edwin Drood.*

La mort l'arrêta à la moitié de son livre. Comme l'œuvre paraissait en feuillets mensuels dans un magazine anglais, ce fut une vive déception pour les lecteurs de Grande-Bretagne et même des Etats-Unis.

Ne voilà-t-il pas que, le 3 octobre 1872, un jeune ouvrier imprimeur de Brettleboro, dans l'Etat de Vermont, annonça que l'esprit de Dickens lui avait donné la mission de terminer le roman inachevé.

Ce jeune homme s'appelait Thomas P. James et n'avait reçu qu'une instruction assez rudimentaire : il avait quitté l'école à l'âge de treize ans.

De nombreux témoins purent assister à l'élaboration de la seconde partie du *Mystère d'Edwin Drood.*

Au retour de son atelier, Thomas dormait quelques heures. A son réveil, il se mettait à écrire à une grande vitesse, semblant avoir de la peine à suivre une dictée rapide.

Aucune correction, aucune retouche, car, disait-il, il n'en avait pas le droit.

Quand il eut terminé, on édita la fin du roman qui parut au mois de novembre 1873 : l'affaire avait été menée rondement ! La critique guettait, prête à éreinter le pastiche de l'imprimeur, lequel répétait inlassablement que lui n'y était pour rien ; que sa main n'avait été que l'instrument choisi par le grand romancier anglais, et que l'œuvre avait été entièrement dictée par Dickens.

Or, à la surprise, à l'ébahissement de tous les critiques, de tous les connaisseurs, la seconde partie paraissait être de l'auteur de

David Copperfield autant que la première, écrite par lui et publiée de son vivant. Le pastiche était parfait !

James, avant comme après, ne manifesta jamais aucun talent littéraire. Il retomba dans l'oubli et mourut jeune.

Seul demeure ce qui lui fut dicté.

Si l'on refuse de croire à l'intervention de l'esprit de Dickens, il existe maintes autres possibilités :

— On aurait affaire à une personnalité secondaire subconsciente du sujet.

— Il existe en l'homme une conscience subliminale dont l'émergence produit le génie.

— Il existe une conscience cosmique qui permet aux médiums d'entrer en contact avec des plans spirituels supérieurs.

— Il existe une mémoire ancestrale capable de donner à un sujet des connaissances qu'il ne possède pas.

— Il existe un réservoir cryptique des pensées et des mémoires où puisent les médiums.

— Ou bien il peut s'agir de « correspondances croisées » entre psychismes, d'où une source d'information pratiquement illimitée, quoique humaine.

Toutes ces explications sont ingénieuses, mais la troisième, dit René Sudre, paraît la plus vraisemblable : celle d'une conscience cosmique où chacun peut puiser. Nous nous permettrons d'ajouter : à condition d'être sur « la même longueur d'onde ».

D'où cet « état second » ou d' « extase » qui, selon la profondeur où plonge le sujet, peut aller jusqu'aux stupéfiantes révélations touchant même le plan spirituel...

Mon nom est Patience Worth

Cette Patience Worth naquit au mois de juin 1913, chez Mr. et Mrs. John H. Curran, à Saint-Louis, l'une des plus anciennes villes des Etats-Unis.

Le ménage Curran et quelques amis se livraient ce soir-là au maniement du *oui-ja* sans grande conviction et sans poser aucune question, quand, tout à coup, la planchette se mit à bouger. Le patin épela lentement ce message :

« J'ai vécu il y a bien, bien longtemps. Aujourd'hui, je reviens. Mon nom est Patience Worth. »

Elle déclara bientôt être née en Angleterre, en 1649, dans le Dorsetshire. Un des expérimentateurs, l'éditeur Yost, devant partir pour l'Angleterre, Patience Worth décrivit différents traits du pays où elle avait vécu : collines, chemins tortueux à l'aide desquels il pourrait reconnaître l'endroit où elle était née.

M. Yost visita alors le Dorsetshire, retrouva les collines décrites et même un vieux monastère en ruine dont elle avait fait la description et auquel on accédait par de petits chemins déserts et tortueux.

De plus, Patience avait déclaré que son identité ressortirait bientôt, et se manifesterait grâce à la qualité des ouvrages littéraires qu'elle allait dicter au médium.

Elle dicta, en effet, une série de romans historiques. Il y eut aussi un drame et de nombreuses poésies lyriques, souvent improvisées sur demande, sur un sujet donné par l'expérimentateur.

Il y eut aussi ce poème de 60 000 mots, en dialecte anglo-saxon du XVIIe siècle, intitulé *Telka*.

Un docteur de Boston, Walter Franklin Prince, a consacré un ouvrage à ce cas extraordinaire. Il résulte de cette étude que Mrs. Curran avait quitté l'école à l'âge de quatorze ans et n'avait jamais éprouvé d'intérêt pour la littérature ; son goût la menait plutôt vers l'art musical. Son savoir historique et littéraire présentait des lacunes considérables, car elle avait vécu loin de tout centre intellectuel, n'avait jamais voyagé ni même vu la mer !

Depuis longtemps, le médium avait abandonné le *oui-ja* pour l'écriture automatique ; il écrivait directement, la main guidée par l'esprit de la morte.

Il ne s'agissait pas d'une névrosée, mais d'une femme simple et franche, sans complexe ni prétention.

The Sorry Tale (la Triste Histoire) est un roman dont l'action se déroule en Palestine, au temps du Christ : on y assiste au drame de la crucifixion.

Dans cet ouvrage, les caractères des personnages sont tracés avec une réelle puissance. Tout ce qui concerne la Palestine est historiquement vrai. Quant au vaste poème, *Telka*, l'éditeur Yost écrit à son sujet :

« *Telka* est unique, non seulement par la pureté de sa langue anglo-saxonne, la combinaison de formes en dialectes de différentes époques, et ses connaissances grammaticales, mais aussi par ses altérations et extensions conférées à différents vocables. Patience Worth, comme Shakespeare, emploie parfois un adverbe à la manière d'un verbe, ou d'un nom, ou d'un adjectif... Cela s'explique par la situation transitoire dans laquelle se trouvait alors la langue anglaise ; mais cette remarque constitue une preuve supplémentaire pour démontrer que Patience Worth est en plein accord avec son époque, même dans les anomalies grammaticales. »

Patience s'exprimant de plus en plus vite par le truchement de son interprète, il fallut à celle-ci faire appel à une sténo. Patience dictait maintenant à la cadence de 110 mots à la minute, sans aucune hésitation, sans reprise.

Elle stupéfiait tous ceux qui l'écoutaient.

Le docteur W. F. Prince put trouver une brochure d'un poète, écrite en dialecte du Dorsetshire — lieu de naissance de Patience Worth, de son propre aveu.

Dans ce dialecte vivent encore, bien qu'altérés, beaucoup de mots prononcés sous la dictée par le médium.

Dans le poème *Telka,* on n'a pas découvert un seul mot acquis à la langue anglaise après 1600. Voilà qui donne à réfléchir !

Le docteur Prince estime que Patience Worth est bien supérieure à Maeterlinck. Pourtant, ce livre de 220 pages a été dicté en trente-cinq heures. Le médium répétait à haute voix les paroles qu'il percevait. Un secrétaire les enregistrait.

Quand la dictée devenait trop précipitée, et que le secrétaire ne parvenait pas à suivre, Patience répétait sa phrase et ralentissait la dictée. Parfois, le médium s'interrompait et prenait part à la conversation de ceux qui l'entouraient. Ces interruptions ne troublaient pas l'unité de l'ouvrage, qui était repris au point précis où il avait été interrompu.

Les premiers feuillets d'une œuvre ayant été égarés, Patience Worth les dicta de nouveau : pas un mot n'était différent ! On put le constater en trouvant, plus tard, les feuillets manquants.

Une chose plus étrange encore : Patience pouvait dicter quatre romans simultanément.

Le docteur Prince, émerveillé, écrivit :

« Elle dicte successivement un passage de chacun. Après avoir dicté quelques lignes du premier en dialecte archaïque, elle passe à en faire autant pour le second en langage moderne, et ainsi de suite, en entamant l'un et l'autre sans solution de continuité, et avec une constante célérité.

A un certain moment, elle prit deux personnages de deux romans différents, les fit causer ensemble de façon que le personnage de l'un des romans semblait répondre à l'autre et discuter avec lui. Lorsque les passages des deux romans furent débrouillés et assignés à leurs textes respectifs, on constata que chacun d'eux s'adaptait parfaitement à la partie qu'il devait occuper dans le texte. »

Un jour, alors que Mrs. Curran écrivait une lettre à une amie, son larynx était employé par Patience Worth à dicter une composition poétique nommée *Feux follets.*

Le cas de Patience Worth soulève un passionnant problème : d'où proviennent de tels ouvrages ?

Le professeur Cory émet l'hypothèse de la désagrégation psychique. Il oublie le vrai problème à résoudre : l'origine des connaissances historiques et linguistiques de la personnalité de Patience Worth. Car une chose est de faire éclore en soit une personnalité seconde, mais c'en est une autre de lui donner à la fois génie et connaissance !

L'hypothèse polypsychique ne peut, non plus, résoudre l'énigme.

Il reste celle du réservoir cosmique dans lequel seraient recueillis tous les efforts littéraires des siècles précédents. Bozzano fait, à ce sujet, bien des réserves.

« Si l'on devait supposer, dit-il, qu'on recueillît et rangeât dans le réservoir en question tous les termes vieillis de la langue anglaise tombés en désuétude depuis 1600, tout cela ne représenterait également qu'un matériel brut qui ne saurait être utilisé que par ceux qui connaissent la signification de chaque vocable... Le problème ne peut être résolu sans admettre l'intervention d'une entité étrangère au médium, connaissant bien la langue dont elle s'est servie si correctement ! »

Et nous revenons à l'authentique présence du fantôme !...

Un curieux message d'Oscar Wilde

Mrs. Travers-Smith, fille de Mr. Edouard Dowden, professeur de littérature anglaise à l'université de Dublin, a publié un ouvrage dans lequel elle a reproduit des messages émanant du poète et dramaturge anglais Oscar Wilde.

L'ouvrage parut à Londres en 1925.

On serait peut-être tenté de dénier à ces messages toute valeur métapsychique, en raison de la profonde culture littéraire du médium, si ces *messages* n'étaient pas rédigés avec tout le mépris habituel d'Oscar Wilde pour les productions littéraires des autres.

On y retrouve l'esprit caustique et les traits d'ironie qui lui étaient particuliers, concernant souvent des ouvrages qu'il n'avait jamais lus.

Mrs. Travers-Smith assista ainsi à la démolition impitoyable des écrivains qu'elle aimait le plus.

Un critique subtil, très exigeant, observa que quelques-uns des messages semblaient bien venir d'Oscar Wilde... mais d'un Oscar Wilde « qui ne serait plus dans la plénitude de ses moyens » (Bozzano : *Le Retour d'Oscar Wilde*, 1926).

Outre « cette identité de la mentalité et du style », ces messages médiumniques ont fourni une parfaite identité d'écriture avec les écrits autographes de l'écrivain.

Cette identité était obtenue seulement par la collaboration de Mrs. Travers-Smith avec un autre médium.

De plus, le soi-disant Oscar Wilde a évoqué diverses circonstances de sa vie complètement ignorées des médiums et qui se sont révélées véridiques après enquête.

Oscar Wilde, après sa sortie de prison (il avait été condamné pour faits d'inversion sexuelle), s'était installé à Bernaval sous un pseudonyme.

Des critiques avaient cité le nom de *Melnotte* obtenu par écriture automatique, alors que le pseudonyme pris par l'écrivain était *Melmoth*.

Or non seulement, dans le message, ce dernier nom avait été écrit immédiatement après l'autre — dit André Dumas —, mais une heureuse coïncidence permit à Mrs. Travers-Smith d'authentifier aussi celui-ci :

« Quelques semaines après, le *Times* publia l'annonce d'une des ventes habituelles d'autographes aux enchères ; elle concernait Oscar Wilde. Dans l'annonce, on expliquait que plusieurs des lettres à vendre étaient signées du nom de Sébastien *Melnotte,* et que l'une parmi elles demandait que la réponse fût adressée à Sébastien *Melnotte,* en ajoutant qu'il se réservait d'expliquer au destinataire la raison du changement. »

Ce détail sur le pseudonyme d'Oscar Wilde *était ignoré même de son biographe,* de sorte qu'on ne peut soutenir qu'il ait été connu par l'un des médiums.

En fait, dit André Dumas, *tout s'est passé comme si* la personnalité authentique d'Oscar Wilde était la source tant des renseignements sur ces incidents personnels que du contenu littéraire des messages.

DANIELLE HEMMERT et ALEX ROUDÈNE

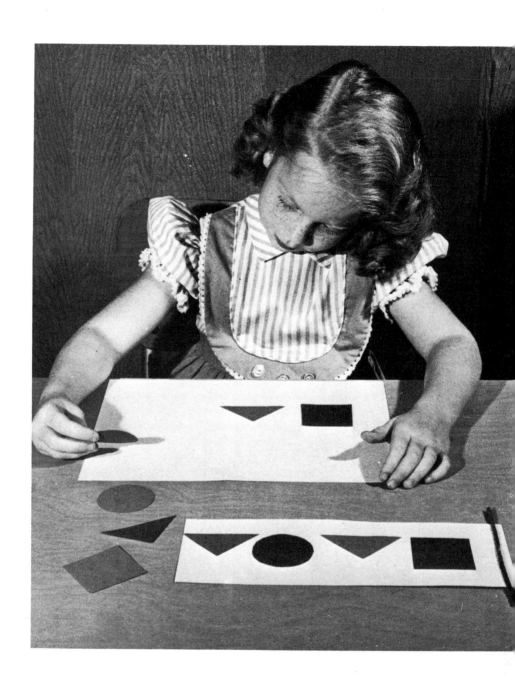

L'aptitude à reproduire une séquence de symboles variés est un stade vers la construction de phrases.

Chapitre VI

Aptitude à créer
et attitude créative

Où en est la recherche sur la créativité ?

Les analyses factorielles, les tests de créativité, l'approfondisse-ment des notions d'intelligence et d'affectivité sont ici l'objet d'un bilan critique. Une part cependant de la personnalité du créateur échappe à la science lorsqu'elle se borne à une rationalité tradition-nelle.

Dans quelle mesure l'aptitude à créer est-elle fonction de l'intelligence du sujet ? Dans quelle mesure en est-elle indépendante ? On ne peut répondre à ces questions qu'après avoir répondu à une autre question : *Qu'est-ce que l'intelligence ?* Il existe deux concep-tions de l'intelligence ; l'une, limitative, est celle de la psychologie différentielle et comparée ; l'autre, générale, est celle de l'ancienne psychologie des facultés, rajeunie par les vocables qui groupent les manifestations de l'esprit dans le « secteur cognitif », celles des émo-tions et des sentiments dans le « secteur affectif », celles de l'énergie et de la volonté dans le « secteur cognatif ».

Dans sa première acception, « l'intelligence, opposée aux capa-cités instinctives, ou apprises, plus ou moins automatisées, désigne (avec spécifications variables), la *capacité de résoudre des pro-blèmes* [1], de trouver une issue convenable à des situations nouvelles, d'un ordre quelconque [2] ». Qui ne reconnaîtrait ici le parallèle : du génie propre, personnel avec l'instinct hérité, de l'initiative avec la routine, de l'imprévu avec l'automatisme, de l'adaptation active

---

1. Souligné dans le texte *in* Henri Piéron, *Vocabulaire de la psychologie,* Paris, P.U.F., p. 222.
2. *Ibid.*

avec la répétition de l'acquis, série de couples antagonistes qui sont autant de variations sur le thème de l'opposition polaire spontanéité-culture. Qui ne reconnaîtrait dans les « spécifications variables » qui nuancent cette définition, les différents domaines où s'exercent les dons spécifiques et dans les « situations nouvelles, d'un ordre quelconque », les circonstances de la vie, individuelle ou sociale, qui mettent à l'épreuve ce qu'on appelle « la création de réalisation ». Si l'on adopte cette définition limitative de l'intelligence, si l'on réduit celle-ci à une sorte de spontanéité dans l'adaptation au nouveau, l'aptitude à créer englobe *à la fois* cette intelligence-là tout entière, et le soubassement instinctif et acquis dont elle tire les matériaux de son action. L'intelligence, ainsi entendue, ne serait qu'une partie, sans doute nécessaire, mais non suffisante, de l'aptitude à créer. Cette acception, toutefois, n'est pas la plus courante.

Dans son acception générale, qui demeure celle de la plupart des écoles de psychologie, « l'intelligence » désigne l'ensemble du secteur cognitif. Or le secteur cognitif, qui réunit les valeurs de conservation et les valeurs d'innovation, est impliqué tout entier dans la création. Selon cette acception, il faut considérer l'aptitude à créer comme une *fonction,* composée de plusieurs *facteurs,* empruntés aux différentes zones du secteur cognitif. L'aptitude à créer se trouve donc relever de l'intelligence (prise en ce sens général) sans jamais se confondre avec elle.

On voit qu'il n'est pas nécessaire de choisir entre le sens limitatif et le sens général du mot « intelligence », pour comprendre que l'aptitude à créer, envisagée dans sa double polarité, n'est pas une simple *fonction* de l'intelligence, mais qu'elle touche à tous les aspects du secteur cognitif, et peut-être à tous les aspects de la vie psychique. Cela ne simplifie pas son étude. Il faut le savoir avant de s'engager dans le labyrinthe des recherches que les psychologues ont effectuées sur « la créativité », considérée, tantôt comme l'aptitude à produire des œuvres de culture, originales ou non, tantôt comme l'aptitude à mener sa vie selon un plan personnel ou à promouvoir des réalisations sociales, tantôt comme une aptitude à s'adapter effectivement à des situations nouvelles, tantôt comme une simple virtualité, reconnaissable à des indices variables selon le système auquel l'observateur se réfère...

Le *Vocabulaire de la Psychologie* cite deux des *systèmes de référence* qu'utilisent les chercheurs pour l'évaluation de l'intelligence. Le premier considère l'intelligence comme une valeur globale et fonde sur cette idée des tests dits *de niveau mental,* l'autre l'envisage dans ses applications, et fonde sur cette conception pragmatique *l'analyse factorielle,* méthode d'investigation qui décompose les aptitudes en *facteurs* divers, relatifs à des tâches déterminées.

*Gravure retenue par A. Binet pour un de ses tests concernant les enfants :
il s'agit de commenter la scène (d'après un tableau de Geoffroy, 1888).*

Aptitude à créer et niveau mental

Les chercheurs qui adoptent une mesure de l'intelligence fondée
sur son niveau global ont conscience de laisser échapper une bonne
partie de l'activité de l'esprit. On prête à Alfred Binet lui-même, l'inventeur des premiers tests de ce type, la boutade : « L'intelligence,
c'est ce que mesurent mes tests. » Ces tests, perfectionnés depuis,
sont considérés aujourd'hui comme révélateurs des aptitudes scolaires des enfants et adolescents, beaucoup plus que de l'aptitude
de l'adulte à réussir dans une profession déterminée. Or la mémoire
et certains mécanismes du raisonnement jouent, semble-t-il, un plus
grand rôle dans la réussite scolaire que l'imagination créatrice. C'est
pourquoi les psychologues d'outre-Atlantique, lorsqu'ils ont cherché
une mesure de la créativité chez l'enfant et l'adolescent, ont posé
comme condition essentielle à leurs tests, d'avoir une corrélation aussi
faible que possible avec les tests de niveau [1] utilisés pour les mêmes
populations. Comment ne pas s'apercevoir que la « créativité » ainsi

1. Le *niveau mental,* en effet, ne se confond pas avec le *niveau de l'acquis.* Il
en est cependant l'un des *facteurs.*

mesurée n'est pas l'aptitude à créer, mais seulement son *pôle spontané* ? C'est ce qui explique sans doute que les psychologues n'aient pu trouver que de très faibles corrélations entre la créativité décelée au cours d'épreuves systématiques, et les productions effectives des sujets. La créativité mesurée par les tests de créativité est une *virtualité*. Il faut, pour la mettre en œuvre, d'autres conditions. L'importance et la valeur de l'œuvre créée étant fonction, à la fois, du niveau de l'acquis et du degré d'originalité, on conçoit qu'une « créativité » élevée soit impuissante à créer effectivement, si elle coïncide avec un niveau mental inférieur. C'est en effet le *niveau mental* qui permet d'amener le *niveau de l'acquis* au point déterminé par la « loi du minimum », point qui constitue, pour un degré donné de spontanéité, le *seuil de création*. Cette remarque ne s'applique évidemment qu'aux domaines de création qui utilisent les connaissances scolaires ; mais rien n'empêcherait de l'étendre aux domaines artistiques, par exemple, si des épreuves de dons spécialisés, comparables aux tests de niveau mental, étaient mises en parallèle avec des tests visant à mesurer l'originalité créatrice en matière esthétique.

En l'absence d'œuvres remarquables, le facteur « créativité », au sens où l'entendent les constructeurs de tests, passe inaperçu de l'entourage du sujet. Il arrive cependant qu'il frappe l'attention, quand il coïncide avec un niveau mental très inférieur à la moyenne. Telle la remarque : « Il s'éveille, ce petit », d'un personnage de *l'Arlésienne*, d'Alphonse Daudet, devant l'intuition tout à coup manifestée par l'Innocent. Telle l'exclamation ravie d'une mère : « C'est lui qui a trouvé ! » quand le garçon qu'elle a dû mettre au cours de perfectionnement révèle son intelligence mécanique devant un appareil neuf que personne d'autre n'a su monter. C'est le sujet de niveau mental moyen, sans don spécialisé, qui semble le plus défavorisé quant à la reconnaissance par ses proches de son aptitude à créer, quelles que soient d'ailleurs ses virtualités créatives. Il ne possède, en effet, ni le *niveau de l'acquis* suffisant pour produire, en quelque domaine que ce soit, une œuvre digne d'être remarquée, ni la déficience spectaculaire du fond qui permettrait à ceux qui l'aiment de faire ressortir, comme la lumière sur les ombres, les saillies d'un don moins atrophié que les autres.

Cette non-créativité apparente des enfants, adolescents et adultes moyens n'a peut-être pas d'inconvénients graves dans une société qui valorise la normalité, mais elle peut devenir cause de dépression dans celles qui exaltent le « génie » sous toutes ses formes. Ce n'est pas le moindre motif pour tenter de découvrir, et d'aider à se réaliser, la virtualité créative chez ceux que rien ne signale à l'attention, afin qu'ils aient une chance de trouver, dans une autre « culture » que celle de leur entourage, un terrain propice à leur épanouissement.

Les épreuves globales ne donnent, d'ailleurs, qu'une mesure très incomplète des aptitudes humaines. Beaucoup plus instructives sont celles qui décomposent l'intelligence en ses éléments constitutifs, parmi lesquels on a essayé d'isoler l'aptitude à créer.

Les tests de créativité

Les plus connus des tests de créativité sont ceux de Getzels et Jackson [1]. On peut citer aussi les travaux de Guilford, et ceux d'Elizabeth French et Irène Chawin [2]. Une mention spéciale est due au *Test de pensée créative* de E. P. Torrance, pour avoir été traduit dans notre langue, et au *Remote Association Test* de Mednick, pour avoir été appliqué par Mac Kinnon à des personnes en mesure d'être effectivement créatrices.

Le test de Torrance [3] peut être proposé de l'école maternelle à dix-huit ans. Il part de cette définition de la pensée créative : « Processus par lequel on devient sensible à des problèmes, à des manques, à des lacunes des connaissances, à l'absence de certains éléments, à des dysharmonies, etc. ; par lequel on identifie la difficulté ; par lequel on cherche des solutions, on fait des conjectures ou on formule des hypothèses à propos des déficits ; par lequel on teste et on reteste ces hypothèses et éventuellement on les modifie et on reteste ces modifications et finalement par lequel on communique les résultats. » L'auteur a rassemblé une série de tâches qui utilisent un matériel verbal ou figuré, ce dernier exclusivement visuel.

La pensée créative telle que la définit Torrance se limite au champ de la *découverte,* mode de la création *objective.* Elle met en œuvre un processus complexe, dont les quatre démarches successives sont issues de zones différentes du secteur cognitif : la perception de ce qui manque relève de *l'intuition* ; l'hypothèse sur ce qui pourrait être, de *l'imagination* ; l'expérimentation, de ce *sens du réel* souvent appelé « bon sens » ; la communication des résultats, d'une *faculté d'expression* qui peut paraître étrangère à la création elle-même. Cette définition toute pragmatique ne prétend expliquer ni le *pourquoi* de cette prise de consience d'un vide, ni le *comment* des conjectures qui lancent des ponts sur ce vide — du moins a-t-elle le mérite de dissiper les nuées amoncelées autour d'une créativité sans racines : l'imagination ne devient créatrice qu'après sa consécration par les faits et

1. J. W. Getzels, P. W. Jackson, *Creativity and intelligence,* London, 1962.
2. E. French, I. Chawin, « Tests of Creativity », *J. abn. soc. Psychol., U.S.A.,* 1956, 96-99.
3. E. P. Torrance, *Test de pensée créative,* vers. franç., Centre de psychologie appliquée, 1972.

sa communication à autrui, double investiture par les choses et par les hommes qui la préserve des mirages de cette « maîtresse d'erreur et de fausseté » qu'est l'image, chez ceux qui ne savent pas la confronter aux réalités qu'elle représente ou préfigure. Le test de pensée créative de Torrance mesure une aptitude réelle. D'où la complexité qui l'empêche d'isoler la « créativité pure », des conditions qui la rendent effective.

C'est à des étudiants avancés que Mac Kinnon a présenté le *R.A.T. de Mednick*[1] ou « test des associations éloignées ». En composant ce test, l'auteur s'est appuyé sur une conception de la création semblable à celle que Laborit a tirée de son introspection de créateur scientifique. Mesurer la créativité d'après l'aptitude à associer spontanément entre elles des idées et des représentations que rien ne lie, ni dans l'expérience quotidienne, ni dans le savoir livresque, n'est-ce pas utiliser le « mélangeur[2] » du neurophysiologiste ? C'est à des gens instruits que les psychologues américains appliquent leur « remote associations test », admettant ainsi implicitement que plus le champ d'information est vaste, plus longues et plus nombreuses peuvent être les liaisons entre ses divers points. Ce mélangeur reste cependant mystérieux. Il est distinct de l'intelligence : « Au-dessus d'un certain niveau minimum... le fait d'être plus intelligent n'entraîne pas un accroissement proportionnel de la créativité[3]. »

Les facteurs affectifs

En fait, la créativité est liée à des facteurs affectifs. Qu'on retienne les affirmations de Frédéric Paulhan : « Le besoin de produire une œuvre n'est pas moins réel chez un artiste que celui de manger chez n'importe quel homme. » « Les inventions procèdent de tendances... de désirs... souvent très forts[4] », on comprend que les psychologues, à la recherche de ce qui réunit tous les créateurs en les distinguant des non-créateurs, se soient attachés aux facteurs affectifs de l'aptitude à créer.

L'idée que l'aptitude à créer peut relever en partie de facteurs non cognitifs était déjà suggérée, en 1927, par un élève de Spearman, Hargreaves : la seule différence qu'il eût trouvée entre les sujets intelligents et les sujets créateurs était, chez ces derniers, « l'absence d'inhibition et d'autocritique dans la production des réponses[5] ».

---

1. D. W. Mac Kinnon, *Bull. Intern. Psychol. Appl.* (1963) 12, n° 1-6, 24-46.
2. *Op. cit.*
3. D. W. Mac Kinnon, 28.
4. F. Paulhan, *Psychologie de l'invention,* Alcan, 1923, 13, 23.
5. H. L. Hargreaves, « The faculty of imagination », *Brit. J. Psychol., G.B.* Monog. Suppl. (1927), 3, n° 10.

Plus tard des recherches furent menées aux Etats-Unis selon des techniques expérimentales s'inspirant largement des concepts psychanalytiques. Les épreuves dites projectives comme les tests de Murray et de Rorschach, le Strong Vocational Interest Blank (1959), la mesure des valeurs mise au point par l'équipe de Allport d'après Spranger (1951), le California Inventory de Gough (1957) et quelques autres, étaient appliquées, d'une part, à des groupes témoins, d'autre part, à des groupes de sujets créateurs, ces derniers étant sélectionnés soit d'après leurs créations, soit d'après les résultats des tests de créativité qui viennent d'être cités.

La plupart des auteurs soulignent le rôle du fond émotif, sans lequel il n'y aurait pas de motivation à créer. Brewster Ghiselin lui attribue l'origine des comportements parfois excentriques qui frappent l'observateur superficiel [1].

Wallach et Kogan ont mené une série d'expériences sur des enfants d'âge scolaire, constitués en groupes composés d'après les scores obtenus aux épreuves de deux batteries de tests, l'une évaluant l'intelligence globale, l'autre, la créativité.

Les enfants de « haute créativité » ne manifestaient une émotivité supérieure à la moyenne *que dans le groupe de « basse intelligence »*, ces sujets « souffrant d'un conflit avec eux-mêmes et avec leur environnement ». Il est très important d'observer que ce n'est pas la créativité qui est la source du conflit, mais *le déséquilibre* entre le degré de créativité et le niveau d'intelligence. En effet, si les enfants du groupe opposé (haute intelligence - basse créativité) ont un comportement particulièrement « adapté », il faut interpréter cet adjectif dans le sens de « conformiste », et non dans le sens d' « équilibré ». Ces sujets sont en effet attachés d'une manière quasi obsessionnelle à leurs résultats scolaires et considèrent comme « catastrophique » tout échec en ce domaine. Il existe donc, chez eux aussi, une émotivité. Ce qui la déclenche n'est pas un état habituel de conflit, mais une intolérance à toute situation insécurisante.

Si les enfants et adolescents de haute créativité - basse intelligence ont en général des résultats scolaires inférieurs à ceux du groupe opposé (qui est beaucoup plus fixé à ce but), ils peuvent, « dans un contexte libre de traumatismes, s'épanouir et obtenir des résultats scolaires comparables à ceux du groupe haute intelligence - basse créativité ».

La créativité n'est donc pas un obstacle à la réussite des études. Elle est, au contraire, un facteur de cette réussite, *au même titre* que l'intelligence globale, dont la mesure avait été considérée, jusqu'aux travaux de Wallach et Kogan, comme le pronostic le plus sûr de cette

1. 255-65, *op. cit.*

réussite !... Mais *à condition* que le contexte soit « libre de traumatismes [1] ».

Ces enfants sont-ils plus émotifs que la moyenne ? Wallach et Kogan, les comparant au groupe basse créativité - basse intelligence, notent chez ces derniers des « régressions », des « symptômes somatiques », une « agressivité défensive » qui sont bien loin de la sérénité qu'on attendrait de leur homogénéité d'aptitudes. Quand ils sont conformistes, ils ne sont pas « adaptés » mais « passifs ». Ils sont donc plus défavorisés, sur le terrain affectif, que les enfants créatifs d'intelligence égale.

On peut conclure de ces expériences que la créativité, non seulement supplée à certaines déficiences des automatismes mentaux, mais agit favorablement sur tous les secteurs du comportement. Le créatif défavorisé sur le plan de l'intelligence s'épanouit mieux que le non-créatif de même niveau mental. Parmi les sujets les plus « intelligents », le créatif est moins obsédé par la réussite scolaire que le non-créatif. Si, en général, il « travaille bien », il pratique aussi une activité de loisirs. A intelligence égale, le sujet créatif a donc toujours de plus grandes possibilités de sublimer ses conflits et de transcender ses échecs. Est-ce dans les richesses de son inconscient qu'il les puise ?

On doit rapprocher cette question d'une autre question qui l'éclaire : pourquoi les réussites dues à la seule « créativité » sont-elles plus fragiles, moins constantes, que les réussites dues à la seule « intelligence » ? La supériorité de l'automatisme sur la spontanéité, c'est sa stabilité. A *émotivité égale*, l'élève qui compte sur son inspiration est plus sensible aux conditions internes ou externes qui le mettent en forme ou le paralysent, que celui qui applique méthodiquement ce qu'il sait. Le sujet « créatif » n'est pas nécessairement plus émotif que le sujet « intelligent », mais *ses processus mentaux sont plus sensibles,* en bien et en mal, *aux influences émotionnelles.*

Pourquoi, si ce n'est parce que le « mélangeur » qui met spontanément le sujet créatif en contact avec son inconscient mémorisé, exerce son action dans une zone du psychisme où se confondent les « secteurs », coupés les uns des autres, un peu arbitrairement peut-être, par nos catégories rationnelles : cognitif, affectif, cognatif...

Il n'y a pas de création sans *désir* de commencer, sans *volonté* d'achever. L'aptitude à créer met en œuvre la personnalité tout entière.

1. M. Wallach, N. Kogan, in *J. Personal, U.S.A.* (1965) n° 33, 3, 348-369.

Le syndrome de créativité

Motivation à créer, *aptitude* à créer, *pouvoir* d'achever sa création... S'il est commode de distinguer les uns des autres ces trois moments du processus créateur, s'il est confortable d'y retrouver les trois grands secteurs que nos habitudes mentales découpent dans le psychisme, la réalité les montre étroitement solidaires les uns des autres : on ne prend conscience d'un désir, dans l'immense majorité des cas, que lorsque sa réalisation apparaît comme possible ; on ne persévère dans une action que lorsqu'un début de succès vous encourage.

Il est vain de se demander si l'action précède la pensée, ou l'inverse ; si le sentiment oriente l'un et l'autre, et s'il est, à son tour, influencé par eux. La description, par les psychologues, de la personnalité des créateurs, telle qu'elle apparaît dans leur comportement ou dans les investigations en profondeur menées par tests et entretiens cliniques, fait apparaître une sorte de « syndrome » où l'on distingue mal la pensée des affects et du vouloir. Issu d'un mot grec qui signifie « concours », le terme de syndrome désigne l'ensemble des symptômes qui, avec l'aptitude telle qu'elle vient d'être décrite, *concourent* à distinguer l'homme créateur de l'individu banalisé.

Il est impossible de résumer toutes les observations que les psychologues américains ont réunies au cours de leurs recherches sur la personnalité des créateurs ; leur masse est d'autant plus compacte qu'ils n'ont pas essayé d'en dégager l'ébauche d'une théorie. Ce sont en effet des empiristes. Les résumés d'ouvrages collectifs [1] et les comptes rendus publiés au sein d'encyclopédies restent des énumérations dont on ne peut trouver aisément le fil conducteur.

Le trait le plus souvent noté est la *solitude* du créateur. Il s'engage, de bonne heure dans la vie, dans des activités solitaires. Il n'est pas sociable ni enclin à s'associer. Il a tendance à éviter les relations interpersonnelles. Il est motivé à réussir dans les situations qui demandent de l'indépendance.

Cette solitude n'est pas, comme l'agressivité défensive hostile de l'enfant de « basse intelligence - basse créativité », inspirée par des sentiments d'envie ou de méfiance, mais par l'autonomie que procure « la capacité de se suffire à soi-même, de se diriger soi-même ». Presque tous les auteurs notent « l'indépendance du jugement et le rejet des pressions de groupe vers le conformisme de la pensée ». Les sujets créatifs ne sont pas motivés à réussir dans les situations

---

1. Les citations des quatre paragraphes qui suivent sont, dans l'ordre, de : Barron, Mac Clelland, Golovin, Ghiselin, Roe, in *Scientific Creativity,* et de : D. W. Mac Kinnon, in *International Encyclopedy of the Social Sciences,* 440.

où l'on attend d'eux un comportement conformiste. Ils n'ont peur, ni du désaccord, ni de la contradiction. Ils rejettent la régulation de leurs impulsions par les autres, mais (ceci est à souligner) « en faveur d'une régulation... par soi-même ». En effet, pas plus que leur solitude n'est hostile, leur indépendance n'est capricieuse : « Ils pensent que le succès ou l'échec de leurs entreprises dépendra de leur seul effort. »

La créativité est le plus souvent définie en termes d'*énergie*. Inventeurs et entrepreneurs ont en commun le goût du « risque calculé ». Tous les créateurs scientifiques sont « disposés à attaquer des problèmes dont le degré de difficulté et le risque sont élevés... (ils) éprouvent, de façon persistante, un fort désir de terminer et d'accomplir ». Une « tension musculaire » apparaît comme associée à la pensée. La volonté et la détermination sont nécessaires, ainsi que l'autodiscipline et l'organisation personnelles.

A diverses reprises, le créateur est présenté comme *agressif*. Quelques auteurs nuancent ce vocable. Anne Roe, par exemple, décrit des comportements faussement interprétés comme hostiles, alors que leur motivation est une indépendance fondamentale. C'est à cette fausse agressivité qu'appartient la volonté de rompre avec la coutume, notée par plusieurs psychologues, et la disposition à attaquer des problèmes difficiles dont la solution est aléatoire.

On le voit : indépendance, confiance en soi, hardiesse, intrépidité dans le risque et dans l'effort, sont loin d'être des symptômes sans lien entre eux. Ces symptômes forment au contraire un véritable syndrome, qui est celui de la créativité.

FRANÇOISE ROUGEOREILLE-LENOIR

Chapitre VII

Le travail de création et la psychanalyse

Un psychanalyste parle de l'acte créateur. Il se réfère à la doctrine de Freud dont la méthodologie a dominé pendant trois quarts de siècle l'approche des phénomènes de l'inconscient humain.

Que cette approche ne soit pas la seule apparaît une évidence à l'examen des acquis de la parapsychologie et d'autres disciplines scientifiques, qui contredisent parfois la psychanalyse.

Il est bon cependant de rendre justice à cette dernière, tout en notant ses limites ou ses impasses.

La créativité se définit comme un ensemble de prédispositions du caractère et de l'esprit qui peuvent se cultiver et que l'on trouve sinon chez tous, comme tendent à le faire accroire des idéologies à la mode, du moins chez beaucoup. La création, par contre, c'est l'invention et la composition d'une œuvre, d'art ou de science, répondant à deux critères : apporter du nouveau (faire quelque chose qui n'a jamais été fait), voir sa valeur tôt ou tard reconnue par un public. Ainsi définie, la création est rare. La plupart des individus créatifs ne sont jamais créateurs. Les auteurs qui se sont intéressés à l'étude expérimentale de la créativité ont défini ce moment comme celui de la « pensée divergente », c'est-à-dire qui diverge des stéréotypes et des normes, par dissociation des éléments habituellement associés. Description correcte, mais appauvrissante, du processus. Pourquoi un être que, dans le meilleur des cas, l'on savait doué et qui lui-même croyait ou non l'être, se met-il, subitement ou au terme d'une longue incubation, à écrire, peindre, composer, énoncer des formules et, ce faisant, à exercer un impact de pensées et d'émotions sur des lecteurs, des spectateurs, des auditeurs, des visiteurs ? Pourquoi s'est-il envolé quand les autres restent à ras de terre ?

On connaît les réponses courantes. Créer serait une façon de lutter contre la mort, d'affirmer un espoir d'immortalité, ne fût-ce, comme dit le poète du *Cimetière marin,* que d'une « immortalité laurée ». Ou encore, entend-on dire, ce serait, pour l'homme — on a en effet constaté combien jusqu'à présent il y a parmi les grands créateurs plus d'hommes que de femmes — une compensation de son incapacité d'enfanter que de mettre au monde des productions culturelles, plus ou moins aptes à survivre par elles-mêmes. Au prix toutefois de combien d'avortements, de combien de mort-nés ! Tout ceci constitue des bénéfices secondaires de la création. La question du bénéfice primaire — à quelles pulsions répond-elle ? quelles instances psychiques satisfait-elle ? de quelles angoisses prémunit-elle ? — reste entière.

Travail du rêve, travail du deuil, travail de la création

Ce sont les extrêmes de l'homme qui intéressent le psychanalyste : tantôt l'homme, atteint par la névrose ou la psychose dans son plaisir de vivre, dans ses possibilités d'être, d'agir, de penser, et tantôt le génie. Les psychanalystes ont presque autant publié sur les cas qu'ils soignent que sur les grands artistes, les grands écrivains, les grands savants par lesquels ils se sentent attirés. Ce n'est pas seulement pour mieux connaître le fonctionnement de l'homme moyen en le scrutant sous le verre grossissant des anormalités. C'est aussi, c'est surtout pour saisir l'opération du passage, passage entre la santé mentale et les désordres psychiques, passage entre les désordres psychiques et la guérison, passage entre la créativité et la création.

Une notion psychanalytique demande à être tout de suite énoncée : de tels passages résultent toujours d'un « travail psychique ». La première grande découverte freudienne paraît en 1900 avec *Die Traumdeutung* — celle du travail du rêve. Sur ce modèle, Freud développe pendant quinze ans la compréhension des symptômes névrotiques, celle de la construction de l'appareil psychique chez l'enfant, celle de son fonctionnement normal chez l'adulte. En 1917, *Deuil et mélancolie* annonce le grand chambardement de la topique (le ça, le moi, le surmoi vont remplacer le conscient, le préconscient et l'inconscient) et de l'économique (l'opposition distinctive des pulsions de vie et de mort va élargir celle des pulsions sexuelles et narcissiques). Ici, le travail, non plus du rêve, mais du deuil sert à Freud de repère. Travail du rêve, travail du deuil, travail de la création : telle est la série fondamentale que la science psychanalytique achève à l'heure actuelle de parcourir et où la *normalité* sert à éclairer la pathologie, non l'inverse. Rêve, deuil, création constituent des phases de crise pour l'appareil psychique. Comme dans toute crise, il y a un profond bouleversement intérieur et une exacerbation de la pathologie de l'individu. En 1964, Ellenberger a soutenu l'idée d'une maladie créatrice, qu'il met en parallèle avec la transe des shamans et dont le cas de Freud pendant son auto-analyse lui paraît exemplaire, mais son étude reste plus psycho-ethnologique que véritablement psychanalytique.

Rapprochons d'abord le travail de la création du travail du deuil.

Comme tout créateur, Freud est passé par plusieurs étapes avant de parvenir à la découverte de la psychanalyse.

Dans son article de 1917, Freud explique la genèse de la mélancolie. Il existait au départ, chez le sujet, un choix d'objet, c'est-à-dire un attachement libidinal à une personne déterminée. Par la mort de cette personne ou sous l'effet d'une grave déception de sa part, la relation libidinale à elle est ébranlée. « Le résultat ne fut pas celui qui aurait été normal, à savoir un retrait de la libido de cet objet et son déplacement sur un nouvel objet mais (...) une *identification* du moi avec l'objet abandonné. L'ombre de l'objet tomba ainsi sur le moi. » Avant l'ombre proustienne, l'ombre freudienne. Le moi devient ainsi l'objet abandonné, d'où les plaintes interminables du mélancolique sur lui-même, mis à la place de l'être aimé et décevant dont il a à se plaindre. Au fond la même ombre, celle d'une jeune fille dans sa fleur, celle d'un être aimant et perdu, celle d'une mère dont Proust et Freud furent, entre tous, les fils chéris.

Quand elle joue — nous verrons qu'elle ne joue pas pour tous les créateurs —, c'est l'ombre de la mort sur la créativité qui opère le décollage. Prenons l'exemple de Freud. A trois reprises dans sa vie, cette ombre en s'y profilant a déclenché des transformations créatrices.

La première fois se situe au printemps 1894, Freud souffre pendant quelques semaines d'un épisode cardiaque éprouvant (tachycardie, arythmie, douleur angineuse) dû sans doute à une myocardite consécutive à une mauvaise grippe et accentuée par l'abus de tabac (une vingtaine de cigares par jour en moyenne). Pour la première fois de son existence, Freud pense réellement et intensément à la possibilité de sa mort personnelle : le 19 avril 1894, il l'écrit à Fliess, qui lui interdit de fumer. Freud met un an à se remettre de ses symptômes. La privation de tabac est pour lui une épreuve, car il a besoin de cette drogue — à cette dose, il faut bien lui donner ce nom — pour parvenir à l'excitation intellectuelle et pour lutter contre une humeur facilement dépressive. Ainsi, pour poursuivre notre parallèle, à l'asthme de Proust correspond cette toxicomanie de Freud. La madeleine trempée dans le thé ouvre au premier les portes du Temps retrouvé. L'épisode cardiaque et la privation prolongée de cigares plonge le second dans un état de dénuement psychique analogue à celui que les mystiques ont décrit comme sécheresse ou comme désert et qui constitue — pour le dépressif — l'expérience intérieure de la mort. Dans les deux cas, à l'occasion d'un état corporel (une saveur, une douleur), le surgissement du fantasme.

Quand, au printemps 1895, Freud est enfin remis, une urgence qu'il n'avait pas connue jusque-là, l'urgence de mener à bien avant le terme fatal l'œuvre dont il se sent porteur, lui fait multiplier les décisions de changement. Il abandonne définitivement Breuer, avec qui il vient de publier *Les Etudes sur l'hystérie*, et qui le freine par son refus de le suivre sur le terrain de la sexualité infantile. Désormais, il poursuivra sa voie seul, replié sur lui-même dans cette Vienne qu'il déteste pour toujours, avec un unique confident, son ami Fliess, qui vit à Berlin. Il décide, malgré l'avis de celui-ci, de recommencer à fumer, pour stimuler au maximum son intellect. Il décide, comme Goethe, de voyager en Italie, pour y accomplir sa métamorphose. Il décide enfin d'étudier sur lui-même un phénomène psychique qui se produit de plus en plus souvent chez ses patients depuis qu'il a renoncé envers eux à l'hypnose pour la concentration mentale et pour les associations d'idées libres. Ce phénomène, c'est le rêve.

Tel fut le premier épisode du décollage freudien : prise de conscience de la réalité à venir de sa propre mort, sentiment d'une urgence à mener à bien l'œuvre qu'il désire et se sent pouvoir accomplir, constatation faite à propos du rêve que toute œuvre de l'esprit est un accomplissement de désir, rupture avec tout ce qui — maîtres, collègues, milieu social et professionnel — le retient ou le dérange de poursuivre sa voie, plongée douloureuse et exaltante en lui-même pour préciser ou confirmer les vérités que sa familiarité avec les névrosés lui font pressentir — c'est-à-dire consentement à la régression et enfin, pour supporter cette perspective mortelle, cette urgence, cette rupture, cette régression, deux adjuvants que les adolescents connaissent bien : un repli narcissique (d'où, en contrepartie, le sentiment aigu de la solitude), un ami lointain dans l'espace et fantasmé proche en l'esprit, comme la mère l'est du nourrisson. Ne lui écrit-il pas, le 30 juin 1896 : « Je me réjouis de notre prochain congrès à la manière de quelqu'un qui va enfin assouvir sa faim et sa soif. Je ne t'apporterai rien d'autre que deux oreilles attentives et serai tout prêt à t'écouter bouche bée. » Mais, avec cet épisode, la régression de Freud reste restreinte, l'auto-analyse, intellectuelle et l'œuvre à faire, limitée à une synthèse des recherches psychopathologiques antérieures. Une seconde expérience de la mort — celle d'une mort réelle et non plus imaginée — va lui être nécessaire pour faire de cette régression une descente aux enfers, de cette auto-analyse une mise en question de soi, et de cette œuvre, une psychologie générale entièrement nouvelle de l'homme normal.

La mort du père

Jacob Freud, le père de Sigmund, meurt à la fin d'octobre 1896. Commence le travail du deuil, dont *Die Traumdeutung* sera le fruit : Freud en donnera acte dans la *Préface* de la seconde édition. Les rêves nocturnes affluent, dont l'auto-analyse lui permet d'effectuer une nouvelle série de découvertes, à la fois personnelles et universelles : l'ambivalence du garçon envers son père, l'angoisse de la séparation de l'enfant et de sa mère, l'existence de zones érogènes, de souvenirs-écrans, l'identification à la victime. Des symptômes phobiques — angoisse de prendre le train, peur d'un abus mortel de tabac — se trouvent ravivés, puis, pour une bonne part, résolus. La libération est encore plus sensible dans le domaine intellectuel. Freud se désintéresse définitivement de la neuropathologie cérébrale et du souci de faire correspondre différents types de neurones aux divers ordres de processus psychiques. Il conçoit, selon une formule appelée à devenir célèbre, l'hystérie comme le négatif de la perversion. Il abandonne la notion breuerienne d'abréaction ou catharsis : l'accès hystérique n'est plus une simple décharge, c'est aussi et surtout un moyen de se procurer du plaisir.

La régression s'effectue toujours plus loin. La disparition de son père réveille en lui les souvenirs, les angoisses, les fantasmes de la grande séparation qui a marqué sa première enfance, quand, vers trois ans et demi, il dut quitter à jamais Freiberg, son pays natal, avec une partie seulement des siens, l'autre branche de la famille émigrant à Manchester. Cette fouille archéologique dans son propre passé prend un caractère dramatique. Une nouvelle identification héroïque l'aide à l'accomplir, l'identification à Enée, fils de vaincus, ayant fui Troie détruite, prototype avant la lettre du juif errant, fondateur à venir d'une cité nouvelle et surtout héros de la descente aux enfers. Parmi les épigraphes qu'il communique à Fliess, le 4 décembre 1896, figure une citation de l'*Enéide* sur laquelle s'ouvrira quatre ans plus tard *Die Traumdeutung* :

« *Flectere si nequeo superos, Acheronta movebo* » (VII, 312).

(A mes desseins si je ne puis plier les dieux d'En-haut, les Enfers j'irai mettre en branle.)

Ce travail du deuil culmine au début d'octobre 1897, dans une crise créatrice marquée principalement par la découverte du complexe d'Œdipe. Freud a alors quarante et un ans. Proust à son tour ne deviendra créateur que vers 1909 — à trente-huit ans — quand il entreprendra *Du côté de chez Swann,* au terme du travail d'un double deuil, celui de son père le docteur Adrien Proust, mort en 1903, celui de sa mère, décédée en 1905. Blaise Pascal, déjà, et combien d'autres, n'ont franchi le passage de la créativité à la création qu'une fois devenus orphelins. Une explication psychanalytique de ce passage a été fournie pour la première fois en 1965 par Elliott Jaques, psychologue psychanalyste de l'école de Mélanie Klein. Dans un article capital, intitulé : *La Mort et la crise du milieu de la vie* [1], l'auteur montre que la crise du milieu de la vie est déclenchée par la brusque prise de conscience qu'il ne reste plus tellement de temps à vivre et accentuée par les morts de parents qui commencent à se produire habituellement vers ce moment-là. Cette crise consiste en une ré-élaboration de la position dépressive, que le tout-petit a déjà eu à affronter dans la seconde moitié de sa première année. Cette crise, si le sujet parvient à la surmonter, produit des changements considérables chez tout le monde dans les attitudes en face de la vie, des autres et de la mort, permettant par exemple d'effectuer à l'avance le deuil de sa propre mort à venir. Chez les individus doués, elle opère de plus une libération des possibilités, permettant à celui qui avait été jusque-là seulement créatif de devenir enfin créateur et à celui qui était déjà un génie reconnu de renouveler ses sources d'inspiration et son style.

Un troisième épisode confronte Freud à la mort et lui donne un

---

1. On en lira la traduction dans *Psychanalyse du génie créateur,* Paris, Dunod, 1974.

regain créateur, entre 1917 et 1924. La soixantaine est venue : c'est la crise d'entrée dans la vieillesse. A quarante ans, on a à accepter d'avoir un jour à mourir. A soixante ans, on a à se préparer à la mort prochaine. De plus, il arrive que déjà des enfants, des petits-enfants meurent, ce qui a été le cas pour Freud. Enfin, comme toile de fond, la Grande Guerre et ses massacres inutiles. Freud remanie tout son système. Désormais, il affirme l'existence de pulsions de mort indissociables des pulsions de vie. Au terme de cette nouvelle crise créatrice, il se découvrira atteint d'un incurable cancer, avec lequel il saura coexister pendant plus de quinze ans, dans la sérénité enfin conquise de voir ses découvertes reconnues, de savoir son œuvre accomplie et de se résigner, sans peur excessive, à la souffrance et à la disparition. Proust, usé prématurément, comme déjà l'avait été Pascal, ne parviendra pas à cet âge ni à cet ultime renouveau. D'autres, comme Emmanuel Kant, n'ont pleinement franchi qu'à ce moment le passage de la créativité à la création. Cette crise de la vieillesse n'a pas, à notre connaissance, été encore étudiée du point de vue psychanalytique. Rares en effet sont les personnes âgées qu'un psychanalyste accepte sur son divan et c'est sans doute dommage. Moins rares peut-être sont les psychanalystes redevenus créateurs à cet âge : une étude comparative de leurs découvertes pourrait être de quelque intérêt.

Les différentes phases du travail de création et les résistances correspondantes

Il n'y a ni une voie unique ni des voies infinies menant au déclenchement du décollage créateur : ces voies sont diversifiées mais sans doute de nombre restreint. Une des tâches à venir de la recherche psychanalytique est de les décrire en les différenciant et en cherchant à en rendre compte. Elliott Jaques a eu le mérite d'en proposer trois, si du moins la création est envisagée par rapport au moment de la vie du créateur où elle se produit. Les créations de la jeunesse reposent sur une réélaboration de la position schizo-paranoïde ; celles de la maturité, sur une réélaboration de la position dépressive ; il signale enfin sans les expliquer celles de la vieillesse. Les exemples entrelacés de Freud et de Proust qui courent à travers le présent chapitre illustrent bien, pensons-nous, le second moment.

Toujours d'un point de vue psychanalytique, la création demanderait également à être étudiée dans ses rapports au type de matériau choisi par le créateur pour son œuvre. Qu'est-ce qui fait, dans l'économie psychique du génie et pas seulement en raison de ses dons, qu'il crée dans les arts plastiques, dans la musique ou dans la littérature et, si c'est un écrivain, qu'il réussisse dans le roman, ou le théâtre, ou la poésie, ou l'essai ? Des kleiniens comme l'anglaise Marion Milner (1950), peintre avant de devenir psychanalyste, ont éclairé la fonction de la peinture, ou comme l'américain Anton Ehrenzweig (1953, 1967) ont su distinguer les impacts inconscients respectifs du matériau musical et du matériau pictural. Le psychanalyste lyonnais Jean Guillaumin, quant à lui, a tenté de cerner la spécificité de la création poétique. Il est évident que la recherche psychanalytique devrait procéder aussi à des études comparatives portant sur les champs différents de création : création artistique, création scientifique, créations socioculturelles (religion, philosophie, stratégie...), sur les divers genres littéraires [1], etc.

En attendant de tels développements, la distinction kleinienne des positions schizo-paranoïde et dépressive se révèle d'une grande fécondité. S'il ressort que l'ombre de la mort tombant sur le génie puisse rendre créateur celui dont le conflit intérieur a affaire avec l'angoisse dépressive, c'est l'ombre du mal qui exerce l'impulsion créatrice quand le sujet se débat avec les angoisses de morcellement et de persécution.

Le champ d'investigation de la psychanalyse ne couvre pas toute l'étendue des facultés enfouies en l'homme.

1. Notons qu'en 1970, R. Schafer a indiqué la voie qu'il conviendrait ici de suivre. Selon lui, l'activité du psychanalyste serait polarisée autour de quatre zones : le comique, le romantique, le tragique et l'ironie.

L'expérience vécue du dépressif est dominée par l'angoisse d'avoir perdu l'objet aimé, de l'avoir perdu par sa faute, de l'avoir détruit en même temps qu'il l'aimait. L'état intérieur qui s'ensuit, comme Elliott Jaques l'a judicieusement défini, est celui du « chaos », chaos qui constitue la figuration symbolique de la mort pour le dépressif. Sous le terme d'*ennui,* qui possédait au XVIIᵉ siècle un sens fort, Blaise Pascal avait fait la même description : « *Ennui.* Rien n'est si insupportable à l'homme que d'être dans un plein repos, sans passion, sans affaire, sans divertissement, sans application. Il sent alors son néant, son abandon, son insuffisance, sa dépendance, son impuissance, son vide. Incontinent, il sortira du fond de son âme l'ennui, la noirceur, la tristesse, le chagrin, le dépit, le désespoir. » Créer, Mélanie Klein l'a compris la première, c'est réparer l'objet aimé, détruit et perdu, le restaurer comme objet symbolique, symbolisant et symbolisé, c'est-à-dire assuré d'une certaine permanence dans la réalité intérieure. C'est, en le réparant, se réparer soi-même de la perte, du deuil, du chagrin[1].

Il en va différemment si le sujet crée pour sortir de la position schizo-paranoïde. Ici, le mal, et non plus la mort, lui fait problème. Le mal, on le sait depuis la découverte kleinienne, c'est l'envie, l'envie haineuse projetée par le tout-petit, dès le milieu de la première année, sur le sein maternel et sur le pénis du père et les enfants rivaux que ce sein est deviné contenir : envie destructrice du contenant maternel, envie qui fait éclater en morceaux ses contenus, y compris l'enfant lui-même qui se sent être l'un d'eux, envie projetée qui fait retour sous forme d'un sein mauvais le menaçant à son tour, dans une relation commutative de destruction. Créer, ici, c'est se remembrer afin de pouvoir être. C'est aussi renouveler le clivage pour tenter d'en faire une opération réussie : tout le mal fixé au-dehors, tout le bon préservé au-dedans. L'expérience intérieure du mal est vécue, chez le sujet dominé par la position schizo-paranoïde, comme une machine infernale qui se déclenche en lui malgré lui, à la fois machinerie qui lui fait déshabiter son corps devenu une pure mécanique indifférente ou folle, et machination perpétuée par un séducteur ou un persécuteur[2]. De l'appareil à influencer décrit par Tausk (1919), de Jœy, le petit garçon « mécanique » observé par Bettelheim (1967), aux machines extraordinaires d'Edgar Poë, de Raymond Roussel, de Tinguely, au monstrueux Frankenstein, aux auteurs de science-fic-

1. Willy Baranger (1959) a étudié la position dépressive dans la création philosophique, en prenant comme exemples Descartes, Leibniz et Sartre.
2. J'ai étudié comment se présentent dans les groupes les deux aspects de la machinerie et de la machination, sous le nom du « fantasme du groupe-machine » (Anzieu, D., 1974).

tion, la continuité est évidente. Le mal est ici symboliquement figuré comme le robot qui a pris possession du corps propre.

En généralisant l'opposition distinctive kleinienne, il semble qu'on pourrait décrire des littératures du chaos, centrées sur la transcription de l'expérience intime de la mort, et des littératures du robot, visant à rendre compte de l'expérience intime de la machination et du mal. L'*Enéide,* les *Pensées* de Pascal, les romans de Julien Gracq fournissent des exemples des premières ; le *Discours sur l'origine de l'inégalité, Une saison en enfer,* les romans de Le Clézio illustrent les secondes.

Etre créateur, c'est être capable d'une régression rapide et profonde d'où l'on rapporte des rapprochements inattendus, des représensations archaïques — sous forme d'images, d'affects, de rythmes — de processus psychiques primaires, rapprochements, représentations qui vont servir de noyau organisateur pour une œuvre artistique ou une découverte scientifique éventuelles. Plus précisément, le travail psychique de la création comporte au moins trois étapes :

— accomplissement d'un mouvement régressif, lié à une crise intérieure et mobilisant des représentations archaïques ;

— saisie perceptive nette de certaines de ces représentations, permettant de les fixer dans le préconscient comme noyau organisateur agissant ;

— transposition élaborative de l'image, de l'affect, du rythme ainsi saisi dans un matériau (écriture, peinture, musique, etc.) dont on acquiert ou possède la maîtrise et/ou selon un code familier (mathématique, chimique, botanique, linguistique, socio-culturel, etc.), les plus grandes créations consistant à innover quant au matériau ou quant au code.

Certaines œuvres artistiques, certaines découvertes scientifiques s'en tiennent là : à une expression du noyau organisateur dotée d'une grande force d'impact, à une formulation simple allant à l'essentiel d'une réalité jusque-là inconnue. D'autres fois, l'œuvre requiert en plus un travail de composition proprement dit à partir de plusieurs de ces transcriptions élaboratives, ce qui appelle des opérations absentes ou à peine ébauchées dans la phase précédente : le choix — ou l'innovation — d'un genre, le travail du style, un agencement interne des parties dans une organisation d'ensemble entrant en résonance symbolique avec le noyau représentatif archaïque : c'est la quatrième étape.

Enfin — cinquième étape —, l'œuvre achevée, devenue un objet extérieur au créateur, est soumise à une épreuve de réalité d'un type particulier qui est le jugement des lecteurs.

Chacune de ces phases — régresser, percevoir en déchiffrant, transcrire, composer, produire au dehors — comporte sa résistance spécifique.

La régression est freinée d'une part par la rigidité défensive, caractérielle ou névrotique du sujet, d'autre part par la crainte justifiée d'avoir à affronter, chemin faisant, des angoisses de type psychotique (morcellement, persécution, dépression). La résistance à la régression est une forme de la résistance au changement : peur de l'inconnu, de l'inquiétante étrangeté, de la métamorphose. Mais il ne suffit pas de régresser : il faut supporter la régression, ou plutôt les productions fantasmatiques et affectives libérées par la régression. Les supporter, c'est-à-dire ne pas se sentir envahi par elles dans un débordement catastrophique et décompensatoire. Il s'agit donc, pour reprendre une expression heureuse d'Hartmann, Kris et Lowenstein, d'une régression contrôlée par le moi. La double capacité du moi *a*) de régresser, *b*) de fantasmatiser, constitue ainsi la première condition à la fois d'une potentialité créatrice et d'une indication de psychanalyse. Cette double capacité est assez répandue : elle fonde la créativité. Par ailleurs, dans la régression, chacun est seul avec lui-même, d'où la nécessité d'un fort surinvestissement narcissique pour pouvoir la supporter.

Le second processus — voir ou entendre la représentation fantasmatique de façon à la fixer dans le préconscient comme schème directeur — est déjà moins répandu. Non seulement les sentiments de honte et de culpabilité l'inhibent (la vue, l'écoute, le toucher de certaines choses sont interdits) mais aussi le poids du savoir acquis brouille la perception des choses nouvelles (ce qui constitue une première forme de la résistance épistémologique). Ici, la solitude, nécessaire lors de la phase précédente, devient un handicap. Le créateur en train de saisir le noyau organisateur de sa création est assailli de doutes (*cf.* le « ver rongeur » évoqué par le poète du *Cimetière marin*) : ce qu'il est en train de saisir — redoute-t-il — n'a aucune valeur, c'est un pur délire personnel sans intérêt pour les autres, c'est faux, laid, mal. A quoi l'on reconnaît — rétrospectivement — l'intervention corrosive de la pulsion de mort, dont Freud a constaté d'expérience qu'elle se précipite sur toute création en train de se faire pour tenter de l'annihiler dans l'œuf. Le moyen le plus efficient pour surmonter cette résistance réside dans l'existence d'un interlocuteur privilégié, ami unique, généralement de même sexe, avec lequel le créateur entretient une connivence fantasmatique importante. Aussi cet ami tient-il pour valables — car elles résonnent en lui profondément — les représentations archaïques dont le créateur lui soumet la saisie qu'il vient de faire. Celles-ci, étant alors reconnues et partagées, commencent d'acquérir aux yeux du créateur une réalité objective. Ce soutien apporté par l'ami-témoin donne au génie la confiance nécessaire envers sa propre réalité psychique interne pour contreba-lancer son premier mouvement de défiance (persécutive ou dépressive) envers celle-ci. C'est récemment que la recherche psychanalytique s'est intéressée à ce rôle de l'ami du génie créateur, en soulignant l'importance, pour le créateur, de pouvoir « partager son secret » (B. C. Meyer, cité *in* Kligermann C., 1972) et en insistant sur le rôle « catalytique » de l'ami (M. Masud, R. Kahn, 1970), mais en restant à un niveau plus descriptif qu'explicatif. A notre avis, la notion winnicottienne d' « illusion » s'impose là : la mère, en s'occupant pour l'enfant de la réalité externe, apporte à ce dernier l'illusion que cette réalité externe s'accorde à ses désirs — illusion positive car elle amène l'enfant à une prise en compte progressive de cette réalité, dont au contraire il se détournerait si dès le départ cette réalité externe ne faisait qu'infliger un démenti permanent à sa réalité interne. De même l'ami, en témoignant que les premières ébauches de l'œuvre provoquent en lui un écho émotionnel et fantasmatique, procure au génie en plein travail créateur l'illusion positive indispensable sans laquelle il ne se résoudrait pas à transformer sa réalité subjective (ses fantasmes personnels) en une réalité objective (l'œuvre créée). C'est le rôle que joua pour Freud, Wilhelm Fliess et pour Proust, Céleste Alba-ret. La capacité de transformer le vécu intérieur en une chose exté-rieure, mais en transférant sur celle-ci certains des désirs, des affects, des représentations de celui-là, de sorte qu'à son tour, cette chose devient une chose vivante — comme la statue finale de Pygmalion —, susceptible d'une vie propre, désormais indépendante de son auteur, cette capacité différencie de façon spécifique le créateur du malade psychique. Ce transfert, le malade l'opère, non dans les œuvres, mais dans des symptômes, lesquels ne sont pas reçus par autrui — sauf s'il s'agit d'un psychothérapeute — comme des messages provenant de sa réalité intérieure. Le névrosé souffre de l'opposition, qu'il ressent en lui de façon aiguë, entre le principe du plaisir et le principe de réalité. Le psychotique ne reconnaît pas cette opposition. Le créateur — qui peut être par ailleurs un malade psychique et produire n'im-porte quel symptôme — maintient préservé un domaine (que Winni-cott décrit comme celui de l'illusion) où il y a continuité entre le principe de plaisir et celui de réalité. L'œuvre non seulement fait entrer le lecteur, le spectateur, l'auditeur, dans une illusion particu-lière, celle de vivre une représentation de son propre fantasme alors qu'il a affaire à un fanstasme ou à un aspect d'un fantasme propre à l'auteur. Mais de plus, l'œuvre, par sa réalité, par ses effets, prouve la rémanence en nous, depuis la petite enfance, de l'univers de l'illusion et satisfait à la nécessité où nous nous trouvons tous, pour supporter la difficulté de vivre, de réconcilier ainsi de temps à autre le principe de plaisir et le principe de réalité. J. Barchilon (1968) a souligné un autre aspect de l'intuition créatrice : l'enfant se heurte tôt ou tard aux idées toutes faites des adultes et c'est sur le mode de la moquerie, du défi, de l'absurde qu'il parvient à exprimer, malgré les idées des adultes, l'expérience qu'il a de sa propre réalité intérieure.

Le troisième processus — transposer le noyau organisateur archaïque dans un matériau et selon un code — est exceptionnel. Il suppose un don spécial, propre au génie créateur, qui est la capacité de structurer, en les inscrivant dans un matériau, des données qui ne sont pas symbolisées au départ. Nous l'illustrerons plus loin par l'exemple de Freud. Le rôle de la résistance — affective ou épistémologique — dans le fonctionnement de ce processus semble moindre que l'existence ou non de ce don.

Le quatrième processus — le travail du style et de la composition — est le moins étudié du point de vue psychanalytique, sans doute parce que ses rapports avec l'inconscient sont les moins clairs.

La résistance retrouve sa force avec le cinquième et dernier moment du travail de la création : exposer l'œuvre à un public, la détacher définitivement de soi, affronter les réactions, les jugements, les critiques — ou pire encore, l'indifférence — qu'elle suscite, accepter pour elle le risque d'une survie éphémère ou cet autre risque qu'elle mène désormais une vie propre, très différente de la vie que l'auteur avait cru mettre en elle. Beaucoup de créateurs gardent longtemps leurs manuscrits dans un tiroir, décrochent leurs tableaux le jour du vernissage, interdisent la projection de films datant d'une période de leur existence qu'ils estiment révolue. La dialectique du bon et du mauvais objet semble le plus susceptible de rendre compte de cette résistance. Ou bien, tant que le créateur la porte en lui, son œuvre — matérialisation du bon objet — est protégée, mais sortie de lui, elle est menacée par les attaques du mauvais sein destructeur, qui représente en fait la partie de lui mauvaise, clivée et projetée. Ou bien l'œuvre, en se détachant de son auteur, devient cet enfant, chéri tant qu'il est tout petit et dépendant, haï dès qu'il manifeste des velléités d'indépendance et le créateur ressemble à une Médée qui aime mieux détruire, avec sa rivale, sa progéniture que supporter le désengagement de son époux.

DIDIER ANZIEU

Le génie et la folie ont toujours été entourés d'une aura de mystère plus ou moins analogue dans l'esprit des foules.

Chapitre VIII

Le génie
et la folie

*Entre le créateur qui harmonise des éléments et le dément qui
perd contact avec la réalité, l'abîme paraît immense. Et il l'est réellement si l'on conserve du génie et du fou une image caricaturale
et, en définitive, rassurante pour l'homme qui n'est ni l'un ni l'autre.*

*La réalité est plus compliquée. S'il est des malades qui ne créent
rien, il en est aussi qui créent.*

*Sont-ils encore des malades ? Une rencontre avec tous les grands
hommes qui, depuis Socrate, ont marqué l'Histoire nous décevrait
peut-être sur leur aspect extérieur, leurs manies, leurs aveuglements.*

*Le génie semble être comme un contact avec le surhumain, mais
ce contact a lieu au tréfonds de l'esprit, et souvent dans un domaine
spécialisé.*

*Ni pour les mécanismes cérébraux, chimiques et physiques, ni pour
les états de conscience et la relation de l'homme avec son milieu,
la lumière n'a été encore pleinement faite sur la folie et le génie.*

*Il n'est pas évident qu'elle puisse l'être sans la prise en considéra-
tion du paranormal.*

Parlant un jour au fils de l'illustre Pinel, Napoléon lui dit :
« Entre un homme de génie et un fou, il n'y a pas l'épaisseur d'une
pièce de six liards. Il faut que je prenne garde de tomber dans vos
mains. »

Napoléon a échappé pendant sa vie, au danger qu'il redoutait,
mais aujourd'hui, partageant la destinée de tous les hommes de
génie, il est devenu, si je puis ainsi parler, la proie des psychiatres,
et la théorie qu'il énonçait, peut-être sans grande conviction, est
présentée comme une vérité incontestable.

Les Anciens avaient dit : *nullum est magnum ingenium sine mixtura dementiæ* (il n'y a pas de grand esprit sans un grain de folie) ; les modernes ne se contentent plus de cette formule vague, anodine. Ils ont accumulé les documents historiques concernant les hommes de génie, ils ont fouillé leur vie, disséqué leur caractère, leur état mental et ils affirment catégoriquement que le *génie est une manifestation, une modalité de la folie* [1].

A y bien réfléchir, cette thèse, devenue un lieu commun, est cependant fort audacieuse. Il serait commode de la dédaigner et de passer outre, en haussant les épaules. Mais, ceux qui la défendent ne sont pas les premiers venus : ce sont des psychiatres et des aliénistes dont l'avis demande examen et discussion.

Pour qui n'est point au courant de la médecine mentale, la folie ne se conçoit pas sans un désordre profond et permanent des facultés intellectuelles.

Etre fou, c'est offrir nécessairement une perturbation complète de la pensée, du raisonnement, c'est émettre des idées bizarres, extravagantes, tenir des conversations absurdes, incohérentes. Or, rien n'est plus inexact qu'une pareille notion de la folie. Voyez l'individu atteint du délire de persécution : si vous ne touchez pas sa corde sensible, si vous ne l'amenez point sur le terrain de ses conceptions délirantes, vous pourrez vous méprendre absolument sur son état mental. Il raisonne parfaitement, il a une conversation facile, agréable, il dirige ses affaires avec habileté et dans ses relations sociales, il n'enfreint jamais les règles du savoir-vivre. Cependant, cet homme est un malade qui, pour se défendre contre des ennemis imaginaires, médite sans doute quelque projet de vengeance, qui demain peut-être, victime de son délire, aura commis un homicide.

Voyez encore le mélancolique : si vous n'arrivez pas à pénétrer dans l'intimité de ses pensées et de ses dispositions affectives, il vous fera illusion. En effet, il raisonne très correctement, et en toutes choses il se comporte comme un individu normal. Cela n'empêche qu'il est sérieusement atteint et qu'un suicide vous révélera, peut-être à bref délai, le mal dont il souffrait.

---

1. Bien que la notion de *folie* ait été abandonnée depuis longtemps en psychiatrie (parce qu'elle ne correspond à rien d'heuristique dans les classifications et les méthodes actuelles), nous en conservons cependant le terme, en raison de son impact affectif et philosophique. Qui, en effet, sur cette question des rapports entre génie et folie, ne songe aussitôt à Van Gogh, à Artaud, et autres « suicidés de la société » ? Ce faisant, nous acceptons certes le risque d'une dramatisation, d'une « théâtralisation » du problème. Mais, sans doute à cause de la généralité même du terme, et du fait qu'il forme avec son antonyme — la raison — un couple sémantique indissoluble, il nous en vient la possibilité d'accéder à ce qui dépasse la rationalité cartésienne ou positive. (N. de l'E.)

Les pouvoirs paranormaux et la maladie mentale

Non seulement la folie est parfaitement compatible avec la conservation de l'intelligence, mais elle lui imprime, en certains cas, un puissant essor.

La suractivité intellectuelle est un symptôme de la *manie dépressive* dans sa phase d'*exaltation aiguë* : elle se rencontre aussi parfois dans la période initiale de la paralysie générale. Les individus en proie à l'exaltation maniaque font preuve d'une intelligence supérieure à celle qu'ils possédaient à l'état normal : leur esprit est plus vif, plus pénétrant. Ils conçoivent rapidement, saisissent avec facilité le rapport des choses, leur discours est animé, pittoresque, plein de verve et d'entrain. Timides et réservés autrefois, ils ont le verbe haut maintenant, et souvent, on les voit gravir les sommets de la créativité dont jadis ils ignoraient absolument le chemin.

Esquirol [1] rapporte à cet égard des observations bien intéressantes et bien caractéristiques.

« Le docteur Leuret, dit-il, nous racontait l'histoire d'un aliéné de Bicêtre qui, durant sa maladie, avait manifesté un remarquable talent d'écrire et qui, dans la santé, eut été tout à fait incapable d'en faire autant.

" Je ne suis pas tout à fait guéri, disait-il lui-même au médecin qui le croyait en convalescence, j'ai encore trop d'esprit pour cela. Quand je me porte bien, il me faut huit jours pour écrire une lettre. Dans mon état naturel, je suis bête ; attendez que je le redevienne. "

« Le même observateur nous citait encore l'exemple d'un négociant dont les affaires avaient périclité. Durant sa maladie, cet homme trouva la force de les relever : la solution de chacun de ses accès de délire était le perfectionnement d'une mécanique ou l'invention d'un moyen pour favoriser l'essor de son industrie et il se trouva, au bout de cette folie précieuse, avoir reconquis sa raison et sa fortune.

« On nous a montré, à Montmartre, dans l'établissement du docteur Blanche, des traces de dessin au charbon faites sur un mur : ces figures à demi effacées, dont l'une représentait la reine de Saba et l'autre un roi quelconque, sortaient de la main d'un jeune écrivain rendu depuis à la raison. La maladie avait développé chez lui un nouveau talent qui n'existait pas dans l'état de santé ou qui, du moins, jouait à peine un rôle insignifiant. »

Quel psychiatre n'a pas rencontré des malades mentaux chez lesquels le sens de la construction s'exaltait par le délire et qui, en poursuivant l'idée fixe du mouvement perpétuel, créaient toutes sortes de machines ingénieuses ?

1. *Paris au XIXᵉ siècle. Les Maisons de fous.* Tome II, p. 163.

On cite encore des exemples d'exaltation intellectuelle survenus sous l'influence de divers états morbides : ainsi, Niepce [1] rapporte le fait d'un idiot, parlant à peine, très faible de mémoire qui, étant devenu hydrophobe, se mit à parler avec une remarquable facilité de choses qui s'étaient passées des années auparavant.

Entre la folie telle que la conçoit le vulgaire et le génie, sans doute, la distance est énorme et infranchissable.

Mais cette folie du vulgaire n'est pas la vraie, c'est, si je puis ainsi parler, une folie surfaite. En restituant aux choses leur physionomie réelle, on voit les distances s'amoindrir.

La notion du génie, elle aussi, a subi une sorte de transfiguration qui rend les rapprochements plus difficiles, jusqu'à un certain point, impossibles. On se représente volontiers l'homme de génie comme un être supérieurement doué à tous égards, jouissant de facultés également éminentes, une sorte de chef-d'œuvre au point de vue intellectuel et moral.

Mais, le génie de la réalité est bien loin de cet idéal : s'il brille par une imagination vive et vraiment créatrice, souvent, il ne possède qu'un jugement bien faible, bien incertain ; si son intelligence est puissante, souvent, la volonté est sujette à de singulières défaillances. Toujours, il pèche par quelque endroit. Ce sont surtout les artistes de génie qui offrent dans leur organisation des défectuosités et des lacunes frappantes ; ils excellent dans la musique, ou dans la peinture, mais, dans les autres domaines de l'activité mentale, ils atteignent à peine le niveau moyen.

Lorsqu'on parle des rapports du génie et de la folie, on a en vue le génie tel qu'il se présente dans la réalité et la folie telle que la comprend la médecine mentale.

Nous allons voir quels sont les faits, quels sont les arguments sur lesquels les auteurs cités s'appuient pour affirmer l'existence de ces rapports. Nous examinerons ensuite jusqu'à quel point leur manière de voir touchant la nature de ces rapports est justifiée.

Lorsqu'on étudie la vie des hommes supérieurs, on rencontre chez bon nombre d'entre eux, l'une ou l'autre singularité, l'un ou l'autre trouble psychique isolé.

On peut citer l'exemple de Tycho-Brahé que la vue d'un lièvre ou d'un canard faisait tomber en pâmoison.

Hobbes ne pouvait être un instant sans lumière, la nuit, qu'il ne délirât presque aussitôt.

Bayle était pris de convulsions lorsqu'il entendait le bruit que fait l'eau en sortant par un robinet [2].

1. Emminghaus, *Allgemeine Psycho-pathologie*. Leipzig, 1878, p. 119.
2. Feuchtersleben, *L'hygiène de l'âme*, p. 190.

Socrate voyait constamment à ses côtés un démon qui le conseillait aussi bien dans les choses de sa vie privée que dans les affaires publiques : « La croyance à la réalité de ses visions était tellement forte, qu'à l'époque de son procès et de sa condamnation, elles le détournèrent de préparer sa défense, de faire aucune sollicitation, aucune démarche auprès de ses juges, et qu'elles lui firent même dire, en leur présence, qu'au péril de sa vie, il recommencerait tout ce dont il était accusé et que c'était là une chose dont il ne pouvait se défendre [1]. »

Van Helmont eut également des visions : un génie lui apparaissait dans toutes les circonstances importantes de sa vie. En 1633, il aperçut sa propre âme sous la figure d'un cristal resplendissant. Byron s'imaginait quelquefois qu'il était visité par un spectre. Goethe raconte avoir aperçu un jour sa propre image venant à sa rencontre. Walter Scott fit un jour une singulière rencontre. Il venait d'apprendre la mort de Lord Byron. En se rendant dans la salle à manger, il vit devant lui l'image de son ami mort. Il s'arrêta un moment pour contempler le soin minutieux avec lequel l'imagination avait reproduit, dans leur originalité, l'habillement et la pose du poète, puis, s'avançant plus près, il reconnut que cette vision était due à un certain agencement d'une draperie étendue sur un écran.

Il y a plus encore. Ce n'est pas seulement une anomalie circonscrite, un trouble isolé qui se rencontre chez les hommes éminents : c'est parfois une maladie mentale complète et bien caractérisée.

J.-J. Rousseau a réalisé le type classique du délire de persécution : l'histoire de son état mental est consignée dans ses œuvres et surtout dans ses *Confessions* et dans sa *Correspondance*. C'est l'autobiographie d'un persécuté, écrite dans ce style qui a fait de J.-J. Rousseau un des maîtres de la langue française.

Son premier *Discours* venait d'être couronné à Dijon, la fortune lui souriait. Nommé caissier du receveur général des finances, M. de Francueil, il se trouva bientôt incapable de remplir les obligations de sa charge et il dut y renoncer. Il alla se renfermer dans la solitude pour travailler à ce qu'il appelle sa réforme.

C'est à cette époque que l'on aperçoit les premiers signes du délire de persécution.

Ecoutez ce passage de ses *Confessions* (livre VIII) : « Si j'avais aussi bien secoué le joug de l'amitié que celui de l'opinion, je venais à bout de mon dessein, le plus grand peut-être, ou du moins le plus utile à la vertu, que mortel ait jamais conçu...

1. Lélut, *Le démon de Socrate*. Paris, 1856, p. 217.

« Mes soi-disant amis, jaloux de me voir marcher seul, dans une route nouvelle, tout en paraissant s'occuper beaucoup de me rendre heureux, ne s'occupaient en effet qu'à me rendre ridicule et commencèrent par travailler à m'avilir, pour parvenir dans la suite à me diffamer...

« Tant que je vécus ignoré du public, je fus aimé de tous ceux qui me connurent mais, sitôt que j'eus un nom, je n'eus plus d'amis. »

Voilà bien le langage du persécuté : mélange d'idées ambitieuses, de soupçons injustes, d'amères récriminations.

Rousseau se brouille successivement avec Grimm, Diderot, Holbach et il se persuade que le parti des philosophes ourdit des complots destinés à le perdre. Il publie son *Emile* et, comme l'impression ne marche pas assez vite à son gré, il soupçonne une machination des jésuites.

Sans les jésuites, les francs-maçons ou la police, l'histoire du délire de persécution ne serait pas complète !

« Je me figurai, dit-il, que les jésuites, furieux du ton méprisant sur lequel j'avais parlé des collèges, s'étaient emparés de mon ouvrage, que c'étaient eux qui en accrochaient l'édition. »

Ses idées délirantes ne font que se développer de plus en plus : irritable à l'excès, soupçonneux à l'égard de tout le monde, il finit par être délaissé par presque tous ses amis et il termine subitement, le 3 juillet 1778, sa triste et sombre existence.

Les causes de cette mort sont restées incertaines : l'opinion qui la rattache à un suicide ne manque point de vraisemblance.

Le Tasse a souffert d'une mélancolie, pendant la plus grande partie de sa vie.

Il a dépeint l'état de son âme dans la lettre suivante.

« Telle est ma tristesse que je suis considéré par les autres et par moi-même comme fou, alors qu'impuissant à tenir cachées mes tristes pensées, je me livre à de longs entretiens avec moi-même. Mes chagrins sont humains à la fois et diaboliques : humains, ce sont des cris d'hommes et surtout de femmes, et aussi des rires de bêtes, diaboliques, ce sont des chants, etc. Lorsque je prends entre mes mains un livre, pour m'abandonner à l'étude, j'entends des voix résonner à mon oreille et je distingue les noms de Paul Fulvius. »

Pour échapper à ces tristes pensées, Le Tasse changeait constamment de pays, mais en vain : partout le poursuivaient la crainte de l'enfer, les soupçons d'empoisonnement, les remords immotivés.

D'autres personnages éminents, après avoir longtemps joui d'une santé d'esprit irréprochable, ont achevé leur vie dans l'aliénation. Ce fut le sort de Pergolèse, de Müller le physiologiste, du peintre Whit, de Cham le caricaturiste, de Poë, d'Ulrich.

Mieux connus et mieux intégrés dans notre société, les malades mentaux et les génies, ou simplement les surdoués, ne doivent plus être victimes d'un même ostracisme.

Plus d'un grand homme a été sujet à l'épilepsie, qui s'accompagne souvent de perturbations graves dans la sphère psychique. Il fallait donc bien signaler son existence parmi les hommes de génie.

Les signes de dégénérescence

Les manifestations de la folie ne se bornent pas toujours à la sphère psychique : elles pénètrent également dans le domaine anatomique et physiologique. Chez les individus que l'hérédité prédispose aux maladies mentales, on trouve des symptômes objectifs qui sont désignés sous le nom de *signes* ou *stigmates physiques de dégénérescence* [1].

On note parfois la *petitesse de la taille,* comme par exemple chez Horace, Aristote, Platon, Archimède, Linné, Balzac et bien d'autres.

Montaigne écrit : « Je suis d'une taille en dessous de la moyenne. »

Il est vrai de dire que cette règle souffre certaines exceptions et l'on peut citer des hommes grands par la taille comme par l'intelligence. Ainsi : Bismarck, Mirabeau, Lamartine, Voltaire.

Le bégaiement est fréquent chez les hommes illustres : Turenne, Esope, Virgile, Démosthène, Darwin en étaient affectés.

Le mancinisme y est aussi assez commun : Michel-Ange, Bertillon, Buhle étaient gauchers.

La précocité est un signe commun au génie et à la folie, surtout à la folie morale. Un vieux proverbe anglais dit : « A man at five, a fool at fifteen. » (Homme à cinq ans, fou à quinze ans.)

Avant l'âge de dix ans, Goethe connaissait plusieurs langues. Au dire de son biographe Lewes [2], dès l'âge de trois ans, il avait le sentiment du beau : lui présente-t-on un petit camarade dont les traits ne sont pas de son goût, il entre dans une rage noire et il n'y a plus moyen de le calmer. La nouvelle du tremblement de terre de Lisbonne ébranle sa foi chrétienne. Il conçoit aussitôt l'idée de se mettre en rapport direct avec « le Dieu de la nature » et, à cet effet, il dresse dans sa chambre un autel de sa façon ; sur cet autel, il brûle tous les jours comme symbole de l'âme, une pastille odorante qu'il allume aux rayons du soleil à l'aide d'une lentille. C'est ainsi que, dans la solitude de sa chambre à coucher, ce prêtre de sept ans célèbre les rites de son culte personnel.

---

1. Encore convient-il de ne pas infléchir le terme de *dégénérescence* dans un sens moral. L'auteur n'approuve ni ne désapprouve, il ne loue pas, il ne blâme pas : il constate.
2. *Goethe's Life and Works,* cité par Cullerre, *les Frontières de la folie,* Paris, 1888, p. 335.

A sept ans, Wieland connaissait le latin ; à treize, il méditait un poème épique, à seize, il publiait son poème : *Die volkommenste Welt.*

Victor Hugo composa *Irlamène* à quinze ans. A cinq ans, Meyerbeer jouait excellemment du piano. Claude Joseph Vernet crayonnait très bien à quatre ans et à vingt ans, était déjà un peintre célèbre.

Le crâne et le cerveau offrent aussi chez l'homme de génie des anomalies.

Lombroso cite l'asymétrie crânienne de Périclès, surnommé pour cette raison *tête de squille,* l'asymétrie crânienne de Bichat, le front fuyant chez Pétrarque, chez Manzoni, la macrocéphalie chez saint Thomas, l'hydrocéphalie chez Milton, Linné, Cuvier. Campanella parle lui-même en différents endroits de la structure singulière de sa tête et Gabriel Naudé qui fut l'ami du moine de Stillo a écrit ces mots sous son portrait :

> C'est là la figure de cet homme extraordinaire ;
> L'art a égalé la nature ;
> Ses yeux sont deux torches flamboyantes ;
> Sa tête est divisée en sept régions inégales.
> Celui qui différait tant des autres hommes
> Ne pouvait leur ressembler par la figure.

Les recherches concernant l'hérédité ont fait ces dernières années des progrès prodigieux. N'arrivera-t-on pas à établir que le génie est une transformation dans le capital génétique d'une ethnie ? D'après cette conception des choses, l'être génial serait un « mutant ».

PROFESSEUR XAVIER FRANCOTTE

Chapitre IX

La drogue
dans la création
artistique et littéraire

Pour favoriser l'inspiration, lui préparer un réceptacle ou un creu-
set où elle puisse se transformer en œuvre achevée, les créateurs ont
recours à des moyens variés, parfois inattendus.
Ces stimulants, qui peuvent être des drogues à la longue destruc-
tives, sont autant de tentatives pour penser au-delà de la pensée nor-
male, pour dévoiler l'insoupçonné derrière le banal.

Il arrive que l'être réellement doué soit à ce point *habité* ou
possédé par son génie que le manifester devient une nécessité des
plus impérieuses, un besoin dont il n'est plus le maître. On écrit
un poème, on crée une musique, on fait de la peinture, on travaille
sur un problème scientifique, parce que l'on ne peut pas faire
autrement. Ne pas extérioriser ce qui hante l'esprit, ne pas répondre
à l'appel qui vient du fond de l'être, devient une souffrance intoléra-
ble. L'homme de génie crée pour son bonheur, pour sa joie de vivre.
Il exige donc de son cerveau un effort intense, mais l'accroissement
d'activité intellectuelle implique l'augmentation de travail dans les
cellules cérébrales et comme conséquence un état congestif de ces cellules. Il existe une relation directe entre la vitesse de la circulation du

Les rites que les artistes ont employés pour favoriser la concentration se
prolongent aujourd'hui en l'absorption de L.S.D., supposée permettre une
expansion de la conscience et même une expérience religieuse. Cet espoir
◄ *fallacieux a ses victimes.*

sang dans un organe et sa capacité fonctionnelle. Dans le cerveau, le spirituel et le matériel s'enchaînent. Plus vive est la pensée, plus grande est la congestion du cerveau. Pendant le travail de création, le pouls est petit, contracté, la peau est pâle, froide, la tête bouillante, les yeux brillants, injectés. Préparer d'avance le cerveau à un travail intense, le stimuler en le congestionnant, de façon à le trouver mieux disposé, mieux préparé au grand effort qu'on va lui demander, est une tendance surtout manifestée par les hommes de lettres. Ainsi Schiller écrivait tenant ses pieds sur la glace. En diminuant la circulation du sang dans ses pieds et ses jambes, il pensait augmenter d'autant la quantité du sang destiné au cerveau. Grétry faisait de même. Dans un but semblable Bossuet aimait se placer dans une chambre froide, et se couvrir la tête de linges chauds, ou de fourrures. La chaleur produite autour de sa tête lui semblait un aide à sa composition. Descartes, Leibniz, Milton, Rossini méditaient couchés, blottis sous des couvertures. Les vers de Milton, les pensées philosophiques de Descartes et de Leibniz, la musique des opéras de Rossini ont été conçus en augmentant artificiellement la chaleur de la tête. Ainsi Rousseau, avant d'écrire, exposait sa tête découverte au soleil.

Tous ces artifices visaient directement le moyen d'augmenter la circulation cérébrale, aux dépens de la circulation générale du corps. Plusieurs artistes et écrivains, au lieu de chercher à congestionner la tête, ont cru être en meilleure disposition d'esprit pour le travail en s'entourant d'odeurs agréables, répandues dans leur cabinet de travail.

Huysmans donne même la description de la gamme des odeurs et leur valeur en tant qu'excitants de la pensée. Rousseau affirmait que certaines odeurs l'inspiraient.

D'autres pensent augmenter la puissance de leur travail en s'entourant d'une pompe extérieure et d'une mise en scène favorable à exciter leur cerveau, comme le faisait Buffon, qui s'habillait cérémonieusement pour écrire. D'autres encore, recherchaient des sensations visuelles agréables, pour les aider dans leur effort. Gérard de Nerval n'écrivait que dans du gris perle. D'Annunzio écrivait dans une chapelle qu'il avait édifiée à cette intention. Eugène Sue éprouvait le besoin de s'entourer de métaux précieux pour travailler.

Tous ces procédés, pour être artificiels, n'en sont pas moins inoffensifs. Il n'en est pas de même, lorsque les artistes et les écrivains recherchent dans l'usage de certaines substances, dont plusieurs sont de véritables poisons, l'excitant souvent efficace au début, mais qui finit toujours par ruiner leur santé et anéantir leur génie.

Les stimulants de la création

Avant de passer en revue les excitants morbides, qui donnent un coup de fouet à la pensée, mais empoisonnent à la longue le cerveau, tels l'alcool, la cocaïne, l'opium, le haschisch, j'aimerais réserver une place d'honneur à un stimulant intellectuel plus puissant que tous les excitants que j'aurai à étudier, le stimulant merveilleux de la pensée et de l'inspiration : l'Amour ! Il exalte le génie et lui insuffle l'extase dans la création. Les poètes, les littérateurs nous en fournissent maints exemples. Goethe, savant, poète, caractère passionné, avait besoin pour chaque grande œuvre, d'une nouvelle passion, qui aiguisait sa sensibilité, faisait vibrer son cerveau. Toutes ces passions violentes lui ont permis de travailler pendant trente ans à son œuvre immortelle, *Faust*. Son premier élan de poésie vraiment lyrique, son premier chef-d'œuvre, *Bienvenue et adieu*, est dû à son idylle avec Frederica Brion qu'il a rencontrée à vingt et un ans. *Werther* fut inspiré à Gœthe par sa passion orageuse pour Charlotte Buff. L'amour exalte son cerveau et lui suggère des accents magiques :

« Oh ! Quel feu circule dans mes veines lorsque par hasard mon doigt vient de toucher le sien, lorsque nos pieds se rencontrent sous la table ! Je les retire avec précipitation, ainsi que d'un brasier ardent, et une force secrète m'en rapproche malgré moi, tant est grand le délire qui s'empare de mes sens.

« Lorsque dans la conversation elle pose sa main sur la mienne et que par l'intérêt qu'elle prend à l'entretien, elle s'approche assez de moi pour que le souffle céleste de sa bouche effleure mes lèvres, je suis anéanti comme un homme frappé de la foudre. Je ne sais jamais dans quel état je me trouve quand je suis auprès d'elle ; c'est comme si l'âme se versait dans tous mes nerfs[1]. »

Même après avoir dépassé soixante-dix ans, c'est encore l'amour qui stimule le génie de Goethe. A soixante-quatorze ans, en 1823, il devient éperdument amoureux de Ulrique de Levetzow, jeune fille de dix-sept ans. Il puise dans cet amour le retour passionné aux sources lyriques de son génie. Au moment de quitter Marienbad, pour aller prier le Grand Duc de Saxe-Weimar de demander pour lui à Mme de Levetzow la main de sa fille, il était dans un tel état d'exaltation, qu'il écrivit d'un trait *L'Elégie de Marienbad*, que l'on peut considérer comme une de ses plus belles poésies.

Wagner, amoureux de Mathilde Wesendonk, a créé Tristan et Yseult. A soixante-quatre ans, il s'éprend avec passion de Judith Gauthier. L'amour exalte son inspiration, et il crée l'œuvre musi-

---

1. *Werther* (Lettre XX).

cale la plus belle, la plus merveilleuse qui soit sortie du cerveau de ce génie : *Parsifal*. « O vous, âme chaude et douce, que je me trouvais inspiré dans vos bras ! » écrit-il à Judith.

L'amour de Dante pour Béatrice a doté l'humanité des plus beaux poèmes qu'un génie ait jamais créés : *La Divine Comédie*.

En revoyant Béatrice pour la dernière fois, assise sur un trône, au troisième cercle du suprême degré, où elle se fait une couronne « en réfléchissant d'elle-même les éternels rayons », il lui adresse cet adieu :

« O femme en qui vit mon espérance,
Toutes ces choses que j'ai vues
C'est de ta puissance et de ta bonté
Que je reconnais en avoir reçu la grâce et la vertu. »

Pétrarque a également puisé dans l'amour de Laure ses meilleures inspirations. Cet amour a exalté ce génie et lui insuffla l'extase dans la création.

Il adresse à Laure ces vers merveilleux (sonnet CLVIII) :

« Ainsi que la vie éternelle consiste dans la vue de Dieu sans qu'on désire rien de plus, ni qu'on puisse encore rien désirer, de même vous voir est mon bonheur unique durant cette vie fragile et fugitive. »

On pourrait citer presque tous les poètes, tous les écrivains. A un moment de leur vie, l'amour a joué le rôle d'un puissant stimulant de leur génie créateur.

Les excitants mineurs

Parmi les excitants du travail cérébral, le moins nuisible est le café, à condition de ne pas en abuser. A la dose de dix à quinze grammes par tasse, le café détermine une accélération du pouls. Les facultés intellectuelles sont excitées, l'imagination devient plus vive, le jugement s'affine.

Balzac avait pour le café une sorte d'enthousiasme, et il considérait que cet excitant était indispensable pour tout effort de la pensée, de la création. Il en décrit les effets sous forme d'un récit militaire qui rendrait jaloux un général : « Le café tombe dans votre estomac ; dès lors tout s'agite : les idées s'ébranlent comme les bataillons de la Grande Armée sur le terrain d'une bataille, et la bataille a lieu. Les souvenirs arrivent au pas de charge, enseignes déployées ; la cavalerie légère des comparaisons se développe par un magnifique galop ; l'artillerie de la logique accourt avec son train et ses gargousses ; les traits d'esprit arrivent en tirailleurs ; les figures se dressent, le papier se couvre d'encre car la lutte commence et finit par un torrent d'eau noire comme la bataille par la poudre noire. » Le café ne quittait pas la table de Balzac, il en absorbait continuellement, et écrivait souvent d'une heure du matin à une heure de l'après-midi sans s'interrompre, en recommençant vingt jours de suite. La vie que menait Balzac était tellement malsaine qu'il est difficile de déterminer la part de l'abus du café dans sa mort prématurée. Ce qui est certain c'est qu'il a gardé la puissance de son génie créateur jusqu'à la fin de sa vie.

Henri Poincaré, mathématicien aux mœurs austères, tout l'opposé du bouillant Balzac, attribue une de ses découvertes à l'excitation provoquée par le café. Voici ce qu'il écrit dans un de ses ouvrages : « Un soir, je pris du café noir, contrairement à mon habitude, et ne pus m'endormir ; les idées surgissaient en foule ; je les sentais comme se heurter, jusqu'à ce que deux d'entre elles s'accrochassent, pour ainsi dire, pour former une combinaison stable. Le matin, j'avais établi l'existence d'une classe de fonctions fuchsiennes, celles qui dérivent de la série hypergéométrique ; je n'eus plus qu'à rédiger les résultats, ce qui ne me prit que quelques heures. »

Autre drogue tout aussi commune, mais beaucoup moins inoffensive : l'alcool.

Certains littérateurs y ont eu recours pour exciter leurs facultés intellectuelles. Sous l'influence naissante de l'ivresse, il se produit une abondance d'idées, des saillies, des boutades excentriques, des aperçus parfois nouveaux. Ces idées ne sont jamais modérées ; tout est hors de proportion. L'imagination est surexcitée, mais la réflexion, le jugement diminuent d'autant. A dose plus forte, toute trace d'intelligence disparaît. L'abus de l'alcool a joué un rôle néfaste dans la vie de quelques écrivains, au premier rang desquels Verlaine, par exemple...

Les drogues dangereuses

La cocaïne à faible dose excite le travail cérébral. L'excitation cannabique se traduit d'abord par une vivacité inaccoutumée des représentations intellectuelles, avec conservation de la conscience et souvent humeur gaie. A la dose de cinq centigrammes pris par la bouche, la personne éprouve une euphorie particulière, une excitation agréable, et se trouve capable d'exécuter sans fatigue, grâce à la suppression de la sensation de la faim, et du besoin de sommeil, un travail physique et intellectuel considérable. Cette dose agit ainsi lorsqu'elle est absorbée d'une façon isolée, car l'absorption d'une dose bien moindre, de deux à trois milligrammes par jour, pendant quelques jours consécutifs, détermine une céphalalgie d'intensité croissante avec perte de sommeil, crise de palpitations, avec angoisse atroce de la mort. Peu d'écrivains ont eu recours à cet excitant des plus dangereux, qui engendre à dose élevée la fureur maniaque, ruine le cerveau et le cœur...

Par contre, l'opium, et surtout son dérivé la morphine, ont été très répandus parmi les littérateurs à une époque encore peu éloignée de nous. Heureusement, les charmes trompeurs de cet excitant trouvent actuellement de moins en moins d'adeptes parmi les écrivains, mieux avertis des conséquences funestes de ce poison.

Au début la morphine détermine une excitation intellectuelle très nette avec augmentation de l'énergie volontaire et sensation de bien-être délicieux. La répétition de petites doses provoque, dans une première période, une excitation de toutes les fonctions mentales, et puis, assez rapidement, des idées obsédantes, des représentations délirantes et des impulsions. L'homme devient esclave de la drogue. Il y a accoutumance. L'augmentation des doses devient une nécessité, les facultés intellectuelles finissent par sombrer.

Coleridge, génie précoce, peut servir d'exemple de l'effet de l'opium sur la production littéraire. En 1796, après un échec de librairie, il prit de l'opium, sous prétexte de calmer des douleurs rhumatismales. Pendant quatre ou cinq ans, sa production littéraire fut très féconde. Durant cette période il fit usage continuel, mais modéré de l'opium. Depuis, son activité va en se ralentissant, et en devenant de plus en plus confuse jusqu'en 1816. Pendant toute cette période, il ne produit rien, sauf quelques conférences peu brillantes. Enfin, après avoir présenté, en 1817, une légère reprise, dont le résultat ne fut cependant qu'une tragédie, qui n'eut pas de lendemain, il entra dans une période de silence définitif, qui a duré jusqu'à sa mort en 1834. Il est peu probable que l'opium ait beaucoup stimulé la production de Coleridge — son génie s'est manifesté bien avant qu'il eût recours à la drogue. Tout ce qu'on peut admettre, c'est que l'opium pris à petite dose pendant quelques années n'a pas diminué son activité intellectuelle. Mais ce qui est certain, c'est que l'usage, et probablement l'augmentation fatale des doses, ont anéanti son génie et ruiné sa santé...

Quant au haschisch, il surexcite les fonctions intellectuelles. Les idées deviennent de plus en plus pressées. C'est un feu d'artifice perpétuel ; l'idée succède à l'idée avec une rapidité vertigineuse. Les pensées vont, viennent, se poussent en désordre. On voudrait exprimer tout ce qu'on éprouve, mais c'est en vain : le langage n'est pas assez rapide pour suivre la pensée. Les idées sont toujours exagérées. Comme dans l'ivresse, on ne peut pas les contrôler. La notion du temps disparaît. L'excitation du cerveau grandit, et on perd tout contrôle de ses actes. Quelques écrivains arabes y ont eu recours, en ont fait un usage habituel. En Occident, de nos jours, on préfère au haschisch des drogues encore plus dangereuses et plus fortes. On leur doit l'œuvre de nombreux poètes et romanciers.

DOCTEUR SERGE VORONOFF

L'illusion de produire de meilleures œuvres littéraires à l'aide de l'opium a presque cessé (fumerie d'opium en France au XIXᵉ siècle).

Chapitre X

Voyage
dans le cosmos intérieur

La psycho-pharmacologie est en train de révolutionner par l'emploi de substances chimiques une part de nos connaissances sur les rapports du psychisme, de la conscience, avec l'organisme, la matière.

L'inspiration se dégage peu à peu de ses limbes métaphysiques ou surnaturels. Au-delà de ces recherches, la parapsychologie pourrait trouver de nouvelles voies d'accès à la compréhension des pouvoirs enfouis en l'homme.

Lors du récent congrès de la Communauté européenne des Ecrivains, à Rome, Vigorelli exposa que l'un des principaux thèmes de la culture nouvelle est la rencontre de la littérature et de la science. Il ne s'agit pas, évidemment, d'un banal élargissement des sujets traités, mais bien des changements profonds que le contact avec le monde scientifique ne peut manquer de produire en ceux qui vivent une expérience littéraire. Jamais les écrivains n'ont compris comme aujourd'hui que l'imagination, l'inspiration ne sont pas des termes métaphysiques, et que, dans certaines limites, la psychologie, la physiologie et la biochimie peuvent en indiquer les fondements et les lois.

Rimbaud avait deviné que l'un des grands cheminements vers la poésie passe par le dérèglement raisonné des sens. Mais il ne savait pas trop comment s'y prendre, et nous savons quelles furent les conséquences. Aujourd'hui, nous sommes déjà capables de « dérégler » les sens avec un certain degré de précision et de contrôle, avec des risques calculés, avec des possibilités d'aventure psychique qui font paraître bien anodine *Une saison en Enfer*.

En notre qualité d'homme de science, nous réserverons l'examen

◄ *L'exploration d'un monde du dedans aux multiples portes et ramifications a été entreprise avec les substances psychotropes sous contrôle médical.*

du problème moral que pose ce nouveau développement de la connaissance pour nous limiter à celui des faits. C'est un fait que la drogue a eu sur les facultés créatrices de Baudelaire ou de De Quincey des conséquences aussi directes que sur leur santé ou sur leurs relations interpersonnelles. C'est un fait qu'un décollement de la rétine peut faire qu'un grand peintre cesse d'être tel. C'est un fait que la psychopharmacologie, assistée par la psychologie des profondeurs, peut transformer *ab imis* l'expérience humaine, donc l'expérience poético-littéraire. La question du « bon usage » ou du « mauvais usage » de telles possibilités, pour importante qu'elle soit, est en dehors de notre savoir, et en un sens de notre devoir scientifique.

La célèbre affirmation de Gertrude Stein *A rose is a rose is a rose* est, pour ne pas quitter l'anglais, un *nonsense* neurophysiologique. Personne ne peut dire ce qu'est une rose. Nous pouvons seulement dire que c'est une configuration d'impulsions nerveuses, un ensemble de schèmes visuels interprétés comme formes-couleurs (et de même pour l'olfaction, la mémoire, l'expression verbale, etc.), de sorte que « l'information » finale est « rose » et non, par exemple, « beefsteak ». Mais il faut bien concevoir que le rapport sujet-objet, qui détermine habituellement cette information, *n'est pas indispensable*. On peut avoir l'expérience que nous appelons rose en stimulant électriquement certains points du cortex cérébral, ou par l'action de quelques millièmes de milligramme de diéthylamide de l'acide lysergique. Pour le moment, ce type d'information n'est pas exactement contrôlable : mais il le sera avant peu.

Quand Gautier se retrouvait avec les autres membres du « Club des Haschichins » à l'hôtel Pimodan et s'abandonnait aux ivresses de la *cannabis indiana*, il voyait passer des créatures imaginaires, des licornes, des griffons, des vautours, tout un sérail de monstres qui trottaient, pirouettaient, hurlaient dans la pièce La neurophysiologie, la psychopharmacologie, la psychanalyse d'aujourd'hui permettent de considérer ce type d'aventures psychiques comme le géographe moderne considère les descriptions de Marco Polo.

En 1924, le fameux toxicologue Lewin publia un livre, maintenant presque introuvable, dans lequel il distribuait les drogues en cinq classes : euphoriques, enivrantes, fantastiques, hypnotiques et excitantes. A cette liste se sont ajoutées récemment des substances que Lewin aurait pu nommer *ataraxiques*. C'est-à-dire les « tranquillisants », qui calment sans endormir. Mais l'attention des chercheurs s'est particulièrement arrêtée sur quelques nouvelles variétés de la classe fantastique, plus volontiers nommées aujourd'hui hallucinogènes, ou psychotomimétiques, ou autres. Parmi elles, la mescaline et la diéthylamide de l'acide lysergique (LSD 25).

Une partie de la personnalité reste lucide

Le LSD 25 constitue un des principaux instruments des grandes explorations intérieures de demain. C'est le plus puissant hallucinogène découvert à cette date. Une dose de vingt microgrammes (la sept cent millionième partie du poids d'un homme moyen) produit déjà des effets sensibles. Des doses peu supérieures transportent l'individu dans un monde changeant et presque incroyable d'expériences subjectives, que des volontaires ont décrit, de même qu'Aldous Huxley et Henri Michaux ont raconté leurs aventures avec la mescaline.

La psylocybine est le principe actif de certains champignons mexicains, utilisés de temps immémorial lors de rites religieux, redécouverts par Gordon Wasson et étudiés à fond par le célèbre mycologue Roger Heim. Elle produit également, à faibles doses, de grands changements psychologiques, des « départs » pour les excursions les plus imprévues dans la pensée.

Ces substances se différencient nettement de celles qui produisaient les paradis artificiels du siècle passé : 1° à doses raisonnables, elles ne sont pas toxiques ; 2° elles ne produisent pas d'accoutumance ; 3° enfin, et c'est leur caractère le plus important, elles n'entraînent jamais *totalement* celui qui les absorbe. Une partie de la personnalité reste indemne, en contact avec le milieu et avec la réalité empirique, cependant que l'autre voyage dans les royaumes de l'impossible.

Cela ne veut pas dire que le LSD 25 ou les autres agents psychotomimétiques soient sans danger. L'accoutumance peut se manifester sur le plan psychologique. Les horizons verts par la drogue peuvent apparaître toujours plus indispensables, même s'il n'existe pas de « faim organique » comparable à celle qu'éprouve le morphinomane. On peut d'ailleurs devenir maniaque de n'importe quoi, de LSD comme de pain frais. Une jeune fille avait contracté un besoin morbide de sauce tomate, jusqu'à en absorber quatre ou cinq litres par jour. Il ne faut donc pas exclure que l'usage des drogues psychologiques crée des formes nouvelles de recherche incontrôlable du plaisir, et même des plaisirs nouveaux. Certains rats tirent une particulière exaltation de la stimulation électrique d'une zone de l'hypothalamus. Mis en situation de pouvoir se la procurer eux-mêmes, en appuyant sur un levier, il arrive qu'ils ne prennent plus la peine de manger et continuent indéfiniment à presser le levier. Quelques sujets ont ainsi autostimulé leur cerveau plus de deux mille fois par heure pendant vingt-quatre heures consécutives. La neurophysiologie, comme la psychopharmacologie, peut créer, outre des états d'hébétude, de délire, de cauchemar et de terreur, d'intenses jouissances inconnues, dont l'attraction pourrait être plus forte que les instincts de conservation. Il est probable que les rats se trouvaient dans un état aigu et prolongé d'orgasme sexuel, et que rien d'autre ne les intéressait.

Qu'en adviendra-t-il ? La réponse peut nous être donnée, semble-t-il, par l'expérience d'un certain nombre d'explorateurs, qui ont eu l'impression de passer complètement au-delà des limites du monde humain. Huxley, par exemple, dans *Les Portes de la Perception*, mais mieux encore René Daumal, dans un écrit posthume peu connu, ont parlé fort clairement. René Daumal a raconté ses expériences d'adolescent avec le tétrachlorure de carbone, terrible substance plus dangereuse que le chloroforme. Elle lui permit l'accès à *l'autre côté des choses*. Le résultat, écrit-il, « fut toujours le même, c'est-à-dire dépassa et bouleversa mon attente, faisant éclater les limites du possible, et me jetant brutalement dans un autre monde »...

Mots étrangement familiers ! « ... Oh, Kitty ! comme ce serait agréable de traverser le miroir ! Je suis sûre qu'il y a, oh ! de si belles choses de l'autre côté ! Prétendons qu'il y a un moyen quelconque de le traverser, Kitty... Et certes le verre *commençait* à se dissoudre, comme une brillante brume d'argent... » (Lewis Carroll, *Through the Looking-Glass*, 1896).

La drogue, il convient de l'admettre, peut être moins paisible que l'imagination clairvoyante des écrivains. Mais qu'est-ce, au fond, que l'autre côté des choses, sinon une expérience psychique capable d'abstraire celui qui la vit des catégories spatiales, temporelles et causales ? Dans la « maison au-delà du miroir », comme le savent tous les lecteurs de Lewis Carroll, la réalité et l'irréalité se confondent : on peut être en deux endroits simultanément, l'effet peut précéder la cause, la mémoire fonctionne dans les deux sens, et le sens des mots se plie à la volonté du plus fort. Il s'agit d'un monde où règne une psychologie non euclidienne, erratique et magique par rapport à celle de l'expérience quotidienne.

Les pouvoirs enfouis

Il existe donc, dans l'imagination des poètes, dans la vision de ceux qui ont franchi le seuil de la perception, la possibilité manifeste de passer au-delà du miroir qui reflète habituellement notre monde intérieur. Et une nouvelle discipline scientifique, la parapsychologie, dont les résultats ne sont plus sérieusement discutables, confirme que, dans certains cas, il est vraiment possible à l'homme d'éprouver psychiquement l'annulation des séparations entre individus (télépathie), la coïncidence du présent et du futur (précognition), la dissolution de l'opacité de la matière (clairvoyance, perception extra-sensorielle). Les comptes rendus des cas spontanés les plus démonstratifs emplissent les archives des associations spécialisées : les vérifications expérimentales, obtenues dans des conditions rigoureuses et de mieux en mieux comprises, continuent à s'accumuler. On voit se consolider l'hypothèse, soutenue par Freud, selon laquelle l'homme a pu autrefois accéder à la maison au-delà du miroir, au monde parapsychologique, mais aux dépens de la structure logique et rationnelle de la pensée, qui a fini par prévaloir.

Aujourd'hui, l'accès à la maison magique est barré. Les voies ne s'ouvrent guère que par hasard, pour peu d'instants, et pour certains individus auxquels l'interdiction d'entrer s'applique moins sévèrement. D'autres, semble-t-il, ont réussi exceptionnellement à violer la zone interdite, avec des moyens de fortune, des risques graves, un gaspillage d'énergie et des résultats confus... Ils sont les précurseurs de l'approche psychopharmacologique, ces opiomanes du siècle passé, ceux qui ont pris de la mescaline ou du LSD 25 « pour voir », ceux qui ont cherché, s'aventurant sans cartes, de nouveaux itinéraires vers le paradis ou l'enfer. « J'ai vu un peuple d'ombres — je n'ai pas distingué sa couleur — hommes, larves, plantes, fourmillement de lumières et de rires. Un homme, noir sur blanc, s'est levé à gauche, a marché, s'est assis à droite. Il a disparu. Une cloche a sonné l'angélus de midi ; un moulin tournait, il y avait une grange que je ne connaissais pas. Un fruit est tombé — vert — et sa chute a provoqué un étrange tourbillon. Il y avait un désordre fou à l'intérieur de mon œil... »

Ainsi s'exprime le peintre Hervé Masson, sous l'influence d'une drogue absorbée avec de vagues intentions « occultistes » et parapsychologiques. Comme on a pu le noter, l'idée que le sujet a vraiment perçu des réalités ultrasensibles reste purement hypothétique. L'auteur dit lui-même : « C'était un désordre fou.. »

Aujourd'hui, on entrevoit bien autre chose. Il s'agit d'établir si, quand, dans quelles conditions et chez quels types d'individus, certaines substances, en doses calculées, peuvent d'une façon *ordinaire et contrôlable* contribuer à l'ouverture de certaines portes. Il est indubitable que toutes les connaissances, tous les instruments de la biochimie, de la neurophysiologie, de la psychopharmacologie, de la psychologie normale, de la psychanalyse, devront être mobilisés, et qu'une des difficultés majeures sera de faire la synthèse d'approches si diverses et si singulières.

Mais il s'agit de résoudre l'équation la plus fascinante et la plus formidable que l'homme se soit jamais proposée : déterminer les exigences à satisfaire pour qu'un homme donné, à un moment donné de sa vie, sorte avec sécurité de ses dimensions psychiques habituelles, puisse glisser mentalement le long des lignes de l'espace et du temps, violer l'apparente impénétrabilité des choses inanimées.

Il est hautement désirable, pour des motifs assez faciles à deviner, que tout cela soit qualifié par certains de science-fiction. De fait, les premières expériences psychopharmacologiques orientées vers le résultat ultime sont déjà commencées ; mais nous ne dirons ni où, ni par qui, ni avec quelles substances. Il est clair que les « secrets atomiques » sont bien futiles en comparaison de celui qui consisterait à mettre, sans marge appréciable d'erreur, un individu en condition de pouvoir « observer » à distance, « lire » dans les pensées d'autrui, « savoir » ce qui se prépare dans les matrices de l'avenir.

Entre-temps, il semble qu'aucun homme de pensée, aucun interprète poétique de la condition humaine présente, ne puisse se permettre de fermer les yeux sur de tels événements de l'être.

EMILIO SERVADIO

TROISIÈME PARTIE

Les mystères de la personnalité

Une personnalité seconde semble se manifester chez certains artistes et leur prodiguer une inspiration qu'ils n'ont pas à l'état ordinaire.

Chapitre premier

Rôle du subconscient

Les étapes de la création et les liens du subconscient avec la conscience sont analysés dans ce document du docteur Gustave Geley, qui a reconnu aux facultés paranormales, après l'observation minutieuse de nombreux phénomènes, toute leur importance.

Le paranormal n'est pas absurde ni incohérent, mais en harmonie avec les autres lois de l'univers où, selon G. Geley, une force psychique entraîne irrésistiblement les êtres à passer de l'inconscient à la conscience.

« Le subconscient, a-t-on dit, est moins un problème psychologique que le problème de la psychologie ! »

Parole profondément vraie : toute étude, toute théorie, toute conception philosophique refusant de faire à l'inconscient[1] sa part légitime, qui est la part prépondérante, est faussée d'avance dans son essence et dans ses enseignements. Elle voit immédiatement les faits se dresser contre elle et la submerger.

L'importance de la *psychologie subconsciente,* qui conditionne tant de phénomènes jugés *paranormaux,* ne s'est imposée que de nos jours à la critique scientifique.

Entièrement méconnue par elle, jusqu'au XIXᵉ siècle, puis considérée d'abord uniquement comme le fait d'anomalies, d'accidents ou

---

1. On se gardera, en employant ce concept, de le réduire à sa signification psychanalytique, laquelle est restrictive. C'est pourquoi on lui préférera toujours le concept de *subconscient* ou de *subconscience,* plus apte (semble-t-il) à rendre compte de certains niveaux de conscience et de leur complexité. (N. de l'E.)

213

de maladies, elle s'affirme progressivement et désormais toute nouvelle recherche, toute nouvelle découverte accroissent son domaine et sa profondeur.

On se voit forcé d'attribuer à l'inconscient un rôle primordial dans l'instinct, dans l'innéité psychologique, dans le psychisme latent, dans le génie — bref ! dans tous les domaines que couvre la parapsychologie...

Avec les travaux contemporains, le psychisme subconscient apparaît, de plus en plus, infiniment complexe et varié. Son rôle ressort nettement prépondérant dans tous les domaines de la vie intellectuelle, et affective.

La thèse bien connue du docteur Chabaneix, intitulée : *le Subconscient chez les artistes, les savants et les écrivains,* donne un certain nombre d'exemples particulièrement frappants. Mais en réalité, les exemples sont innombrables. On peut dire qu'il n'est pas d'artiste, de savant ou d'écrivain de valeur qui ne connaisse, par son expérience personnelle, pour peu qu'il soit apte à l'auto-observation, l'importance sans égale du subconscient.

L'influence subconsciente est parfois souveraine et impérative. Elle constitue alors l'*Inspiration.*

Sous son influence, l'artiste ou le savant produit son œuvre, parfois un chef-d'œuvre, d'un jet, sans réflexion et sans raisonnement ; bien souvent en dehors de toute direction voulue et coordonnée ; toujours sans effort. L'inspiration subconsciente se fait parfois sentir pendant le sommeil, sous forme de rêves coordonnés et lucides.

Dans d'autres cas, plus nombreux, il y a comme une collaboration entre le conscient et l'inconscient. L'œuvre est « amorcée » par un acte de volonté et faite à la fois d'efforts réfléchis et d'inspiration spontanée et tout à fait involontaire. Cette collaboration aboutit parfois à des résultats différents des résultats primitivement cherchés. Il est extrêmement rare qu'un grand artiste ou écrivain dresse d'avance le plan d'une œuvre et y reste fidèle ; commence son œuvre par le commencement et la termine par la fin ; compose régulièrement et sans à-coups, comme un maçon, par exemple, bâtit une maison.

Le travail du grand artiste est irrégulier ; le plan qu'il avait primitivement conçu subit, en cours d'ouvrage, des modifications profondes, et parfois complètes. Les ébauches ne procèdent pas les unes des autres, avec régularité, du commencement à la fin de l'œuvre. Elles alternent au gré de l'inspiration du moment. L'artiste n'est pas maître en effet, de son inspiration. Parfois elle est absente : si l'artiste s'obstine, malgré tous ses efforts, il n'arrivera ce jour-là qu'à une tâche médiocre, qu'il jugera ensuite inférieure et mauvaise.

S'il a la sagesse de ne pas insister, il verra, un autre jour, la tâche abandonnée se terminer comme par enchantement ; car le travail inconscient se poursuit pendant le repos, et surtout pendant le repos [1].

Le subconscient au travail

L'artiste sent parfaitement s'il est inspiré ou s'il ne l'est pas. Dans le premier cas, travail facile, presque sans obstacles, accompagné d'une profonde satisfaction, parfois de ravissement. Dans le deuxième cas, fatigue non seulement intellectuelle, mais vraiment physique ; arrêts perpétuels ; labeur fastidieux et douloureux accompagné d'une impression d'impuissance découragée. L'inspiration ne vient pas de l'effort, au contraire ; elle vient parfois au moment où on l'attend le moins, surtout en dehors des périodes de travail réfléchi, quand l'esprit est distrait.

Il est des écrivains ou artistes qui ont toujours avec eux un carnet pour noter, à toute heure et en toute circonstance, ce que leur soufflera le caprice de l'inspiration : quelques vers si c'est un poète ; un postulat philosophique si c'est un penseur ; la solution d'un problème vainement creusé auparavant si c'est un savant ; une période bien faite si c'est un littérateur, etc.

Ainsi guettent-ils, toujours et partout, prêts à l'accueillir, l'inspiration bienfaisante : dans leur cabinet de travail ou en promenade ; dans l'isolement ou dans la foule ; dans leur lit ; dans le train qui les emporte en voyage ; dans la voiture qui les emmène à leurs affaires ; au sein d'une réunion mondaine où ils s'isolent ; au cours d'une conversation banale qu'ils n'écoutent pas et à laquelle ils ne s'associent que par monosyllabes ; parfois enfin en rêve conscient.

Dans les cas les plus remarquables de la collaboration conscience-subconscient, il semble que l'œuvre, *amorcée consciemment s'élabore tout entière peu à peu dans la subconscience,* avec le plan définitif, les différents casiers et tous les détails. Mais ces différents casiers et tous les détails n'arrivent à la conscience que peu à peu et non dans un ordre de suite régulier. Ce n'est que quand l'œuvre est très avancée, que le plan et l'ordre de disposition des parties se révèlent peu à peu. Il y a là comme un jeu de puzzle subconscient et l'artiste ou écrivain (car c'est surtout des écrivains qu'il s'agit) doit faire effort pour trouver où vont se placer les pages ou les phrases inspirées.

---

1. C'est ce qu'avait fort bien compris Saint-Pol Roux, qui, lorsqu'il dormait, ne manquait pas d'accrocher à sa porte une pancarte sur laquelle il avait écrit : « Le poète travaille. » Ce qui, par-delà la plaisanterie, manifestait une conscience rare du travail profond de l'esprit pendant le sommeil ou la rêverie. (N. de l'E.)

Quand l'œuvre est terminée, elle se trouve totalement différente de l'ébauche du début ; mais elle donne une impression de beauté et d'arrangement qui semble à l'artiste supérieure à ses propres capacités. Elle lui laisse l'impression de lui être en partie étrangère et il l'admire objectivement, comme il admirerait une œuvre qui ne serait pas de lui.

Il y a d'ailleurs tous les degrés, toutes les modalités possibles dans la collaboration consciente-subconsciente. Certains artistes ou savants, en général (mais non toujours) de valeur médiocre, ne la perçoivent pas. Ils croient sincèrement que tout ce qu'ils produisent est le résultat de leur effort. D'autres la perçoivent plus ou moins et l'utilisent sans l'analyser. D'autres enfin la comprennent si bien qu'ils l'emploient systématiquement, limitent rationnellement leurs efforts et arrivent à sentir très bien, en travaillant, s'ils sont ou non dans la bonne voie, large, facile, bien défrichée, ou s'ils s'égarent sans profit dans des sentiers broussailleux et perdus.

L'inspiration, néanmoins, sauf dans des cas très rares, ne dispense pas de l'effort. Elle rend simplement l'effort fécond et le réduit au minimum. L'effort, par contre, ne peut se passer de l'inspiration. La collaboration de l'effort conscient et de l'inspiration subconsciente produit les chefs-d'œuvre les plus parfaits.

Sans l'effort rationnel et le contrôle conscientiel, l'inspiration, même géniale, risque de s'égarer. Une œuvre magnifique, mais anarchique et exubérante, sans proportions, gâtée par des erreurs, des fautes ou des déviations peut être le résultat de l'inspiration désordonnée et sans guide.

De même qu'une forêt vierge présente des frondaisons magnifiques, se détachant sur le ciel et, en même temps, des taillis broussailleux, obscurs, impénétrables et des végétations parasites étouffées ou avortées ; ainsi une œuvre puissante mais dont la géniale beauté disparaît parfois sous les aberrations et les erreurs grossières, serait le fruit d'une inspiration créatrice soustraite à la direction d'une conscience robuste et saine.

A côté de l'inspiration, il faut placer *l'intuition,* comme elle subconsciente et comme elle toute-puissante, à condition de subir, dans une juste mesure, le contrôle du jugement rationnel.

Les données de l'intuition sont acquises en dehors des faits, de l'expérience, de la réflexion, et dépassent ces faits, cette expérience et cette réflexion. L'intuition est l'essence même de la subconscience. Ebauchée dans l'animal où elle se manifeste sous forme d'instinct, elle acquiert, chez l'homme, les caractères de faculté supérieure géniale.

L'inconscient ne se révèle pas seulement par l'inspiration ou l'intuition ; mais aussi par une intrusion perpétuelle, d'ordre sentimental, esthétique, religieux, etc.

Les décisions inattendues, les changements brusques d'opinions, une foule de sentiments non raisonnés, sont en grande partie d'origine subconsciente ou le fait d'une élaboration subconsciente.

Qui sait même si certaines idées qui nous paraissent parfaitement réfléchies ne sont pas comme les floraisons d'une végétation subconsciente invisible ?

Enfin, tout *le fond de notre être ; ce qui constitue le principal du moi* : les capacités innées, les dispositions bonnes ou mauvaises, le caractère, ce qui sépare essentiellement une intelligence d'une autre intelligence, n'est pas le produit d'un effort personnel ou de l'éducation ou des exemples ambiants.

Efforts, éducation, exemples peuvent développer ce qu'il y a dans l'être d'inné et d'essentiel ; ils ne peuvent pas le créer. Ce fond inné et essentiel, c'est, répétons-le, le subconscient, dont l'activité constitue une sorte de *cryptopsychie* formidable, et que nous venons de passer en revue.

On n'oublie rien...

A côté de ce fond inné et essentiel prend naturellement place ce que d'aucuns ont appelé la *cryptomnésie,* c'est-à-dire la mémoire subconsciente.

En effet, le subconscient n'apporte pas seulement à l'être ce qu'il a de psychiquement essentiel ; il conserve aussi et recèle tout ce que l'être, au cours de la vie, semble avoir acquis par son psychisme conscient.

Pour lui, il n'y a pas d'oubli. Il garde tout, intégralement.

La cryptomnésie s'observe dans la psychologie normale comme dans la psychologie anormale ; mais c'est naturellement dans cette dernière qu'elle est le plus remarquable.

Flournoy est peut-être le psychologue qui a le mieux étudié la cryptomnésie. Les faits de réapparition de souvenirs oubliés, que le sujet prend à tort pour quelque chose de nouveau et d'inédit, sont, dit-il, beaucoup plus fréquents qu'on ne croit. « Les simples mortels, comme les plus grands génies, sont exposés à ces lapsus de mémoire, portant non sur le *contenu* mnésique lui-même, puisque précisément le contenu revient avec une exactitude parfois désolante et traîtresse, mais sur ses associations locales et temporelles (ou sur son caractère de " déjà vu ") qui l'auraient fait reconnaître pour ce qu'il est et auraient empêché le sujet de se parer innocemment des plumes du paon. On a signalé un pareil phénomène chez Hélène Kelle, une aveugle-sourde-muette, qui fut célèbre en son temps. Ayant à onze ans composé son fameux conte du Roi du Gel, elle se vit bien injustement et cruellement accusée de fausseté parce que ce conte présentait la plus grande analogie avec une histoire qu'on lui avait lue trois ans auparavant. On en a découvert chez Nietzsche, dont le *Zarathustra* renferme des petits détails provenant à son insu d'un ouvrage de Kerner que le philosophe avait étudié à l'âge de douze ou quinze ans. Mais c'est naturellement chez les individus particulièrement prédisposés aux phénomènes de dissociation mentale et de dédoublement de la personnalité que la cryptomnésie atteint son apogée. »

Un exemple classique de mémoire subconsciente dans la psychologie normale est celui du rappel instantané de souvenirs latents, lors d'un violent bouleversement psychologique tel que celui que peut produire un danger brusque de mort accidentelle : on a cité des cas où l'individu aurait ainsi vu défiler devant son esprit tous les événements de sa vie, tous ses actes et toutes ses pensées, même les plus insignifiants et les plus effacés de sa conscience.

La cryptomnésie peut se manifester dans le rêve.

Le cas classique de Delbœuf est tout à fait caractéristique à cet égard ; dans un rêve compliqué, il vit entre autres choses, une plante avec son nom botanique, *l'asplenium ruta muraria*. Or, Delbœuf ignorait totalement ce nom ou du moins croyait l'ignorer. Il finit, après de longues recherches, par trouver qu'il avait feuilleté distraitement, deux ans auparavant, un album de botanique et qu'il avait sûrement vu là ce nom de plante et la plante elle-même, auxquels il n'avait jamais songé depuis lors.

Dans l'hypnose et les états connexes, la cryptomnésie se manifeste parfois avec une remarquable intensité.

Si le sujet est reporté, spontanément ou par suggestion, à une époque reculée de sa vie, tous les souvenirs oubliés reparaissent et le psychisme manifesté est exactement celui que le sujet avait à cet âge. Les expériences de Janet et celles de de Rochas sur la régression de la mémoire ont mis le fait en évidence.

Parfois le sujet, dans cet état de régression à un âge antérieur, fait preuve de connaissances complètes totalement oubliées, par exemple celle d'une langue apprise dans l'enfance. Pitres, qui fut professeur à la Faculté de Médecine de Bordeaux à la fin du XIXᵉ siècle, cite le cas d'une malade, Albertine M. qui employait ainsi le patois de la Saintonge, qu'elle avait parlé seulement dans son enfance. Pendant ce délire de régression, dit Pitres, « elle s'exprimait en patois, et si nous la priions de parler français, elle répondait invariablement et toujours en patois qu'elle ne connaissait pas la langue des messieurs de la ville ».

On connaît le cas d'Hélène Smith qui, dans un état de somnambulisme médiumnique, parlait en sanscrit, langue qu'elle ignorait

218

totalement et qu'elle n'avait jamais apprise. Malgré toutes ses recherches, Flournoy n'a pu découvrir la cause du phénomène [1].

C'est dans le médiumnisme, en effet, que la cryptomnésie se manifeste dans toute sa splendeur. Elle serait alors la source insoupçonnée de messages stupéfiants.

M. Flournoy cite en effet une foule de faits qu'il attribue tous à la cryptomnésie : médiums décrivant la biographie de personnages inconnus d'eux mais qu'ils ont pu connaître, à leur insu, par un coup d'œil oublié sur un journal ayant donné cette biographie ; médiums parlant des lambeaux d'une langue ignorée d'eux, simplement parce que ces lambeaux de phrase leur sont un jour quelconque et oublié, tombés sous les yeux, etc.

« En somme, conclut Flournoy, le contenu mnésique, quelque soit d'ailleurs la voie par laquelle il est entré, lecture, conversation, etc., ressort en automatismes *sensoriels* (visions, voix, etc.) ou *moteurs* (dictées typtologiques, écriture mécanique) ou *totaux* (transes, incarnations, personnifications somnambuliques). Cette diversité, cela va sans dire, se complique encore des broderies dont la fantaisie du médium entoure souvent des fragments proprement cryptomnésiques. »

Parmi les exemples donnés par Flournoy, il en est de particulièrement remarquables. En voici quelques-uns.

Cas Elisa Wood : Mme Elisa Wood, veuve depuis une semaine, reçut la visite d'une amie, Mme Darel (l'écrivain genevois bien connu) qui possédait alors de remarquables facultés médiumniques. Mme Darel lui apportait « de la part du défunt le message suivant obtenu à sa table : dites à Elisa qu'elle se rappelle le lundi de Pâques ». « C'était une allusion frappante à un fait connu de M. et Mme Wood seuls ; il s'agissait d'une promenade faite en cachette de leurs familles, un certain lundi de Pâques avant leurs fiançailles, et qui leur avait laissé un souvenir ineffaçable. Cette preuve éclatante d'identité convainquit Mme Wood, qui ne tarda pas à en avoir une seconde, encore plus importante, aux séances qu'elle alla faire chez Mme Darel. M. Wood étant mort assez rapidement après leur voyage de noce, sa veuve ne croyait pas qu'il eût laissé un testament, et les recherches qu'elle fit à ce sujet, sur le conseil de ses parents, restèrent vaines, jusqu'à ce qu'un jour où elle était avec Mme Darel à la table, celle-ci lui dicta de la part du défunt : " Tu trouveras quelque chose de moi sous une sous-tasse dans le tiroir du lavabo. " Elle y trouva en effet une feuille de papier constituant le document en question. Elle se souvint alors qu'à l'instant de partir en voyage, son mari

---

1. Théodore Flournoy, *Des Indes à la Planète Mars*. Genève, 1900.

l'avait fait attendre un moment et était rentré sous un prétexte quelconque dans leur chambre à coucher, évidemment pour y écrire et y cacher son testament. »

« Or, dit Théodore Flournoy, rien ne prouve que Mme Darel ou l'un des siens, se promenant le lundi de Pâques (qui est jour férié chez nous) dans les environs de Genève, n'ont pas rencontré ou aperçu de loin le couple des futurs fiancés, et que ce souvenir oublié ne soit pas l'origine du message qui impressionna tant la jeune veuve ; de même le second message concernant le testament caché, peut fort bien avoir eu sa source dans de simples réminiscences et inférences subconscientes de Mme Wood. »

Le cas du curé Burnet

Le sujet dont se servait Flournoy reproduisit un jour, dans l'état second, un prétendu message d'un certain Burnet, curé d'une commune de la Haute-Savoie, mort depuis un siècle. Les recherches entreprises par le professeur démontrèrent l'identité absolue de l'écriture et de la signature du message avec celles du curé, de son vivant.

Comment expliquer cela ? Le médium, suppose Flournoy, avait passé un jour, dans son enfance, par la commune qu'avait habitée le curé. Il avait vu par hasard (c'est toujours l'hypothèse de Flournoy) sur un document quelconque, par exemple un vieux contrat de mariage, l'écriture et la signature du curé. En tous cas, il n'avait pas le moindre souvenir de ce voyage. Il s'agissait d'un souvenir acquis à son insu et ignoré, mais intact, qui avait provoqué dans l'état second, cette étrange et parfaite réminiscence.

A côté de ces exemples remarquables, que les spirites attribuent, non à la cryptomnésie, mais à des manifestations post-mortem, Flournoy en donne d'autres, très nombreux qui, sous des allures tout aussi mystérieuses en apparence, relèvent, à coup sûr, de la pure cryptomnésie : médiums donnant, comme venant de soi-disant défunts, des preuves d'identité reconnues, après enquête, erronées, mais conformes à des clichés parus dans tel ou tel journal, clichés qui avaient évidemment frappé les regards du médium, à un moment quelconque, sans éveiller son attention consciente.

Ce qui frappe particulièrement, dans l'étude de la psychologie subconsciente, pour peu que l'on mette dans cette étude un peu de sens philosophique, c'est qu'elle ne *répond à aucune loi physiologique connue* : toujours la même question, fatalement, s'impose à l'esprit du chercheur : pourquoi et comment la portion du psychisme qui constitue ce qu'il y a de plus important dans le moi est-elle cryptoïde ? Pourquoi et comment la conscience et la volonté, sans lesquelles il n'y aurait pas de moi, voient-elles leur échapper la majeure partie de ce moi ? Le mystère est également profond, qu'il s'agisse de cryptomnésie ou de cryptopsychie. Il est physiologiquement impossible de comprendre comment la mémoire consciente, soumise à la volonté et à la direction du moi est éminemment caduque, débile, infidèle alors que la mémoire subconsciente, qui ne lui est accessible que par accidents ou dans les états anormaux ou supranormaux, semble aussi étendue qu'infaillible.

C'est ce que tout démontre cependant.

Bien mieux, la débilité et l'impuissance de la mémoire normale sont telles que parfois les connaissances ou capacités subconscientes qui échappent à la direction du moi paraissent lui être totalement étrangères et constituent, dans l'individu, comme de véritables « consciences secondes ».

C'est ainsi que surgissent, dans la complexité effarante du subconscient, non seulement le dédoublement, mais la multiplication de la personnalité.

Les altérations de la personnalité

Les problèmes principaux que pose la mise au jour des personnalités secondes sont au nombre de deux, également ardus :

1° *Le problème de la différence psychologique* avec la personnalité normale : différence non seulement de direction, de volonté ; mais de caractère général, de tendances, de facultés, de connaissances ; différences tellement radicales parfois, qu'elles impliquent, entre le moi normal et la personnalité seconde, opposition complète et hostilité.

2° *Le problème des capacités supranormales,* qui sont liées fréquemment aux manifestations de personnalités secondes.

Or, si les travaux sur les personnalités multiples sont aujourd'hui innombrables et ont mis en lumière la fréquence, l'importance et le caractère polymorphe de ces manifestations, ils n'ont rien fait pour la solution du second problème, qui reste entier.

Ils n'ont réussi qu'à révéler l'abîme qu'il y a entre les personnalités banales et sans originalité de la suggestion hypnotique, les altérations psychiques d'origine pathologique ou traumatique, et les personnalités autonomes et complètes qui semblent parfois occuper tout le champ psychique du sujet.

Ils ont montré, surtout, l'impuissance totale des explications de la psycho-physiologie classique vis-à-vis *des facultés supranormales.*

On hésite à l'avouer, tant cette conception des choses est irrecevable, mais encore aujourd'hui, beaucoup ne craignent pas d'avoir recours à ce qu'ils croient être l'explication des phénomènes dits paranormaux. D'après eux, tout ce qui, au point de vue psychologique, n'est pas dans la moyenne, relèverait de la maladie : hypnose, manifestations de personnalités multiples, etc. Quant à l'inspiration supérieure et au génie, ils seraient simplement les fruits de la folie...

A la base de toutes ces manifestations morbides, on trouverait d'ailleurs une cause pathogénique essentielle : la dégénérescence. Le facteur « dégénérescence » est d'autant plus commode qu'il est plus élastique : il régenterait à la fois les manifestations névropathiques banales ou hystériformes (dégénérescence inférieure) et les manifestations géniales (dégénérescence supérieure).

Ainsi, tout ce qui, au point de vue intellectuel, serait soit au-dessous, soit au-dessus de la normale, serait le fait de la maladie.

L'étiquette morbide est donnée avec plus ou moins de discrétion ou de brutalité, suivant telle ou telle école ou tel ou tel psychiatre ; mais elle est à peu près générale.

Un tel parle d'auto-intoxication et de surmenage chez des prédisposés : « Plus un organe travaille, lit-on en substance, plus il se développe et plus il est susceptible, en même temps, de maladie. Une des maladies du cerveau, c'est l'automatisme ou l'apparition du subconscient. Et ce subconscient, nous l'avons vu, au lieu d'être un trouble pour l'esprit, est souvent un ferment de création, quand il n'est pas lui-même création. »

Singulière maladie, qui, au lieu d'être une cause de « trouble » et de diminution pour l'individu, augmente ses capacités et sa puissance !

Lombroso, lui, invoquait carrément la folie.

D'autres précisent différemment. Ils ramènent le talent et le génie à l'arthritisme.

Mais la palme, ici, revient à un certain docteur Serph. Ce dernier ne procède pas par demi-mesures et il a le courage de ses opinions. Pour lui, on va chercher bien loin l'origine du génie. Le génie est le produit pur et simple de... la syphilis héréditaire !

« Si la syphilis, conclut gravement le docteur Serph, fait le mal que tous les médecins sont unanimes à reconnaître et à craindre pour l'humanité ; elle lui donne, en revanche, la possibilité de perfectionner ses moyens d'action et compense ainsi, dans une certaine mesure, par son action hypertrophiante cérébrale, créatrice des idées particulières géniales, ses méfaits redoutables [1]. »

On ne peut se défendre de quelque impatience lorsqu'on voit des hommes de science soutenir de semblables théories et l'on éprouve comme une sorte de malaise d'être obligé de réfuter des idées qui ne mériteraient que le dédain !

Il le faut cependant.

Remarquons, en premier lieu que, des divers facteurs morbides invoqués, un seul semble avoir en sa faveur sinon l'appui, du moins la concordance des faits : c'est la névropathie.

Il est très vrai que les hommes de grand talent ou de génie sont, sauf rarissimes exceptions, des « névropathes ». Mais qu'est-ce que la névropathie ? La science médicale l'ignore totalement. *Les névroses sont de pures énigmes* au point de vue de l'anatomie pathologique, comme d'ailleurs la démence précoce et autres psychoses.

Nous verrons que, bien loin d'expliquer le mécanisme du psychisme anormal ou supérieur, les névroses recevront elles-mêmes leur propre explication des connaissances approfondies sur la nature essentielle du subconscient.

Mais ce n'est pas tout : supposons les théories morbides justifiées : *elles ne résolvent en rien les problèmes psychologiques posés par les manifestations subconscientes.* Ce n'est pas parce qu'on aura dit : « le génie est névrose ou folie » qu'on aura fait comprendre le *mécanisme essentiel* des productions géniales.

Le grand penseur, artiste ou savant, apporte à l'humanité quelque chose de nouveau ; il crée. C'est un fou ! dites-vous. Soit, mais comment la folie est-elle créatrice ? Tant que vous n'aurez pas étalé à nos yeux le mécanisme du psychisme subconscient, vous n'aurez fait, en le couvrant d'une étiquette morbide, que reculer la difficulté.

Ce n'est pas parce qu'on aura dit : les manifestations de personnalités secondes ne sont que les produits de la désintégration du moi qu'on les aura fait comprendre, bien au contraire. La désagrégation de la synthèse psychique peut donner la clef des altérations de la personnalité ; mais *seulement des altérations par diminution de cette personnalité.*

Cette diminution de la personnalité est évidente dans certains cas d'amnésie, consécutive aux traumatismes crâniens, à de grosses émotions, à des infections graves, à l'épilepsie, etc.

Elle apparaît aussi dans l'automatisme psychologique de P. Janet. Mais dans les manifestations de « personnalités secondes » autonomes et complètes, on ne la retrouve plus. Quand ces personnalités secondes occupent tout le champ psychologique du sujet, manifestent une volonté très originale, font preuve de facultés et de connaissances différentes de celles du sujet et parfois supérieures à celles qu'il possède normalement, on ne peut plus invoquer comme explication unique la désintégration du moi. Il est en effet impossible d'admettre que la personnalité seconde, fraction du moi, soit aussi étendue et même plus étendue que le moi total. La partie n'est jamais égale ou supérieure au tout.

Il faut donc renoncer à trouver, dans la désagrégation psychologique, une explication générale des modifications de la personnalité.

Ce n'est pas parce qu'on aura dit : tel médium est un hystérique, qu'on aura fait comprendre l'action à distance (en dehors de ses sens, de ses muscles et de son cerveau), de sa sensibilité, de sa motricité et de son intelligence ; qu'on aura donné la clef du formidable problème posé par la psycho-physiologie supranormale avec ses facultés de lecture, de pensée, de lucidité, ou d'action idéoplastique et téléplastique.

Enfin, dernier argument d'ensemble contre la théorie de la morbidité : *cette théorie est contraire à la logique des faits*. Il est contraire à tout ce que nous enseigne la physiologie de déclarer qu'un organe malade est capable de donner des produits supérieurs à ceux d'un organe sain, cela surtout d'une manière constante et quasi régulière.

Il y a en effet une contradiction insoutenable à déclarer que la puissance physique est fonction de la santé, et de prétendre d'autre part que la puissance intellectuelle géniale est fonction de la maladie.

DOCTEUR GUSTAVE GELEY

Chapitre II

La seconde science
du rêve

Après Freud, les neurophysiologistes ont examiné à leur tour, par d'autres méthodes, un domaine caché de l'esprit, celui du rêve. Leurs conclusions sont parfois différentes.

L'inconscient devient l'objet d'une investigation scientifique renouvelée. L'importance de cette seconde science des rêves, où tout est mesures et résultats chiffrés, tient à ce qu'elle explore avec les armes de la raison et de l'expérience objective un ensemble de phénomènes que l'on croyait aussi rebelles à l'analyse que la télépathie, elle aussi traquée désormais en laboratoire.

La science des rêves est si nouvelle que, malgré ses découvertes prodigieuses, elle est presque inconnue. Elle est indépendante de la discipline psychanalytique, qui cherche à interpréter les rêves, à comprendre leur symbolisme [1]. Elle est fondée sur la physiologie et utilise des technique d'investigation très perfectionnées. Elle met en lumière des questions essentielles sur les rapports du psychisme et du corps et permet aussi à la parapsychologie d'entrevoir dans quel cadre immensément compliqué s'effectuent les rêves prémonitoires ou les rêves télépathiques que celle-ci étudie.

Depuis un quart de siècle, le rêve, phénomène insaisissable en apparence, mais que l'on a toujours cherché à rationaliser ou à intégrer dans des mythes ou des conceptions métaphysiques, commence à être appréhendé par des méthodes scientifiques aussi rigou-

---

1. Voir en particulier, parmi les ouvrages de S. Freud, *l'Interprétation des rêves*.

reuses que celles employées pour comprendre l'hérédité et les chromo-
somes. Ces études donnent une image plus précise de l'homme et de
ses facultés.

L'activité du cerveau pendant le sommeil

L'étude du sommeil et des rêves a beaucoup progressé depuis les
premières découvertes faites, à partir de 1950, par Nathaniel Kleitman, W. Dement, à Chicago et par M. et F. Jouvet à l'université de
Lyon. On sait maintenant que les rêves bien construits, les fragments
de rêves, les cauchemars, les idées décousues, les répétitions de rêves
précédents se succèdent continuellement à des niveaux d'*inconscience*
ou de *conscience* divers pendant toute la durée du sommeil. Chacune
de ces activités mentales trouve sa place dans la gradation des états
de conscience que l'on voudrait, aujourd'hui, mieux préciser.

Il est vrai qu'en réveillant un sujet à un moment plutôt qu'à un
autre, lorsqu'il dort, il se souviendra plus ou moins bien de son rêve.
C'est parce que l'activité cérébrale n'est pas uniforme ; les rêves ne
se fixent donc pas uniformément dans la mémoire. Le sommeil n'est
pas un état de repos strict. Au contraire, certaines cellules ou fonctions sont infiniment plus actives pendant le sommeil que pendant la
veille [1]. Le cerveau garde à tout moment une conscience sélective
de son environnement. Même les somnifères chimiques et les anes-
thésies ne lui font pas perdre le contact. Celui· que l'on a appelé
« l'homme du rêve », le docteur Nathaniel Kleitman [2], commença
ses travaux vers 1920. En 1927, Hans Berger inventa l'électro-
encéphalographie. Il isola et enregistra la circulation de microcourants
électriques entre les différentes régions de l'encéphale. Entre 1954
et 1958, une nouvelle découverte devait permettre à Kleitman,
Dement, Aserinsky de préciser les limites du sommeil paradoxal. Il
s'agit de la polygraphie ou enregistrement simultané de l'activité
nerveuse, du tonus musculaire, des mouvements oculaires, des rythmes
respiratoire et cardiaque. Kleitman empêcha des sujets de dormir pour
voir quelles seraient leurs réactions. Après quatre-vingt-dix heures de
veille, un individu normal devient agressif, il a des hallucinations et
ses performances psychomotrices diminuent. Dans les premières
publications sur le rêve, la responsabilité de ces troubles est attribuée
à la suppression du sommeil paradoxal. On remarque qu'en réveillant
systématiquement un sujet en dehors des phases paradoxales, il a très

1. E. Hartmann : *Biologie du rêve* (Bruxelles, Dessart, 1970).
2. La première publication sur le rêve de Aserinsky et Kleitman fut faite
dans *Science,* 4 septembre 1953.

L'électro-encéphalographie mesure l'activité électrique du cerveau et distingue différentes ondes au cours du sommeil, bien que les appareils soient encore trop grossiers pour déceler tous les détails de l'activité cérébrale.

sommeil, mais n'est pas à ce point perturbé. Dans certaines circonstances thérapeutiques très précises, la privation de sommeil paradoxal peut être bien supportée, sans toutefois empêcher les hallucinations.

Kleitman remarqua très tôt les mouvements des yeux à certains moments du sommeil. Il fit un rapprochement entre ces mouvements et une activité électrique particulière du cerveau. La vérification fut faite et ces périodes reçurent à cette occasion le nom de « Rapid Eye Movement » (R.E.M.), ou sommeil paradoxal. Doublement paradoxal d'ailleurs : tout d'abord parce que l'activité corticale rapide tranchait avec un relâchement du tonus musculaire, ensuite parce que, d'après les électroencéphalogrammes enregistrés, le tracé d'*ondes cérébrales* ressemblait fort à celui de l'éveil. En fait, l'activation observée n'est pas identique à celle de la veille. Pendant le sommeil paradoxal apparaissent les ondes alpha qui sont en principe [1] celles de la veille paisible ou de l'éveil apparent.

Le sommeil profond laisse apparaître des ondes delta. On ne croit plus qu'il existe de « sommeil » correspondant au tracé delta seul (1,5-2 cycles par seconde), mais au moins deux états de sommeil provoqués par deux systèmes cérébraux qui interfèrent. Ainsi, l'électrocardiogramme indiqua que ces R.E.M. s'accompagnaient d'une accélération du pouls et des signes cardiaques de l'émotion. Les sujets réveillés en cours de R.E.M. se souvenaient parfaitement de leurs rêves ; avant ou après, ils ne s'en souvenaient pas. Cela ne signifiait pas pour autant qu'ils ne rêvaient pas, mais qu'ils ne s'en souvenaient pas. Kleitman prouva alors qu'on rêvait toutes les nuits et que la plupart de nos rêves étaient oubliés ou filtrés, mais le plus souvent considérablement diminués pour la conscience. C'était, par extension, la preuve que toute une partie de notre vie mentale nous échappait, sans que nous puissions jamais mesurer les conséquences de cette lacune, notamment en ce qui concerne la compréhension de nos idées, de nos motivations et de nos comportements.

Au cours d'une nuit de sommeil, les tracés d'électroencéphalogramme changent continuellement. Tout d'abord, il y a les ondes alpha, lentes, amples, correspondant à la transition entre l'éveil et le sommeil. C'est le stade hypnagogique, l'endormissement peuplé d'images fragmentaires. Il dure quelques minutes. Les ondes alpha s'atténuent peu à peu, remplacées par les ondes delta, caractéristiques du sommeil. Kleitman et Dement ont donné le nom de niveau ou stade 1 à cet état, qui dure entre une et sept minutes, dans lequel coexistent alors deux rythmes. Succédant à la somnolence, le stade 2

---

1. En principe, car, aujourd'hui encore, la connaissance de l'activité électrique du cerveau par l'électroencéphalogramme est grossière. Voir C. Kayser : *le Sommeil et le rêve* (Paris, P.U.F., coll. « Que sais-je ? », n° 24, 1972).

est celui du vrai sommeil, bien que sa profondeur soit moyenne. Les ondes alpha ont disparu, mais les ondes delta n'atteignent pas toute leur ampleur. Si l'on réveille le sujet au stade 1 ou 2, il dit qu'il ne dormait pas vraiment, mais il admet qu'il était dans un état de rêverie.

L'électroencéphalogramme trace ensuite des ondes correspondant à une tension très supérieure à celle de l'activité alpha de l'état de veille. Au stade 3, les fonctions vitales, rythme cardiaque, tension artérielle, température, ralentissent. Le sujet est alors très endormi. Le rythme delta atteint sa forme typique au stade 4 (ou sommeil lent). Il s'est alors écoulé entre quinze et trente minutes depuis que le sujet a fermé les yeux. L'électroencéphalogramme montre une production accrue d'ondes lentes. On peut difficilement réveiller le dormeur. S'il se réveille finalement, il a presque toujours oublié son rêve. L'électroencéphalogramme est là pour prouver qu'il y a eu pourtant une activité mentale. Les cauchemars, les terreurs et discours nocturnes, le somnambulisme et l'éveil brusque interviennent toujours pendant le stade 4. L'affaiblissement du tonus musculaire de cette phase explique peut-être la sensation que l'on a d'être prisonnier de son cauchemar et de ne pouvoir réagir [1].

Le sujet passe par une phase paradoxale après chaque sommeil lent, puis successivement par les stades 3, 2 et 1. La profondeur du sommeil diminue à chaque cycle, tandis que la phase paradoxale séparant ces cycles augmente en durée et décroît en profondeur. Les cinq tranches de sommeil de durée égale sont entrecoupées de courtes périodes de réveil dont nous avons exceptionnellement conscience et qui servaient probablement, à l'origine, à renseigner l'homme sur le milieu environnant et ses dangers éventuels. Généralement, l'éveil a lieu après le dernier sommeil paradoxal.

Un dialogue avec l'univers

Le rêve tel que nous le connaissons est apparu chez les mammifères il y a environ deux cents millions d'années. Sur le plan évolutif, on constate que plus le sommeil devient profond, plus le comportement de l'animal est complexe. Le rêve s'harmonise avec la montée de la pensée. Peut-être est-il une des formes d'exercice libre du cerveau. Peut-être n'est-il pas le produit de l'évolution, mais son agent principal. Le sommeil existe chez certains mollusques, les céphalopodes et chez certains poissons. Il devient général à partir des batraciens. En deçà des oiseaux, on n'a jamais pu observer d'activité onirique :

---

1. Le rêve n'est pas du tout le gardien du sommeil. C'est au contraire un moment très dangereux pour l'individu qui devient vulnérable.

sans doute parce qu'elle n'existe pas, mais peut-être aussi parce qu'elle adopte une autre forme ou que nos moyens d'observation sont trop grossiers pour la déceler. Le sommeil du chimpanzé est en tout point comparable à celui de l'homme.

L'idée que l'on se fait aujourd'hui du rêve ne cadre plus du tout avec les interprétations de Freud et de la psychanalyse. En révélant les processus biologiques qui sous-tendent le rêve, la physiologie a entraîné ici de déchirantes révisions. Le rêve est la partie la plus accessible de l'inconscient. Le rêve reprend les interrogations de la veille, donne des commentaires, apporte des solutions. Le rêve est un dialogue avec nous-mêmes et avec l'univers, à condition que nous y prenions garde et que nous sachions à quoi s'appliquent ses enseignements, masqués souvent par un symbolisme imaginaire.

Lorsque l'inventeur Elias Howe travaillait à la création de l'une des premières machines à coudre, il rêva de lances entremêlées dont la pointe se tournait vers le sol. Symboles insignifiants ou érotiques pour tout autre que lui, ces lances lui donnèrent l'idée de placer le chas des aiguilles non plus dans le haut, mais dans le bas. Plusieurs chercheurs rapportèrent des découvertes analogues.

Le rêve isolé de son contexte psychique total se perd dans l'inconscient, sombre dans l'oubli et va rejoindre le lot des souvenirs perdus. Et cela n'est pas sans conséquence. Carl A. Meier, de l'institut Jung, dit à ce sujet : « Le matériel du rêve peut apparaître trop étrange, trop étranger ou trop en avance ; il fera dans ce cas une impression très étrange mais forte, ou bien il sera immédiatement oublié simplement parce que le système conscient manque des concepts nécessaires pour l'assimiler convenablement ». Dans les rêves symboliques de Howe et Kekule, la solution-symbole n'a pu être clairement comprise que parce que ces chercheurs y avaient pensé auparavant. Leur conscience a accueilli et retenu le message de l'inconscient. L'activité de la pensée pendant le sommeil possède un rythme propre et sa logique. Et c'est une négligence de croire que les rêves ne sont que la satisfaction nocturne imaginaire des désirs inassouvis ou inavoués pendant la veille.

Le professeur Ullman, de l'hôpital Maimonide à Brooklyn, voit dans le rêve un aspect plus véridique et plus global de l'existence du rêveur. Peut-être n'est-ce pas le cas de tous les rêves, mais il y a là une tendance irrépressible à approfondir sa vie. La plupart des rêves ne parviennent même pas à la conscience. Aussi peut-on prendre l'habitude de les noter au réveil. Un phénomène d'apprentissage ou de conditionnement se manifeste alors. Il s'avère que plus on prend soin de ses rêves, plus on s'en souvient. Un chercheur britannique du siècle dernier, Frederick Van Eeden, a collectionné les récits de rêves. Il a appelé rêve lucide le rêve où l'on sait que l'on rêve sans se réveiller et qui permet de se contempler soi-même de ce double point de vue. Les yogis ont des techniques fort anciennes permettant de garder le contrôle de leur conscience pendant leur sommeil.

Certaines expériences ou impressions restées inachevées pendant le sommeil pourraient en retour être approfondies durant l'éveil. A défaut de posséder une unité organo-psychique parfaite, il serait ainsi possible d'amorcer un dialogue entre les divers états de conscience.

C'est ce dialogue que s'efforcent d'établir les chercheurs de l'hôpital Maimonide de Brooklyn en étudiant la transmission télépathique entre deux rêveurs, entre un sujet éveillé et un sujet endormi, ou bien les phénomènes de préconnaissance.

Notons que de nombreux psychiatres sont venus à la parapsychologie à la suite d'expériences de rêves télépathiques spontanés avec leurs malades.

Jung[1] classait les rêves prémonitoires parmi les phénomènes de synchronicité. Il pensait que ces rêves se présentaient toujours dans un contexte très proche de l'événement réel. La thèse du rêve prémonitoire-appel au secours ne se vérifie en fait que dans les circonstances catastrophiques, ce qui n'est pas toujours le cas. Il est possible que, se sentant angoissé, le sujet lance un appel et se projette à la recherche de contacts amicaux. Il s'agit alors d'une transmission télépathique. Le rêve prémonitoire est encore négligé par la science classique qui admet, tout au plus, la thèse de Louisa Rhine[2] selon laquelle le rêve prémonitoire ancien provoquerait parfois une impression de « déjà vu ». Cette impression est facilement reproductible par la stimulation électronique de certaines zones du rhinencéphale. Sur le plan de l'activité mentale, ces rêves seraient le produit du sommeil à ondes lentes, c'est-à-dire de la mentation non-R.E.M.[3] On sait que ce sommeil est plus profond que le sommeil paradoxal et que son activité mentale n'est guère remarquable. Le rêveur n'en retiendrait donc que des fragments éphémères. Alors que les cellules cérébrales envoient leurs échanges au hasard dans le stade R.E.M., au cours de la mention non-R.E.M., les cellules envoient leurs échanges simultanément en rafales synchronisées. Cette activité a été comparée à celle, également rythmée, d'autres états modifiés de la conscience, notamment la méditation, qui facilitent les phénomènes « psi ».

David Foulkes, de l'université du Wyoming, a étudié la mentation

1. C. G. Jung : *Ma Vie, souvenirs, rêves et pensées* (Paris, Gallimard, 1966). Voir aussi « le Rêve », in H. Bergson : *l'Energie spirituelle* (Paris, P.U.F., 1962).
2. L. Rhine : *les Voies secrètes de l'esprit* (Paris, Fayard, 1970).
3. On distingue les périodes nocturnes de pensées à ondes lentes, les mentations non-R.E.M. et les R.E.M. du sommeil paradoxal à ondes rapides. On comprend qu'en limitant le rêve à la phase R.E.M. seulement, on refuse d'admettre l'existence des rêves prémonitoires.

non-R.E.M. Il la compare aux pensées qui constituent pendant la veille le « bruit de fond » de nos idées conscientes. Ces fragments d'idées ou d'événements n'émergent jamais vraiment à la conscience mais peuvent reprendre des idées précises, épiloguer sans pour autant gêner l'action. De la même façon, les rêves non-R.E.M. peuvent reprendre ou anticiper des rêves R.E.M.

Au niveau neurophysiologique, il est certain que le sommeil n'est pas un état d'endormissement de la conscience. C'est un état distinct de la veille. Mais est-il situé en deçà ou au-delà de l'éveil ? Probablement il connaît ces deux étapes à des moments différents. Toujours est-il que certains rêves prouvent qu'il existe dans le sommeil une possibilité de préconnaissance égale ou supérieure aux intuitions de l'état de veille. Le rêve bénéficie peut-être du fait que le cerveau lui consacre la majeure partie de ses activités, n'étant pas dérangé par toutes les sollicitations du monde extérieur.

Le rêve et les hypothèses scientifiques

Dans les rêves, les notions rationnelles admises sont malmenées. On assiste à une distorsion du temps, de l'âge. On peut se voir tel que l'on est, en train de regarder l'enfant que l'on était.

Personne ne prétend pouvoir expliquer ces phénomènes mais les suggestions ne manquent pas. Un physicien, sir Adrian Dobbs, propose l'existence de particules d'énergie, les « pistrons », qui opéreraient dans une dimension du temps et auraient une masse imaginaire. Ils se déplaceraient plus vite que la lumière.

William Tiller postule l'existence des « perceptrons », radiations venant du futur. Gerald Feinberg propose le « tachyon », particule plus rapide que la lumière, dont la découverte bouleverserait complètement notre notion du temps. Un certain nombre de chercheurs ont fait sous stimulation cérébrale électronique une curieuse expérience. Ils avaient la sensation que le temps avait été créé artificiellement par l'homme. Hier leur aparaissait « à côté » ou « à bâbord ».

Tous ces phénomènes sont liés en apparence, mais de manière inextricable. Ainsi, les biochimistes qui déclarent posément qu'en dehors de l'explicitation des mécanismes de la pensée et du cerveau la science a presque tout compris, sont probablement trop rapides ou ridicules. Chaque fois qu'une nouvelle précision est apportée sur leur fonctionnement, un univers infiniment plus vaste que la question posée succède à la réponse donnée. Notre négligence vis-à-vis du rêve, notre irresponsabilité vis-à-vis de cette activité mentale essentielle n'est pas commune à toute l'humanité. Il existe dans les forêts équatoriales de la péninsule malaise une tribu, les Sénoï, qui organise toute sa vie en fonction des rêves. Chaque matin, l'enfant sénoï

Le rêve n'est pas une activité inférieure du cerveau. Il coïncide dans l'évolution biologique avec une montée de la pensée hors des brumes du psychisme naissant. ◀

a pour devoir le récit de ses rêves. Ceux-ci sont interprétés et commentés par toute la famille et, dans les cas douteux, par tous les hommes de la tribu. Quand un Sénoï rêve qu'il maltraite ou injurie une personne, il va la voir dès son réveil, lui présente ses excuses ou lui fait un cadeau. S'il rêve que quelqu'un l'insulte, il va informer cette personne afin de recevoir des excuses. Les rêves prémonitoires y sont particulièrement précieux. Aucun rêve n'est tenu pour effrayant. Tous ont, pour les Sénoï, une raison d'être. Ce fanatisme du rêve peut surprendre, il peut aussi faire réfléchir.

De nombreuses tribus ou sociétés dites autrefois « sauvages » avaient bien avant nous une santé psycho-organique supérieure à la nôtre. Après tout, la psychosomatique n'est-elle pas encore, pour certains Occidentaux, synonyme de « tout dans la tête » ? C'est une erreur de croire que notre cerveau fonctionne bien sans que nous ayons à nous en soucier. Il est constamment agressé et sous-employé. Selon différentes estimations, nous utiliserions habituellement de 5 à 10 % de ses possibilités. Si l'Occident part sérieusement à la conquête de ses facultés avec des préoccupations scientifiques, il rejoindra probablement des vérités connues par certaines traditions millénaires et modifiera la représentation de l'univers qu'en donne sa science officielle. L'étude des rêves est aujourd'hui l'une des armes qui lui sont données.

MICHÈLE MASSON

Chapitre III

Le rêve est-il un des moteurs de l'évolution ?

Les découvertes effectuées dans le cadre de la physiologie des rêves sont suffisamment surprenantes pour inviter à rêver, mais aussi à méditer, en bousculant quelques idées toutes faites sur les processus encore inexpliqués [1] qui ont permis aux espèces vivantes d'évoluer jusqu'à l'homme.

Le mystère des rêves est à plusieurs niveaux, peut-être même couvre-t-il tous les niveaux de la réalité, de même que le cerveau du dormeur est organisé dans toute la profondeur de ses dimensions, du lobe à la particule élémentaire, et, peut-être pour cette raison, le niveau le plus profond est-il celui de l'espace et du temps, transcendé parfois par les paradoxes de la télépathie et de la prémonition. Ou bien existe-t-il, plus loin encore, une face de nous-même et des choses que n'éclaire plus seulement la lumière des phénomènes — synonymes de la science —, mais bien celle de l'absolu éternellement poursuivi par la pensée humaine. Certains hommes le disent, qui justement, s'ils disent vrai, commencent d'échapper à la simple humanité. Le rêve recouvrirait alors en nous, hommes primitifs, le chaos originel de l'homme futur non encore éclos. Sous cette couverture dormirait la matière brute de la pensée surhumaine.

Ainsi, aux yeux du croyant, prendraient un sens cosmique tant de passages de la Bible et d'autres livres sacrés où il est dit que Dieu parle à l'homme à travers les songes.

1. Pierre P. Grassé, *L'évolution du vivant.* Albin Michel, 1973.

235

Mais si ces niveaux existent, nous ne les atteindrons que progressivement par notre recherche et notre effort. Il faudra d'abord élucider la couche d'énigmes posées par la physiologie du rêve, dire en particulier en quoi le rêve est tellement lié au mystère de la vie que, empêcher de rêver, c'est tuer. « Le grand mystère demeure, écrivait Jouvet, au terme de sa contribution à l'ouvrage collectif sur la *Psychiatrie animale*. Si l'on admet, comme nous le pensons, que l'activité onirique constitue un fait biologique autonome, distinct de l'activité hypnoïque, quelle est sa signification ? Quel prodigieux mécanisme, au cours de l'évolution, a transformé un phénomène périodique déclenché par la partie caudale du tronc cérébral, en support d'une des formes les plus riches et les plus signifiantes de notre vie mentale ? Le fou est un rêveur éveillé et le rêveur un fou endormi. Qu'une vie mentale normale, ou peut-être la vie d'un mammifère, soit dépendante de cette folie périodique au cours du sommeil, voilà le fait qui donne toute sa richesse à l'état de sommeil paradoxal. »

L'homme de science ne peut que poser ces questions. Et c'est aussi l'homme de science, et lui seul (ou personne) qui les résoudra. De patience, d'imagination et de méthode fut acquis chaque progrès de la science des rêves. Le lecteur non scientifique ne se persuadera jamais assez que le savant occupé à chercher comment il va pouvoir obtenir la deuxième décimale d'une mesure, d'une simple et modeste mesure, remue en sa tête plus d'hypothèses, toujours plus ingénieuses, examine à la loupe plus d'idées et fait finalement bien plus travailler son cerveau que le rêveur irresponsable, toujours prêt à expliquer toute choses, ourvu qu'on ne l'obli e pas à essoir sur une expérience précise les merveilleuses spéculations du haut desquelles il croit écraser l'homme de laboratoire.

Et cependant, les questions du professeur Jouvet, nous nous les posons tous, hommes de science ou non. Quand on a une fois pris conscience que cesser de rêver, c'est mourir aussi sûrement que cesser de manger ou de boire, et que nos rêves explorent pratiquement toutes les nuits des dimensions de l'univers où la science élaborée par la pensée vigile n'a pas encore atteint, quand on sait qu'au-delà du rêve lui-même commence un nouveau monde de la pensée tellement hors de toute expérience usuelle que ceux-là à qui il est familier ne trouvent aucun mot [1] pour nous le décrire, on ne peut

1. Les textes classiques les plus célèbres sur la pensée dite mystique sont, aux yeux du lecteur moyen, plus remarquables par leur beauté que par leur limpidité. Qu'on les prenne dans la littérature indienne, ou chez Platon, ou chez Plotin, chez les musulmans ou chez les chrétiens, tous conviennent préalablement que ce qu'ils veulent dire est ineffable. Nos bons rationalistes ont naturellement conclu de l'inef-

empêcher son esprit de voler un peu, sans attendre, au-delà du certain, et de précéder, entre le possible et l'improbable, la démarche méthodique de la science expérimentale. On ne peut l'empêcher, parce que l'inquiétude est la première qualité de l'intelligence et que tous les grands efforts de l'humanité sont nés d'un rêve éveillé. Seulement, nous sommes avertis : il n'est pas interdit, et il est même recommandé de rêver, à condition de savoir qu'on rêve. Les Américains et les Russes ne seraient sans doute pas partis à la conquête des planètes s'il n'y avait eu Jules Verne et sa lyrique descendance de la science-fiction moderne. La science elle-même ne les aurait pas poussés de si tôt ; on sait que de nombreux hommes de science, et en particulier la presque unanimité des prix Nobel américains, jugeaient insensée, folle et sans intérêt cette formidable aventure. Mais si les rêves de tous les Jules Verne ont inspiré cette conquête des planètes, seules les techniques les plus rigoureuses et les plus éloignées du rêve l'ont permise.

Nous allons donc rêver sur le rêve, sans cesser de savoir que nous rêvons. Des quelques hypothèses rapidement esquissées dans les pages qui suivent, aucune ne bénéficie d'un commencement de preuve. Dans le cas le plus favorable, toutes sont fausses, sauf une, que rien pour le moment ne permet de distinguer des autres. Un cas presque aussi improbablement favorable serait que plusieurs de ces hypothèses se révèlent plus tard en partie vraies et en partie fausses, et que la vérité fût un cocktail de quelques-unes d'entre elles, allongé de beaucoup d'inconnu. Le cas le plus probable est que toutes ces hypothèses ne sont finalement ni vraies ni fausses, parce que le mystère qu'elles ont supposé éclairer n'est pas ce qu'on croit et n'a pas encore trouvé sa véritable formulation scientifique. Une seule chose est certaine : c'est que la vérité, quelle qu'elle soit, sera plus fantastique qu'aucune d'elles. Et une autre chose aussi : que la moindre expérience bien menée nous en apprend plus que toutes ces hypothèses mises ensemble.

---

fable au néant de signification, attitude d'esprit qui présente l'incontestable avantage de glisser sous leur tête rebelle à la fatigue le mol oreiller de la paresse mentale. « Attendons », comme se plaît à répéter M. Imbert Nergal. Le pithécanthrope aussi a attendu. Il devrait pourtant être évident pour chacun que, si la pensée humaine peut parfois se hausser au-dessus du niveau où s'est développé le langage, cette expérience sera par définition ineffable. Ineffable du moins dans le langage de M. Imbert Nergal, de M. Held et du pithécanthrope. Un langage adéquat à un certain niveau de pensée ne saurait se développer qu'à ce niveau. Et il est justement remarquable que les mystiques, quand ils lisent les textes mystiques, savent très bien de quoi il y est question. Ce langage qui nous paraît, à nous, obscur, est pour eux d'une parfaite clarté. « Qu'ils nous le prouvent ! » clameront ici MM. Held et Imbert Nergal. Eh ! messieurs, quand les mathématiciens (par exemple) se déclarent d'accord entre eux, faut-il encore, pour échapper à la douche et au cabanon, qu'ils se fassent comprendre des ignorants et des psychanalystes !

L'étude du rêve en laboratoire conduit progressivement à la découverte de lois secrètes de la vie et prépare l'homme à une meilleure conscience des dimensions cachées du cosmos (la Terre vue d'Apollo 8).

Qu'est-ce donc que le rêve ?

Cela dit, qu'est-ce donc que le rêve ? Quel est son rôle, quelle est sa place dans l'organisation du monde vivant et du monde pensant ?

Une première idée consiste à supposer qu'un inconscient collectif commun à tous les êtres vivants est le guide de l'évolution biologique. On sait qu'aucune théorie n'a encore trouvé d'explication satisfaisante à la patiente montée de la pensée à travers les espèces, ni à son accélération constante tout au long des ères géologiques, accélération qui se poursuit en ce moment avec notre participation sous sa forme historique. Si l'évolution est guidée par un inconscient collectif où toutes les espèces vivantes baignent pendant leur sommeil, il est évident que toute impulsion initiale au mouvement d'évolution se traduira par une accélération, puisqu'à chaque plongée nouvelle dans la nuit du sommeil, chaque être vivant déposera dans l'inconscient collectif le surcroît d'informations acquis au cours de la journée écoulée. Comment cet inconscient guiderait-il l'évolution ? Par la seule méthode dont les hommes aient jusqu'ici expérimenté l'efficacité : par la sélection. Les néo-darwiniens font appel à la sélection aveugle du hasard, qui se heurte à une foule d'objections classiques[1]. Mais là où la sélection aveugle échoue, la sélection dirigée obtient indiscutablement des résultats. La sélection dirigée, c'est le choix des partenaires sexuels. En accouplant systématiquement des chiens aux pattes courtes, on obtient les bassets. Les chiens auraient eux-mêmes créé le basset naturellement si leurs amours avaient été guidées comme le calcul des éleveurs, si les chiens et chiennes à pattes courtes avaient systématiquement cherché à s'accoupler entre eux.

Si un moteur inconscient pousse l'un vers l'autre les êtres de la même espèce et (par exemple) d'indice céphalique supérieur, on observera une sélection des indices céphaliques croissants, et une montée accélérée de l'indice.

Comment agira ce moteur inconscient ? Cette question revient à nous demander comment l'inconscient agit sur le conscient. Répondons : par le truchement du rêve, et nous aurons notre première hypothèse, disons notre premier sujet de discussion en réserve pour les soirées d'hiver et que l'on pourrait exprimer en ces termes :

Le rêve est la manifestation de l'inconscient collectif, guide de l'évolution terrestre, à chaque conscience solitaire lancée dans son aventure singulière, entre naissance et mort. C'est par lui que nous vient l'orientation de nos goûts, de nos passions, de nos dégoûts aussi, d'où découlent en particulier nos choix sexuels.

Le moteur de l'évolution

Parmi ses nombreuses séductions, cette hypothèse a l'avantage de justifier au passage la bipolarité (ou la multipolarité) sexuelle, vieux mystère jamais élucidé depuis Platon qui, le premier (à ma connaissance) s'en inquiéta : la bipolarité sexuelle est le moyen dont le rêve est le guide.

Naturellement, les objections ne manquent pas. On y répondra toujours, et la discussion ne cessera que le jour où une expérience tranchera la question. Quelle expérience ? Autre intéressant thème de discussion.

Pendant que nous y sommes, remarquons que l'existence d'un

1. Voir, dans *Trois milliards d'années de vie*, d'André de Cayeux, les pages 159 et suivantes.

au-delà du rêve de même nature que l'extase peut brancher directement notre inconscient collectif sur la divinité, ou sur l'infinie conscience cosmique, ou sur telle autre entité conforme à notre foi.

Un cas particulier intéressant est celui qui résulte de la prise en considération des thèses spirites. Rappelons que, pour les spirites, nous poursuivons, pendant un certain « temps » après la mort, une vie assez semblable à celle-ci, grâce à la libération d'un corps « astral » incorruptible (mais cependant sujet à évolution) et que les « esprits » possesseurs de ces « corps » peuvent correspondre avec nous par divers intermédiaires dont le plus classique est le médium en transe [1].

Dans le cadre spirite, la théorie du rêve instrument de l'évolution biologique pourrait prendre l'aspect très particulier d'une traversée quotidienne, par tous les êtres vivants de la planète (du moins de tous ceux qui rêvent), du royaume des morts, qui serait aussi celui de l'inconscient collectif. L'évolution accélérée s'expliquerait alors admirablement par l'enrichissement quotidien, constant, ininterrompu de l'univers « astral » par la formidable machine à fabriquer de l'astral que constituerait la Terre, d'un fleuve énorme jetant éternellement son flot toujours renouvelé de morts dans l'au-delà. On peut d'ailleurs se demander s'il n'y a pas une spéculation de cette sorte derrière le fameux monologue d'Hamlet : « Mourir, dormir, rêver peut-être. » Peut-on, en effet, en imaginer plus lapidaire résumé ?

Voici un autre type d'hypothèse, inspiré par le parallélisme qui existe entre le développement du monde du sommeil et celui de la veille.

Tout au bas de l'échelle des êtres vivants, les zoopsychologues ne décèlent pas d'autres comportements que les comportements automatiques, semblables à ceux qui s'observent dans notre corps endormi : processus neuro-végétatifs ou actes réflexes déclenchés par les stimuli sensoriels. Aussi a-t-on dit souvent que les êtres inférieurs ne sortent

---

1. Le point de départ de la théorie spirite est précisément le phénomène authentique et facile à reproduire de cette transe, état de la pensée et du cerveau participant à la fois de l'éveil et du sommeil et dont nous avons déjà parlé. On aurait tort de tenir tous les spirites pour des benêts décidés à prendre coûte que coûte des vessies pour des lanternes : ce n'est pas là la définition d'esprits comme Victor Hugo, Flammarion, Lombroso, William James, Crookes, Myers et tant d'autres. Si de tels hommes ont cru à l'authenticité de la communication avec les morts, c'est que tout homme (ou femme) mis en état de transe, fût-il le plus ignorant du spiritisme et le plus ignorant tout court, fût-il même M. Galifret ou le secrétaire général de l'Union rationaliste, se met à parler comme s'il était possédé par l'esprit d'un mort. Et, à son « réveil », le « médium » (fût-il M. Galifret) garde généralement le souvenir d'un « contact » avec des « morts ». Quant à savoir comment interpréter ces faits, on en discute depuis une centaine d'années. Le chamanisme, qui est peut-être la plus ancienne de toutes les religions, est une forme primitive du spiritisme. Le fameux *Livre des morts tibétain* en présente une autre forme, tout aussi ancienne et d'une admirable grandeur cosmogonique et spirituelle.

du néant que pour dormir et du sommeil que pour retourner au néant.

Au cours de l'évolution [1], le premier changement dans ce domaine s'observe quand le sommeil devient une fonction : en même temps (et du même coup) s'opère dans l'autre sens un premier éveil de la conscience. Les comportements d'un animal qui dort sont infiniment plus complexes que ceux d'un animal chez qui l'on n'observe aucun sommeil différencié.

Plus le sommeil devient profond, plus le comportement devient complexe. Puis apparaît le rêve, et l'on a vu que son approfondissement progressif correspond, dans l'évolution biologique, à la montée de la conscience.

Au niveau humain, il semble indiscutable que les prouesses de la pensée onirique dépassent celles de la pensée vigile : on peut facilement déceler une activité prémonitoire et télépathique chez presque tout homme normal qui se trouve bien empêché, éveillé, d'en faire autant. D'où l'hypothèse suivante :

Le sommeil lent (sans rêve) est un état de pensée homogène, indifférencié. Le rêve est une fonction néguentropique agissant à la façon d'un démon de Maxwell qui trie les processus mentaux de plus grande improbabilité et qui en livre le mécanisme ou tout au moins l'image à la pensée vigile à travers le souvenir que celle-ci en garde.

Le rêve serait donc la pensée du cerveau quand il fait ses gammes en toute liberté, affranchi des limitations et des nécessités imposées par la manœuvre du corps au sein du milieu physique. Le souvenir du rêve inspirerait les essais et les tentatives de la pensée vigile. Je ne sais si cette hypothèse mène loin. Elle suggèrerait en tout cas que ce que je suis en train d'écrire ici, je l'ai déjà rêvé, ce qui, il faut l'avouer, serait plutôt curieux et digne d'une de ces nouvelles de Borgès où les idées s'emboîtent comme des poupées russes. D'un point de vue plus pragmatique, elle donnerait à penser que, si nous sommes si rarement télépathes à l'état vigile, c'est peut-être parce que nous voulons l'être. Les observations de Tenhaëff sur de nombreux paragnostes hollandais montrent bien, semble-t-il, que la voyance survient lors des états d'attention et même de conscience atténuée [2].

---

1. D'après les études anciennes (qu'il faudra sans doute reprendre avec les méthodes polygraphiques quand on aura pu adapter celles-ci aux difficultés que cela comporte), il n'existe de sommeil ni chez les protozoaires, ni chez les métazoaires (patelle, convulta, littorine, étudiées par Piéron en 1913), ni chez les crustacés. Le sommeil commence chez certains mollusques (les céphalopodes) et certains poissons. Il est incontestable chez le batracien. Au-dessus du batracien, il est général.

2. Les observations du Dr Tenhaëff et de ses collaborateurs ont été publiées dans les « Proceedings of the Parapsychological Institute of the State University of Utrecht », n° 1, 2 et 3.

Notons que, si nous poussons un peu notre hypothèse, il va falloir expliquer aussi pourquoi le rêve assurerait ce rôle de terrain d'essai de la pensée. A cette question, on peut donner une réponse strictement matérialiste et mécaniste : il n'assume aucun rôle. Mais le cerveau étant ce qu'il est — c'est-à-dire provenant de tel processus évolutif que l'on voudra —, il ne peut que faire *plus* quand il est *moins asservi,* c'est-à-dire quand le sommeil le déconnecte du corps. Objection : pourquoi ferait-il *plus,* plutôt que *n'importe quoi ?* Réponse : peut-être fait-il n'importe quoi, y compris le *plus,* retenu à travers le souvenir par la pensée vigile de préférence au quelconque, comme en témoigne ce livre.

A la réponse mécaniste on peut en préférer une autre, plus romantique : si notre pensée onirique *oubliée au réveil* est en avance sur notre pensée vigile, elle peut être impunément manipulée par quelqu'un ou quelque chose sans que nous le sachions, si bien que notre existence vigile serait intégralement téléguidée à notre insu. Téléguidée par qui ? Je renvoie à la science-fiction (les Grands Galactiques), au surréalisme (les Grands Transparents), à Charles Fort, à Eschyle (Ananchë, le Destin), etc.

Mais ne frustrons pas nos lecteurs de leurs propres suppositions et passons à une autre hypothèse.

Le rêve est-il la pensée libre ?

Nous avons vu au début de cet ouvrage que le cerveau est l'objet le plus complexe que la science connaisse actuellement et que sa complexité consiste essentiellement en une organisation totale, à tous les niveaux, depuis celui des particules (et peut-être au-delà) jusqu'à celui de la physiologie nerveuse macroscopique.

Nous savons, d'autre part, que tout le contenu conscient de notre pensée vigile est fait d'images macroscopiques ou d'abstractions. Mais nous ne savons pas à quel niveau se situe la source du phénomène appelé conscience, ni même si elle se situe à un niveau quelconque [1].

D'où l'hypothèse suivante :

Le rêve est une activité de la pensée consciente affranchie des servitudes macroscopiques et à qui, par conséquent, il peut arriver, soit par hasard, soit sous l'action de circonstances inconnues, de se développer dans le cadre de l'espace-temps hyperrelativiste sans passé ni futur.

---

1. Elle peut être en effet de nature spirituelle. Et si l'on me dit que nul ne sait la signification de ce mot, j'acquiescerai, en ajoutant qu'il en va de même du mot matière, ce qui n'empêche guère, que je sache, la recherche.

Le cerveau est la machine la plus compliquée de tout l'univers connu actuellement, et nos ordinateurs n'en sont qu'un reflet éloigné.

Cette hypothèse se combine tout naturellement avec les précédentes pour répondre à la question de savoir qui ou quoi oriente l'inconscient collectif dans son action directrice de l'évolution biologique : le mot « orienter », pris dans son sens temporel de développer une action en fonction d'un but futur, n'a plus de signification quand le futur est aussi présent que peut nous le paraître le présent. L'action de cet inconscient collectif, qui nous semble tendre vers un but infiniment mystérieux et lointain n'est que la perspective sous laquelle nous apparaît à nous, êtres conscients qui passons, le fait de l'organisation de l'espace-temps, de son ordre, dans toutes les dimensions de son infinité.

243

L'extase serait la claire vision de cet ordre, et l'on comprend son accomplissement. Et peut-être aussi notre soif d'amour, si cet ordre est bon. Pourquoi, dès lors, serait-il insensé d'admettre, comme le proclament ceux qui disent avoir contemplé cet ordre infini et s'être identifié à lui, qu'il est lui-même une pensée, ou qu'il en procède de quelque façon ?

Nous en sommes à notre troisième hypothèse. Irons-nous jusqu'à la quatrième ? Le jeu est facile, mais à quoi bon[1] ?

Toutes ces spéculations sont vaines parce qu'aucune ne répond ni ne saurait répondre à la modeste petite question que n'aurait pas manqué de poser déjà Hercule Poirot : pourquoi le petit chat est-il mort ?

Pourquoi le chat du professeur Jouvet, empêché de rêver, meurt-il avec des lésions aux glandes surrénales ? Pourquoi, ce qui revient sans doute au même, les volontaires de Dement commencent-ils à souffrir de névroses vers la quatrième nuit sans rêve ? C'est là, sur ce point précis, que doit s'appliquer la seule réflexion assurée d'obtenir un résultat. Il est possible, il est probable même que le pas à pas de la recherche expérimentale conduira un jour les hommes jusqu'aux « sublimes » régions entrevues à l'instant. Mais il n'existe aucun raccourci assuré. La naissante science du rêve a sans doute trouvé l'une des clés qui livreront à l'homme, mais lentement, par le labeur des expériences mille fois recommencées, le monde jusqu'ici scellé de son mystère intérieur. Et le fait nouveau est que cette clé est valable pour tous, que si elle est appelée à ouvrir quelque chose, c'est à tous les hommes qu'elle l'ouvrira. C'est là la grande différence entre la recherche expérimentale née il y a quatre siècles et les intuitions des sages enfantés depuis toujours par les grandes civilisations non techniques. Elle met fin aux privilèges aristocratiques incontrôlables parce qu'intransmissibles. Ce qu'elle sait, tous peuvent l'apprendre. Peut-être est-il vrai que les mieux doués ont toujours pu atteindre en une vie ce que la science ne promet qu'à nos petits-neveux. Mais que retirerait, de leur réussite, l'humanité ? Un trésor fut un jour

---

1. La tentation est cependant trop forte de citer encore un article de C. R. Evans et E. A. Newman dans le « New Scientist », n° 419, novembre 1964, intitulé : *Dreaming an analogy from computers* (le Rêve, une analogie avec les ordinateurs). Les deux auteurs y soulignent l'étrange analogie existant entre le besoin de rêver éprouvé par le cerveau et la nécessité où les techniciens des machines électroniques se trouvent d'en purger périodiquement la mémoire des informations anciennes rendues périmées par les acquisitions ultérieures. Le rapprochement ingénieux et amusant se fonde cependant sur une conception purement psychanalytique, et sans doute restrictive, du rêve. Il faut désormais admettre que le rêve est une nécessité biologique, dont les mécanismes sont à rechercher au niveau des concomitances neurochimiques et physiques. Tout le reste est bavardage de psychiatre paresseux. Le mérite d'Evans et Newman est de suggérer aux psychanalystes la recherche de ces concomitances dans l'organisation du réseau cellulaire du cortex.

entrevu au fond de la mer, peut-être à la faveur d'une tempête de l'esprit, et les hommes se mirent à en rêver. Quelques-uns entreprirent de chercher le geste ou la parole magiques qui les transformeraient en poissons. Et l'on dit que, de temps à autre, l'un d'entre eux, par hasard, faisait le geste ou prononçait la parole. Mais quel état ce geste ? Quelle était cette parole ? Ils ne savaient le dire. Alors, d'autres hommes entreprirent de vider la mer avec une petite cuillère. Ceux-là ne savaient qu'une chose, mais ils la savaient bien : c'est qu'un jour le trésor leur appartiendrait.

J'ai voulu cependant agiter un peu — à peine — les idées que nous trouverons peut-être en route avec notre petite cuillère, pour faire sentir que les sciences en train de naître en cette fin de millénaire nous entraînent irrésistiblement vers un bouleversement de notre raison et de notre cœur. Nous approchons du temps où la question tant agitée au siècle dernier de savoir si la science peut établir une morale cessera d'avoir la moindre signification, et cela pour la raison que la science nouvelle, attachée à la découverte de l'homme, devra, au-delà d'un certain niveau, être aussi une morale ou cesser de progresser. Les théoriciens de l'ascèse savent cela depuis longtemps, à leur façon tout empirique qui ne fut pas sans résultats : rien ne sert de savoir comment faire, et rien d'ailleurs n'assure que l'on sait, tant que l'on ne fait pas. Il n'y aurait pas de théoriciens de la sainteté s'il n'y avait pas de saints. L'homme à découvrir n'est pas seulement, il n'est, à vrai dire, que très peu l'homme qui existe déjà : il est surtout l'homme à faire. La science de l'homme futur sera donc une technique de la surhumanité.

Voilà de bien grands mots à propos de songes. Mais il faut se faire à l'idée que cesser de rêver, c'est mourir.

N'oublions pas la mort du petit chat...

AIMÉ MICHEL

Chapitre IV

Les rêves lucides

Une thèse qui se développe actuellement à l'avant-garde de la recherche scientifique américaine est que la science étudie l'envers des choses, l'envers de la création, mais que cette création a aussi un endroit perçu par la conscience.

Les acquis de la parapsychologie et le renouvellement des hypothèses en physique confirment une telle vision.

Le premier des mystères, c'est : pourquoi y a-t-il quelque chose, plutôt que rien ?

Et le deuxième, aussi grand que le premier : pourquoi suis-je là, en train de penser ?

Ces deux grandes interrogations expriment la relation de l'homme avec l'absolu. Je plains ceux dont elles ne traversent pas l'esprit au moins une fois par jour, car il ne leur sert à rien d'être hommes. La condition de salade leur conviendrait tout aussi bien. Je plains davantage encore ceux qui s'en sont débarrassés par un effort dévoyé de leur intelligence, sous la pression des sophismes imaginés par certains philosophes, linguistes et psychanalystes. Selon ces philosophes, il n'y aurait pas lieu de se poser des questions ne comportant aucune réponse imaginable. Et pourquoi donc, si ces questions expriment le plus profond mouvement de mon âme ? Je salue les philosophes avec respect et passe outre à leurs allégations, puisqu'il n'existe pas une seule de celles-ci à laquelle d'autres philosophes n'aient imaginé au moins une dizaine de réfutations, toutes aussi plausibles.

Je passe outre aussi aux démonstrations des linguistes qui voudraient me prouver que ces deux questions sont sémantiquement vides, dénuées de sens. Merci pour les démonstrations, mais il y a

Le sommeil peut contenir une catégorie de rêves appelés lucides où le dormeur ◀ *sait qu'il est en train de rêver.*

quelque part une signification, je le sens bien, en dépit des meilleures démonstrations. Or ce que j'éprouve de plus profond en moi, c'est, premièrement, le mystère d'être et, deuxièmement, celui de penser, d'avoir conscience. Tout ce que vous pourrez me dire n'atteindra jamais dans ma conscience la plus vive et la plus personnelle le tourment de ces deux questions.

Quant au discours psychanalytique, c'est affaire de choix. Je rejette quant à moi l'inconsistant et l'invérifiable et n'accepte que l'expérience : l'expérience intérieure, et l'expérience scientifique qui comporte toujours à sa source une expérience intérieure. Tout le reste est superstition.

La science ne saurait nous dire ni pourquoi il y a quelque chose plutôt que rien, ni pourquoi il existe un « je » qui pense. Mais sur ce « je » qui pense, elle rend notre interrogation encore plus obsédant et brûlante : en effet, tout son système d'explication, dont on sait la formidable puissance, s'arrête au seuil de la conscience. Comme le remarquait Lord Adrian, « nous expliquons tout sans la conscience, nous n'avons pas besoin d'elle ». Même le neurophysiologiste qui étudie la douleur traduit tout ce qu'il voit en observations et mesures objectives : de son tableau final, où tout sera peut-être « expliqué », la douleur en tant que fait vécu sera elle-même évacuée. Selon l'expression de Raymond Ruyer et des nouveaux gnostiques, la science ne se développe que dans l'envers des choses [1]. L' « endroit de l'univers », c'est-à-dire l'univers pensant, qui dit « je » (moi, vous) n'existe pas dans le tableau que dresse la science, et ne peut y exister.

C'est pourquoi rien n'est plus précieux qu'une porte ouverte sur cet « endroit » qui pense. L'art, la poésie sont une de ces portes. Mais l'art et la poésie n'explorent que des régions familières de l' « endroit » pensant, je veux dire seulement les régions où vagabonde notre conscience ordinaire plus ou moins éveillée. Le domaine du rêve est plus vaste que ces régions-là. Pendant le rêve, la conscience vagabonde loin du connu, dans des aventures et des expériences absentes de l'univers de la veille.

Malheureusement, l'univers propre du rêve n'a été que très peu exploré et décrit. Je ne sais pourquoi la littérature du rêve vécu est si pauvre. Les grands livres qui décrivent des rêves se comptent sur les doigts de la main [2].

---

1. Voir mon article sur « La gnose de Princeton » (*Question de,* n° 6, p. 23).
2. Les deux meilleurs datent du XIXᵉ siècle. Ce sont celui du marquis d'Hervey de Saint-Denis : *les Rêves et les moyens de les diriger* (1867, réédité en 1964, Paris, par le Cercle du Livre précieux) et celui d'A. Maury, introuvable : *le Sommeil et les rêves* (Paris, Didier, 1878).

Le hasard m'a fait tomber récemment sur un texte très peu connu, qui m'a paru d'une exceptionnelle valeur et dont je vais citer des extraits : il s'agit d'une étude *(A Study of Dreams)* publiée en 1913 par un médecin hollandais dans les *Proceedings* de la Société de Recherches psychiques de Londres [1]. Cette étude ne remplit que trente pages de la revue anglaise. L'auteur, Van Eeden, promet de rédiger un livre plus complet, ce qu'apparemment il n'a pas fait (cela se saurait). Cependant, le type de rêve auquel il consacre l'essentiel de son texte est tellement intéressant que ces trente pages devraient désormais figurer dans toutes les bibliographies [2] : Van Eeden est un précurseur des recherches actuelles les plus avancées en matière d'états de conscience exceptionnels. Je le cite maintenant :

« Depuis 1896 (jusqu'en 1913), j'ai étudié mes propres rêves, notant les plus intéressants dans mon journal. En 1898, j'ai commencé à tenir un compte rendu séparé pour un certain type de rêves qui me semblait le plus important, et j'ai continué jusqu'à aujourd'hui. En définitive, j'ai noté environ 500 rêves, dont 352 sont de ce type particulier que j'ai dit [...]. (Dans cet article) j'éviterai autant que possible toute spéculation et me limiterai aux faits ; mais ces faits, tels que je les ai observés, me donnent d'une façon générale la ferme conviction que les théories proposées jusqu'ici sur le monde du rêve *(dream-life)*, autant que je les connaisse, sont incapables de rendre compte de l'ensemble des phénomènes [3]. »

Rêver en état de parfaite conscience

Van Eeden expose ensuite les neuf types de rêves que comporte, selon lui, le monde onirique. De ces neuf types, je ne retiendrai ici que le septième, qui me semble le plus remarquable. C'est de ce type-là que Van Eeden a noté 352 cas entre le 20 janvier 1898 et le 26 décembre 1912, soit une moyenne de deux par mois. Van Eeden les appelle « rêves lucides ». En état de rêve lucide, le rêveur sait qu'il rêve ; il a, de son univers de rêve, une conscience aussi vive que celle que nous avons de nous-mêmes et des choses en état de veille, et, de plus, il se souvient très exactement de sa vie

1. Frederik Van Eeden : « A Study of Dreams », in *Proc. Soc. Psych. Research*, vol. 26, 1913, pp. 431 et suiv. C'est au livre du Pr Charles Tart, *Altered States of Consciousness* (New York, Doubleday, 1972), que je dois d'avoir lu Van Eeden. Naturellement le livre de Tart est introuvable en France. Je suis tombé dessus en fouillant la librairie du campus de l'Université Stanford, à San Francisco.
2. *Idem*, note 3, p. 217.
3. C'est-à-dire la récupération des fonctions de l'état de veille (pouvoir de réflexion, de souvenir, d'attention, de volonté, de décision, etc.).

éveillée (de la même façon qu'en état de veille on peut se souvenir d'un rêve parfaitement remémoré). Je cite :

« Dans ces rêves lucides, la réintégration des fonctions psychiques [1] est si complète que le dormeur se rappelle sa vie éveillée et sa présente condition (de dormeur) ; il atteint un état de parfaite conscience, il est capable de diriger son attention et de décider d'actes de libre volonté. Cependant le sommeil, je suis en mesure de l'affirmer en toute certitude, est paisible, profond, reposant. J'ai eu le premier éclair d'une telle lucidité une nuit de juin 1897 dans les circonstances suivantes. Je rêvais que je volais à travers un paysage où l'on voyait des arbres nus, car dans mon rêve on était en avril, et je remarquai que la perspective des branches et des ramilles se modifiait de façon absolument naturelle tandis que je me déplaçais. Je fis alors, au fond de mon sommeil, la réflexion que mon imagination était tout à fait incapable d'inventer et de créer une image aussi complexe que la perspective changeante de petites ramures à travers lesquelles on vole.

De nombreuses années plus tard, en 1907, je trouvai un passage dans un livre du professeur Ernst Mach, où la même observation est faite un peu différemment [2]. Mach avait découvert qu'il rêvait dans des circonstances semblables aux miennes, mais en remarquant que les effets de perspective dans les ramilles étaient faux, alors que je m'étais émerveillé d'un mouvement si naturel que j'avais jugé mon imagination incapable de les concevoir. Mach n'a pas poursuivi ses observations dans ce sens, probablement parce qu'il les jugeait sans importance. Pour moi, au contraire, je préparai mon esprit à être très attentif la prochaine fois qu'une telle chose m'arriverait, dans l'espoir de prolonger et d'intensifier la lucidité.

C'est en janvier 1898 que je pus répéter l'observation. Dans la nuit du 19 au 20, je rêvai que j'étais étendu dans le jardin devant les fenêtres de mon bureau, et je voyais les yeux de mon chien à travers la vitre. J'étais à plat ventre, observant le chien très attentivement. En même temps, cependant, je savais en toute certitude que je rêvais et qu'en réalité je reposais sur le dos dans mon lit. Alors je résolus de m'éveiller doucement et attentivement et d'observer comment ma sensation de reposer à plat ventre se changerait en sensation de reposer sur le dos. Ce que je fis, lentement et délibérément, et la transition (dont j'ai depuis fait maintes fois l'expérience) est, je dois le dire, absolument extraordinaire. C'est comme l'impres-

1. Van Eeden cite notamment Freud, Maury, d'Hervé, Havelock Ellis.
2. Le Pr Mach en question est le célèbre physicien dont le nom sert maintenant d'unité de vitesse aérienne (Mach 1, Mach 2, etc.). Le livre cité est : *Die Analyse der Empfindungen und das Verhaltness des Psychichen zum Psysichen* (Iena, Fischer, 1903).

sion de glisser d'un corps dans un autre : on a très distinctement le double souvenir de deux corps. Je me rappelais ce que j'éprouvais dans mon rêve, couché à plat ventre, mais retournant à la vie de l'éveil ; je me rappelais aussi que mon corps physique était resté tranquillement sur le dos tout le temps. Cette observation d'une double mémoire, je l'ai faite maintes fois depuis. Elle est tellement frappante qu'elle conduit presque inévitablement à l'idée d'un " corps de rêve ".

Je sais que Havelock Ellis évoque sarcastiquement les " petits barboteurs d'occulte " qui parlent d'un " corps astral ". Mais s'il avait eu ne fût-ce qu'une seule de ces expériences, il saurait que l'on ne peut se retenir ni de " barboter ", ni de penser à un " corps de rêve ". Dans le rêve lucide, la sensation d'avoir un corps, avec des yeux, des mains, une bouche qui parle et le reste, est parfaitement claire ; cependant on sait en même temps que le corps physique est en train de dormir dans une posture toute différente. Quand on s'éveille, les deux sensations se mêlent ensemble, pour ainsi dire, et l'on se rappelle aussi clairement l'activité du " corps de rêve " que le repos du corps physique.

En février 1899, j'eus un rêve lucide au cours duquel je fis l'expérience suivante. Avec mon doigt mouillé de salive, je dessinai une croix humide sur la paume de ma main gauche, dans l'intention de voir si elle serait encore là quand je m'éveillerais. Puis je rêvai que je m'éveillais et constatai la présence de la croix humide. Enfin, longtemps après, je m'éveillai réellement et sus aussitôt que les mains de mon corps physique étaient restées immobiles sur ma poitrine [1]. »

Un monde réel mais truqué

Van Eeden rapporte ensuite diverses expériences au cours desquelles, dans son corps de rêve, il cria de toutes ses forces et entendit de grands bruits, tout en sachant que son corps physique reposait, immobile et silencieux, ce que confirma sa femme. Il décrit alors ce qu'il appelle le monde « réel mais truqué » du rêve.

« Le 9 septembre 1904, je rêvai que j'étais debout devant une table, près d'une fenêtre. Sur la table étaient divers objets. Pleinement conscient que je rêvais, je réfléchis aux expériences que je pourrais faire. Je commençai par essayer de casser du verre en cognant dessus avec une pierre. Je posai une petite tablette de verre sur deux pierres et frappai avec une autre pierre, mais en vain. Je pris alors un verre

---

1. Remarquons la complication de cet état de conscience : quand il rêve qu'il s'éveille, sait-il encore qu'il dort ? On croirait une nouvelle de Borgès. Cependant, voir mon commentaire plus loin.

de cristal fin sur la table et le serrai dans mon poing de toutes mes forces, pensant en même temps combien il serait dangereux de faire cela dans le monde de la veille. Le verre ne se brisa pas, mais voilà que, le regardant de nouveau un peu plus tard, il était brisé ! Il s'était brisé correctement, mais un peu trop tard, comme un acteur qui rate sa réplique ! Cela me donna l'impression très curieuse d'être dans un monde truqué, très bien imité, mais avec de légères erreurs. Je pris alors le verre cassé et le jetai par la fenêtre pour voir si j'entendrai le bruit des débris. Je l'entendis très bien, et même j'aperçus deux chiens qui s'enfuyaient avec beaucoup de naturel. Je pensai alors quelle bonne imitation était ce monde de comédie. Voyant sur la table une carafe de bordeaux, je m'en versai et notai avec une parfaite clarté d'esprit : " Eh bien, on peut avoir aussi des sensations volontaires de goût dans ce monde de rêve ; ce vin est d'une saveur parfaite ! "

La nuit de Noël 1911, je fis le rêve que voici. D'abord je volais et flottais. Je me sentais merveilleusement léger et fort. Je voyais d'immenses et magnifiques paysages, une ville, de la campagane, le tout fantastique et brillamment coloré. Soudain, j'aperçus mon frère. Il était assis. J'allai vers lui et lui dis : " Tu sais, nous sommes en train de rêver, toi et moi. — Non, me répondit-il, pas moi ! " Alors je me rappelai qu'il était mort. Nous eûmes une longue conversation sur la vie après la mort. *(Mais le frère ne put rien lui dire de précis, il semblait ne rien savoir.)*

Alors je vis le professeur Van't Hoff, le fameux chimiste hollandais que j'avais connu étant étudiant [...]. Je me dirigeai vers lui, sachant très bien qu'il était mort, et repris mon enquête sur la vie après la mort. Ce fut une longue et calme conversation et j'étais pleinement conscient de la situation.

Je demandai d'abord comment, privés comme nous l'étions d'organes des sens, nous pouvions être assurés que notre interlocuteur était bien la personne en question et non une illusion subjective. Réponse de Van't Hoff : " Exactement comme dans la vie courante, par une impression générale. — Mais, lui dis-je, dans la vie courante l'observation est stable et consolidée par la répétition. — Ici aussi, dit Van't Hoff, et le sentiment de certitude est le même. "

J'avais, en vérité, une très forte impression de certitude que je parlais bien à Van't Hoff et non à une illusion. » (Alors Van Eeden pose les mêmes questions qu'à son frère et constate que les réponses de Van't Hoff « sont aussi hésitantes, douteuses et insuffisantes que celles de son frère ». Il se réveille parfaitement reposé. Sa femme lui confirme qu'il n'a ni bougé ni parlé.)

Rêver que l'on rêve

Toute l'étude de Van Eeden est d'un très haut intérêt. Cependant j'arrêterai là, faute de place, me bornant à examiner quelques points qu'elle soulève.

D'abord, le rêve lucide tel qu'il est décrit ici existe-t-il vraiment ? Comme je le remarquais plus haut, les créations romanesques de Borgès (entre autres) ressemblent souvent aux récits de Van Eeden. Or Borgès, vieil insomniaque, a beaucoup « rêvé » aux infinis labyrinthes de la veille et du sommeil. L' « étude » de Van Eeden a-t-elle été imaginée, comme *le Jardin aux sentiers qui bifurquent ?*

A cette question, on peut répondre avec assurance : le rêve lucide existe. Outre que d'Hervé et Mach en témoignent, nous en avons tous entendu un récit une fois ou l'autre. Quelques-uns d'entre nous l'ont vécu. Il faut cependant admettre que peu de dormeurs en sont capables. « Quant nous rêvons que nous rêvons, dit Novalis (qui a beaucoup rêvé), nous sommes sur le point de nous éveiller. » Savoir qu'on rêve, persister à rêver, se rappeler même du fond du rêve sa vie de veille, c'est une expérience sortant tout à fait de l'ordinaire.

Le plus singulier, c'est ce « monde du rêve » où se meut le rêveur lucide. Absolument rien ne le distingue du monde « réel », sauf, de temps à autre, une petite erreur. Mais erreur par rapport à quoi ? Ce qui nous permet de parler d'erreur, c'est la conviction que seul le monde physique existe, que le monde du rêve s'évanouirait sur-le-champ si le corps du dormeur était stimulé, à plus forte raison s'il subissait des dommages et, bien entendu, s'il mourait. Le monde du rêve est (croyons-nous) suspendu au monde physique, il tient de lui seul son existence. Comment en douter, quand on se rappelle que toute pensée est née de la matière minérale par évolution biologique, de la bactérie au primate tertiaire et à l'homme ? Quand on constate que ce monde du rêve n'a rien d'original, qu'il n'est qu'une copie de l'autre, un leurre, ce que Van Eeden appelle en anglais un *fakeworld* ? S'il avait une existence propre, pourquoi copierait-il celle du monde physique ?

Le lecteur devine que je pose ces questions avec une arrière-pensée. Car toutes ces remarques sur le monde onirique de Van Eeden, on peut les faire sur le « monde des morts » uniformément décrit par les « mediums » parlant sous l'action d'un « guide de l'au-delà », mort prétendu ou entité se disant supérieure. Certes, l'expérience médiumnique est réelle. Ce n'est pas une supercherie, mais bien un phénomène indubitable que cet état second, cette « transe » qui saisit certains sujets et fait parler par leur bouche une entité inconnue, dédoublement ou je ne sais quoi. Cependant, comme les rêves lucides de Van Eeden, le monde supposé de l'au-delà est une copie plus ou moins idéalisée du nôtre. On y voit de beaux paysages, des arbres, des animaux, des palais, on y goûte d'exquises liqueurs, on y rencontre des morts toujours prêts à dialoguer, ayant réponse à tout, quoique platement évasifs dès que la question devient précise.

Je ne vais pas, en quelques paragraphes, expédier ce que je pense de tout cela, qui est infiniment complexe, et me bornerai à une remarque : dans le système cosmogonique des gnostiques scientifiques, l'univers a un envers étudié par la science et un endroit perçu par la conscience [1]. Eh bien, des faits comme le rêve lucide et la transe médiumnique nous mettent en garde contre toute facile simplification : oui, il y a un endroit de l'univers matériel, qui est un autre univers, psychique celui-là ; mais cet univers psychique comporte lui-même des portes de sortie donnant sur d'autres univers dont lui-même est l'envers ! Il y a dans le mode d'être psychique un nombre inconnu, peut-être indéfini, d'*univers gigognes* où notre conscience parfois pénètre par hasard ou effraction, à son grand émerveillement, se demandant ce qui lui arrive, prête d'ailleurs à toutes les superstitions devant les fantastiques richesses découvertes d'un coup. L'hallucination est un univers gigogne dont les drogues révèlent la variété. Elle est bien différente du rêve lucide, car celui qui y pénètre n'a aucun moyen de retour, la porte de sortie n'est pas entre ses mains. Il ne peut ni se souvenir du monde de la veille ordinaire, ni décider de se soustraire à l'hallucination, mais doit attendre que la drogue ait cessé son effet, souvent sans garder la conscience qu'il est sous son empire.

La vision mystique est un autre univers gigogne. Enfin, le plus troublant de tous est celui de l'*out-of-body,* dans lequel le sujet voit son corps de l'extérieur, et réellement, semble-t-il, puisque des médecins rapportent des cas de coma profond où le malade, en se réveillant, raconte sans se tromper tout ce qui s'est passé dans son entourage et même dans les pièces voisines, ou plus loin, hors de l'atteinte normale de ses sens.

Tous ces faits nous font mesurer mieux ce qu'il y a de démesuré dans le mystère de la conscience. Quand je me demande : « Pourquoi y a-t-il quelque chose, plutôt que rien ? » la science met derrière ce « quelque chose » un univers matériel infiniment peuplé de galaxies. Et quand je me dis : « Pourquoi suis-je là, en train de penser ? » je dois me rappeler que mon médiocre petit psychisme quotidien recèle, au fond de coins obscurs qui attendent leur exploration, des portes cachées donnant sur un espace intérieur peut-être aussi infini que celui des étoiles.

AIMÉ MICHEL

1. Cf. *La Gnose de Princeton* (Paris, Fayard, 1974), de Raymond Ruyer.

Chapitre V

Vers une nouvelle
clef des songes

Si le rêve est aussi important que le donnent à penser les recherches scientifiques, son contrôle serait davantage qu'un divertissement. Il serait une intervention directe sur notre personnalité, sa formation. Est-il possible ?

Hervey de Saint-Denys a réalisé il y a cent ans des travaux sur le contrôle volontaire de l'activité onirique. Ils sont encore d'actualité. Certains n'ont pas encore été égalés. Une relecture de son ouvrage fondamental convainc de l'immensité d'un domaine dont l'exploration, avec toutes les ressources de la science, apparaît désormais inévitable.

Dans une étude sur le rêve, il serait impensable de passer sous silence, compte tenu de son importance même, l'ouvrage d'Hervey de Saint-Denys, *Les Rêves et les moyens de les diriger*, qui parut pour la première fois en 1867 [1].

Malgré toutes les découvertes qui sont intervenues depuis sa publication, le livre d'Hervey de Saint-Denys garde en effet un caractère d'actualité très remarquable. Un sens très subtil de l'observation, un esprit critique joint à une grande prudence et le souci constant de faire varier les conditions d'une expérience toujours difficile, ont conduit son auteur à des conclusions qui devraient intéresser les psychologues et les philosophes de notre temps.

Aujourd'hui certes, Hervey de Saint-Denys ne nous présenterait plus le résultat de ses observations dans le même langage : il ne

---

1. C'est en 1964 que les Editions Tchou ont réédité l'ouvrage.

nous parlerait plus des « facultés de l'âme ». Mais cette terminologie, qui n'est plus de notre époque, ne nous empêche nullement de suivre sa pensée, de reconnaître la valeur de ses recherches.

Le mépris dans lequel il tient les tentatives d'explication des rêves par l'activité du cerveau nous gêne davantage. Avouons cependant qu'au milieu du XIXᵉ siècle, la physiologie du système nerveux était encore à l'état embryonnaire. Il faudra attendre les travaux d'I. Pavlov pour connaître les lois de l'activité du système nerveux supérieur, chez l'animal d'abord, puis chez l'homme, par l'introduction de cette notion capitale du deuxième système de signalisation que constitue le langage et qui marque un abîme entre le psychisme rudimentaire de l'animal et le psychisme, si complexe et si riche, de l'homme. Il faudra également attendre des travaux comme ceux de Paul Chauchard pour que nous saisissions « les mécanismes cérébraux de la prise de conscience [1] ».

Enfin, le lecteur moderne remarquera tout de suite qu'Hervey de Saint-Denys ne nous donne aucun explication de la signification du rêve. On ne comprendra pas avant Freud, en effet, que le rêve exprime un état affectif dans un « langage intime », pour reprendre l'expression de Politzer.

Les associations d'idées

Ces réserves faites, voyons ce que contient le livre. Il est divisé en trois parties. Dans la première, notre attention est retenue par l'entraînement auquel s'est soumis l'auteur pour se rappeler ses rêves nocturnes, et qui l'a incliné à penser que l'on peut modifier volontairement ses rêves et parvenir à garder un état de conscience tel que le dormeur peut savoir qu'il fait un rêve et observer ce dernier tout en le vivant. Ce fait, très exceptionnel pour un rêveur non entraîné, peut être observé chez certaines personnes, et nous ne doutons pas que, le temps aidant, Hervey de Saint-Denys n'ait réussi à le reproduire fréquemment.

Il s'étonne à juste titre de la qualité esthétique de certaines images de rêve chez les individus qui ne sont pas des artistes. Si le rêve nocturne présente, en effet, cette curiosité, il en est de même de certaines images visuelles du « rêve éveillé dirigé » et encore plus de celles que provoquent certains produits comme la mescaline ou, mieux, l'extrait du peyotl, ce cactus du Mexique aux si curieuses propriétés hallucinatoires. Nous touchons là aux créations de l'art : ces images visuelles en sont les matériaux, dont l'artiste, avec

1. Paul Chauchard, *Les Mécanismes cérébraux de la prise de conscience*, Paris, 1956.

Le rêve est nécessaire à la vie, mais il suit des lois étranges. « Le fou est un rêveur éveillé », dit le professeur Jouvet, qui a étudié la physiologie du cerveau au cours du sommeil, « et le rêveur un fou endormi ».

les moyens techniques appropriés, fera une œuvre — mais ce ne sont que des matériaux bruts, qui devront être élaborés.

Grâce à la relation détaillée qu'il tient de ses rêves nocturnes, Hervey de Saint-Denys peut faire des observations très intéressantes sur les curieuses modalités de la mémoire. L'un de ces rêves présente une fusion étrange entre une perspective de l'église Sainte-Gudule de Bruxelles, ville où il n'était encore jamais allé, et une rue de Francfort qu'il a parcourue jadis, mais dont — à l'état de veille — il ne se souvient pas. Plusieurs années plus tard, il ne trouve pas à Bruxelles les images de son rêve, sauf Sainte-Gudule qu'il ne connaissait que par une gravure. Mais, en retournant à Francfort, il les retrouve en détail dans une rue de cette ville. Cette puissance d'évocation de la chose vue, alors qu'il semble que l'on n'y ait pas prêté une attention spéciale, n'est pas particulière à l'auteur ; elle n'en reste pas moins un fait étonnant et toujours bien difficilement explicable.

Ses premières recherches conduisent l'auteur à poser une loi qui nous paraît toujours valable. En vertu du mécanisme de l'association des idées qui, dit-il, est « cette affinité en vertu de laquelle les idées s'appellent les unes les autres, soit qu'il existe entre elles une parenté facile à reconnaître, soit que certaines particularités subtiles, certaines origines ou abstractions communes deviennent un lien mystérieux qui les unit »... « l'image solidaire de chaque idée se présente aussitôt que cette idée surgit ». Cette loi, vraie pour le rêve nocturne, l'est également pour nos représentations à l'état de veille et pour les hallucinations provoquées par une intoxication quelconque. Il faut pourtant ajouter, aujourd'hui, que le scénario d'un rêve est l'expression, devant la conscience, d'un sentiment. Or un sentiment ne peut se décrire que par analogie avec une situation vécue, au cours de laquelle le même sentiment s'est fait jour. C'est donc par un scénario que le rêveur prend conscience du sentiment qui l'anime. On comprend dès lors que les associations d'idées ne puissent être les mêmes dans un cauchemar et dans une vision euphorique.

Il y a une loi analogique qui vient compléter celle que nous propose Hervey de Saint-Denys. Celui-ci remarque d'autre part, comme nous venons de le faire, que la loi qu'il énonce s'applique également à l'état de rêvasserie « intermédiaire entre la veille et le songe ». Il rejoint ainsi nos observations sur le « rêve éveillé dirigé ».

La transition entre la veille et le sommeil est finement analysée. Nous ajouterons simplement qu'en passant de l'une à l'autre, l'homme abandonne progressivement l'esprit critique et la réflexion, caractéristiques de l'état de veille qui implique des représentations verbales (deuxième système de signalisation de Pavlov), et n'use bientôt plus que de ce langage intime (d'après Politzer), ou, si l'on veut, de ce langage imagé archaïque, qui appartient au premier système de signalisation et ne permet d'exprimer que des états affectifs.

Ensuite, Hervey de Saint-Denys se demande d'où vient l'incohérence de certains rêves. Il note très judicieusement que l'esprit critique et la réflexion s'évanouissent peu à peu. L'association des idées se fait alors plus ou moins au hasard, semble-t-il. Certaines associations, selon lui, sont le fruit de superpositions d'images, ce qui ajoute à l'incohérence première. Sans suivre complètement l'interprétation de l'école freudienne, nous savons que cette incohérence n'est souvent qu'apparente, et nous avons proposé d'admettre des niveaux de cohérence comme nous admettons, avec André Lamouche, des niveaux de conscience, notion qui nous paraît plus juste que la notion ambiguë d'inconscient.

La querelle entre les idéalistes et les matérialistes

Dans la deuxième partie de son ouvrage, Hervey de Saint-Denys fait un historique de l'interprétation que les hommes ont donnée des rêves. En dehors du caractère prophétique que les anciens attribuaient aux rêves, l'onirologie sacrée était appliquée à la cure des maladies rebelles. Diodore écrit que les prêtres d'Isis connaissaient l'art d'endormir les malades et de pénétrer la signification de leurs songes. Et cette pratique, d'après notre auteur, se serait perpétuée tout au long de l'Antiquité. Cet ensemble de croyances et de traditions nous est transmis dans l'œuvre d'Artémidore d'Ephèse, nous rappelle l'auteur, qui se dit déçu par cet écrivain. Il qualifie ces interprétations de « superstitions mythologiques », de « théories factices » et de « comparaisons arbitraires ».

Hervey de Saint-Denys ne retient de ce passé lointain que la pensée d'Hippocrate, qui dit que « chaque trouble particulier de notre organisme se révèle par une image en rapport avec la sensation intérieurement perçue ». Nous ne sommes pas très loin de la pensée moderne.

L'ère chrétienne offre, semble-t-il, moins d'études ou croyances que l'Antiquité. Notre auteur cite cependant quelques travaux sur lesquels il ne s'étend pas ; il se contente d'attirer notre attention sur l'affirmation de Vossius qu'il est possible de provoquer tel genre de rêve que l'on désire d'après des recettes que lui aurait données un sorcier de l'Illinois. On serait tenté de croire que cet Indien a voulu lui révéler l'emploi de drogues ou de plantes comme le peyotl, dont nous avons parlé ci-dessus, mais il n'en est rien, nous prévient l'auteur, qui condamne durement cet « insipide fatras de plates extravagances ».

259

Une plus grande attention est accordée aux médecins et aux philosophes du XVIIIe siècle. Parmi ceux-ci, il cite Cabanis, qui cherchait une interprétation naturelle des rêves. Ce dernier admet en effet qu'il est possible de continuer à travailler pendant le sommeil ; il affirme que le rêveur « peut être conduit, par une certaine suite de raisonnements, à des idées qu'il n'avait pas». Pour notre part, nous ne pensons pas qu'il en soit ainsi, quoique Hervey de Saint-Denys se range à cette opinion.

Quant à Müller, contemporain de l'auteur, nous estimons, lorsqu'il parle de « situations bizarres », ayant en quelque sorte le caractère de « pressentiment », pour ajouter que cela n'a rien de merveilleux, qu'il entend par là un autre processus que celui auquel faisait allusion Cabanis en parlant d'une « certaine suite de raisonnements ». Muller, dans les passages cités par notre auteur, nous paraît beaucoup plus près de la vérité que ne l'est Cabanis, et il est intéressant de constater l'identité de vues de Muller et de Philon le Juif, du premier siècle de l'ère chrétienne, cité par Hervey de Saint-Denys. On trouve chez l'un et l'autre une même explication des prétendues prémonitions, mais nous ne pensons pas qu'il faille conclure à « plus de perspicacité que dans l'état de veille » chez le rêveur.

Après ce rapide rapprochement entre les pensées des anciens et des modernes, l'auteur part en guerre contre les « non-sens que peut enfanter la manie, si commune parmi les modernes, de vouloir tout expliquer au moyen de certaines théories matérialistes », et il cite Boerhave à qui il reproche violemment d'écrire que « cette conscience dépend de la mémoire qui est abolie ». C'est la vieille querelle entre idéalistes et matérialistes. Certes, si un certain matérialisme de l'époque nous paraît fort désuet, il faut tout de même avouer que les progrès réalisés depuis lors en psychologie sont dus, non pas aux idéalistes, mais bien à des savants qui, comme Paul Chauchard — cependant fervent catholique — ont adopté une position nettement matérialiste pour décrire les mécanismes cérébraux de la conscience.

Pourtant, nous nous rallions volontiers à l'opinion d'Hervey de Saint-Denys lorsqu'il reproche à Darwin de croire que l'action de la volonté est abolie pendant le sommeil. Ce n'est que partiellement vrai ; le problème posé est beaucoup plus complexe. Sans vouloir le résoudre ici, nous apporterons cependant, en faveur de la thèse soutenue par Hervey de Saint-Denys, l'exemple suivant : nous avions dit à l'un de nos amis que, pour éviter les impressions désagréables, il ne fallait jamais imaginer de *descente*. A quelques jours de là, cet ami mangea des œufs à dîner. Il s'endormit et rêva qu'il descendait un escalier. Il se souvint alors de nos paroles, s'arrêta et fit de gros efforts pour remonter. N'y réussissant pas, il fut réveillé par son effort et constata qu'il avait un début d'indigestion, ce qui, d'habitude, provoquait régulièrement chez lui un cauchemar qu'il évita cette nuit-là. Nous croyons aussi avec l'auteur que, souvent, dans les rêves nocturnes, l'esprit critique du dormeur reste vigilant.

Hervey de Saint-Denys aborde de front le difficile problème que pose le souvenir ou l'oubli des rêves. Du fait que certaines activités psychiques sont oubliées alors que tout porte à croire qu'il y en a eu une, il en induit que l'on rêve pendant toute la durée du sommeil. La physiologie n'a cependant pas encore pu confirmer une telle affirmation.

Pourquoi ne gardons-nous pas le souvenir de tous nos rêves ?

Hervey de Saint-Denys examine aussi l'opinion de Dugald-Stewart, le philosophe écossais, qui peut se résumer ainsi : dans le sommeil, la volonté subsiste, mais elle a perdu sa puissance sur les organes du corps et il en est de même sur les associations d'idées qui constituent la trame du rêve. Notre auteur n'est pas d'accord sur l'inefficacité de la volonté dans le déroulement des associations d'idées. Résumant les opinions de ses prédécesseurs sur ce point, Hervey de Saint-Denys affirme que « la vérité pourtant est que toutes les facultés continuent d'être exercées pendant le sommeil, ainsi que j'espère le démontrer ». Ainsi posée et résolue, la question nous paraît vue de façon trop simpliste. Cela est dû à ce que les psychologues de l'époque ignoraient encore les processus inconscients de l'affectivité et la signification symbolique des rêves, dont le scénario et les images doivent être compris comme un langage intime ainsi que nous l'avons déjà fait observer. De même, nous croyons que l'auteur exagère l'aspect volontaire qu'il prête à l'attention dans le rêve. Nous pensons, pour notre part, que, sauf quelques exceptions, l'attention dans le sommeil est diffuse : nous subissons les images suscitées par tous les stimuli possibles et, en particulier, les excitations de la zone sous-corticale du cerveau. L'analyse du processus de l'endormissement se rapproche beaucoup, du point de vue purement psychologique, des conceptions de Pierre Janet qui pense qu'il y a une attitude de l'endormissement et, personnellement, nous avons pu vérifier l'exactitude de cette assertion en apprenant à des insomniaques à fixer leur pensée sur une image de repos pour réapprendre à s'endormir.

Hervey de Saint-Denys fait également une rapide analyse de l'article « sommeil » publié par Montfalcon dans le *Dictionnaire des sciences médicales* paru en 1820. Eludant l'aspect théorique de ce sujet, il demande à l'étude des faits accessibles à notre observation la réponse à la question posée, car, rappelle-t-il, la cause du sommeil est encore ignorée. Il pose alors une question fort pertinente : « N'existerait-il pas entre les lois qui régissent nos facultés physiques et celles auxquelles nos facultés intellectuelles sont soumises, une analogie régulière, bien digne d'appeler l'attention ? » Seuls les travaux de Pavlov et de son école permettront de répondre par l'affirmative à cette question : les lois sont les mêmes, celles de l'activité du système nerveux supérieur. Dans l'ignorance de ces lois non encore découvertes, Hervey de Saint-Denys parle des « forces expansives de l'âme » et ne peut trouver de solution au problème examiné. Il parle de la mémoire, de l'imagination, de l'attention et de la volonté comme d'entités distinctes dont les deux dernières auraient seules besoin de repos. Il retient, parmi les six causes secondaires

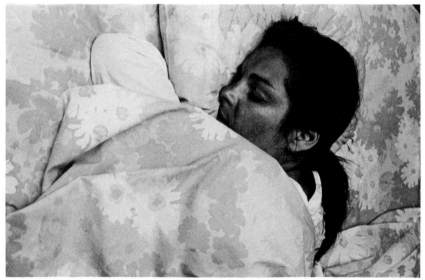

Vouloir se souvenir de ses rêves est un moyen efficace pour s'en souvenir effectivement.

du sommeil, énumérées par Montfalcon, les excitations monotones. On sait le rôle joué par ces dernières dans la pratique moderne de la cure de sommeil telle que l'a imaginée l'école de Pavlov. Cela nous montre la valeur d'une observation bien faite alors même que les théories du moment ne permettent pas encore d'interpréter les faits. Analysant ensuite les articles sur le songe et le rêve de Moreau de la Sarthe, Hervey de Saint-Denys rejette cette distinction, à bon escient nous semble-t-il. Puis il reprend la question de l'oubli des rêves en précisant que cet oubli n'implique pas qu'il n'y a pas eu de rêves mais simplement oubli de ceux-ci. Cette question est encore controversée. Freud pense qu'une forte censure morale provoque l'oubli du rêve. Nous pensons, au contraire, que s'il y a oubli, c'est tout simplement parce que les conditions de la remémoration ne sont pas réunies. Si, première condition, l'intensité du sentiment vécu dans le rêve est faible, il ne retient pas notre attention et nous ne pouvons pas nous le répéter, deuxième condition pour se le rappeler.

Poursuivant sa critique, l'auteur aborde l'importante question du rôle des analogies dans la genèse des rêves, traitée dans l'article de Moreau de la Sarthe. Nous avons indiqué plus haut que, si l'on admet que le rêve est l'expression d'un sentiment, celui-ci ne peut être décrit devant la propre conscience du rêveur ou devant autrui que par des analogies de situations. C'est dire toute l'importance qu'il faut attacher à ce passage de l'œuvre d'Hervey de Saint-Denys. Mais ce dernier ne va pas au-delà des associations d'idées reliant l'image d'un objet à celle d'un autre objet.

Après cette critique, l'auteur arrive à une conclusion très remarquable : « Appelons comme il nous plaira les illusions du sommeil, de l'extase, du délire et même de la folie ; mais reconnaissons qu'il s'agit d'un phénomène unique dans son essence, l'isolement du monde ambiant, le retrait de l'esprit sur lui-même et, par la suite, la croyance à l'existence et à la succession réelle de faits qui n'existent que dans notre esprit. »

Continuant à résumer les idées de Moreau de la Sarthe, Hervey de Saint-Denys fait une remarque importante ; il note l'exagération de certaines perceptions et des sentiments qui les accompagnent, exagération qu'il attribue à une augmentation de la sensibilité. C'est, nous le reconnaissons en passant, la notion si importante pour l'interprétation des rêves de la « dramatisation » introduite par Freud. En fait, nous croyons que c'est là le résultat de l'absence du freinage que le cortex exerce à l'état de veille sur les excitations de la zone sous-corticale — celle des sentiments —, et que cette absence est due à l'endormissement de ce cortex.

En ce qui concerne la validité des travaux intellectuels exécutés en rêve, l'auteur adopte prudemment une attitude très modérée ; il fait une distinction très nette entre les travaux nécessitant des connaissances approfondies, beaucoup de réflexion, et ceux qui « demandent au contraire plus d'inspiration que de sang-froid, et pour lesquels une demi-ivresse ne serait pas nuisible ». Des résultats viables ne peuvent être atteints pendant le sommeil que pour ces derniers.

Hervey de Saint-Denys passe alors à l'examen du mémoire présenté à l'Académie des sciences morales par Albert Lemoine, sur la question qu'il travaille lui-même. Il s'agit d'abord de savoir s'il existe des sommeils sans rêves. L'auteur cependant s'arrête sur cette pensée d'Albert Lemoine : « Le rêve est une pensée d'une espèce particulière. » Le mot *pensée* n'est sans doute pas très adéquat, mais ce qui suscite cette remarque, n'est-ce pas le fait que le dormeur use tantôt du langage conventionnel composé des mots de sa langue ou d'une langue étrangère comportant une ordonnance conforme aux règles d'une grammaire, et tantôt de ce « langage intime » qu'est la représentation par images, ce mode d'expression-ci étant d'ailleurs largement prépondérant ?

Hervey de Saint-Denys reproduit longuement le passage du mémoire où Albert Lemoine expose sa conception des mécanismes du cerveau et du rôle que joue ce dernier tant dans la vie de relation que pendant le sommeil (au cours duquel il reçoit encore des excitations provoquant les rêves). Certes, cette théorie est encore bien incomplète, mais on voit combien Albert Lemoine est déjà proche des conceptions modernes et cette discussion nous paraît du plus haut intérêt, ne fût-ce que pour l'histoire des idées. Cependant notre auteur se refuse à adopter « un système peu spiritualiste » et il le combat par des arguments dont le moins qu'on puisse dire est qu'ils sont très faibles : ils portent essentiellement sur les lacunes de l'exposé d'Albert Lemoine et il lui pose des questions auxquelles ce dernier aurait eu du mal à répondre. Nous renvoyons le lecteur curieux de trancher ce débat aux ouvrages de Paul Chauchard et aux nôtres.

L'auteur se demande, par exemple, pourquoi les images des rêves sont tantôt très nettes et tantôt assez floues. Il traite cette question comme si l'image d'un objet était enregistrée à l'instar d'une photographie. Nous ne pensons pas que rien de tel se produise : nous reconstruisons un souvenir par une image qui, si parfaite soit-elle, ne sera jamais qu'un à-peu-près. Il suffit pour s'en convaincre de regarder un objet, de le dessiner aussi exactement que possible, puis, quelque temps après, d'en refaire le dessin de mémoire. La comparaison des deux dessins fera ressortir l'imprécision de nos images-souvenirs. Il y a donc à corriger et à compléter les remarques — d'autre part fort intéressantes — que fait Hervey de Saint-Denys sur cette question.

Lorsqu'il aborde la déformation dans le rêve de nos sensations réelles, Hervey de Saint-Denys se montre un fin observateur et il nous explique très clairement comment le mécanisme de la perception se trouve faussé, comment la sensation réelle est interprétée par une image qui n'a plus qu'une analogie lointaine avec l'objet qui a provoqué la sensation. On observe le même phénomène dans le « rêve éveillé dirigé », ce qui vient confirmer la justesse des observations de notre auteur. Il note, fort judicieusement, que la vue est le seul de nos sens qui ne soit pas susceptible de recevoir une excitation durant le sommeil. Et cependant, il peut arriver exceptionnellement que l'excitation de la rétine, frappée brusquement par la lumière à travers les paupières closes, provoque un rêve. En voici un exemple : je lisais couché lorsqu'il y eut une panne de courant.

Je m'endormis dans l'obscurité et, brusquement, j'eus la vision de l'éclatement d'un obus. C'était la lampe électrique qui s'était rallumée. A part ces cas exceptionnels, il est exact de conclure avec l'auteur que « les visions proprement dites seront toutes des réminiscences pures ».

Cependant, pour Hervey de Saint-Denys, c'est l'imagination qui suscite elle-même toutes les péripéties du scénario du rêve. Nous avons dit que, pour nous, c'est l'imagination qui, au contraire, est suscitée par un sentiment (une excitation sous-corticale) qu'elle présente à la conscience du rêveur par le scénario qu'elle construit à cette fin ; au lieu des mots du langage conventionnel, ce sont des images visuelles qui sont les éléments de ce « langage intime ».

Les images oniriques sont parfois floues, parfois d'une netteté qui égale la réalité, bien que les proportions et les situations puissent être irréelles.

Une classification des rêves

Hervey de Saint-Denys nous propose une classification des rêves : les uns seraient provoqués par une simple association d'idées, d'autres par des excitations internes ; d'autres, enfin, constitueraient des réponses à des excitations externes. Si nous considérons le sentiment comme une excitation interne (celle de la couche sous-corticale), nous ne retiendrons plus que deux sortes de rêves, étant entendu qu'il peut y avoir fusion des deux genres d'excitation.

Hervey de Saint-Denys fait une remarque très frappante au sujet des sensations douloureuses qui apparaissent au cours du sommeil : la douleur — quoique très réelle — peut disparaître et même faire place à des impressions agréables. Ce fait, que nous avons pu constater, pose une question qui paraîtra étrange à la plupart des gens : qu'est-ce que la douleur du point de vue psychologique ? Ne faut-il

265

pas faire une distinction entre la sensation douloureuse et son retentissement psychologique, ce que l'on pourrait appeler sa dramatisation ? Quel rôle joue l'orientation de notre attention ou, pour parler un langage plus moderne, une inhibition volontaire de la sensation douloureuse est-elle possible par la concentration de l'attention sur une image ou une idée ? L'excitation due au maintien de cette image ou idée, excitation qui crée une inhibition de la zone corticale correspondant au point du corps siège de la douleur, nous empêchera d'avoir conscience de celle-ci. Pour justifier cette question, je rappellerai d'abord les curieuses observations faites, sur des yoghi, de phénomènes physiologiques tels que l'arrêt volontaire du cœur et leur enregistrement par des électrocardiogrammes ne pouvant laisser aucun doute sur la réalité du phénomène [1]. Et je citerai aussi l'expérience suivante : le docteur S..., psychanalyste connu, était venu me demander de l'initier à la technique du rêve éveillé dirigé. Il vint un soir et, brusquement, après le départ d'un ami qui se trouvait là, il se leva, défit la ceinture de son pantalon en s'excusant et m'expliqua qu'il souffrait horriblement du ventre. Je lui demandai ce qu'il avait et il me dit froidement qu'il avait un cancer de l'intestin, qu'il était condamné. J'essayai de le rassurer, mais il n'accepta pas les raisons que je m'efforçais de trouver pour mettre en doute le diagnostic. Ne sachant que faire pour lui apporter un peu d'espoir, je lui proposai de faire un rêve éveillé, ce qu'il accepta. Contrairement à mon attente, ce rêve se déroula très normalement. Lorsque la séance fut finie, S... se leva, me regarda, ahuri, et me dit : « C'est extraordinaire, je n'ai pas senti mon intestin un seul instant pendant toute cette séance. » Hélas, la douleur n'était que trop réelle, car S... devait mourir quelques semaines après. La concentration de l'attention sur les images du rêve avait été suffisante pour inhiber toute conscience de l'état morbide.

A l'inverse de ce qui précède, Hervey de Saint-Denys nous rappelle qu'Hippocrate avait noté les modifications que des troubles organiques qui échappent à la conscience de veille peuvent apporter aux rêves.

Continuant à discuter les idées d'Albert Lemoine, l'auteur s'inscrit en faux, en particulier, contre cette assertion que « les sentiments du sommeil ressemblent si bien à ceux de la veille que le sens du bien lui-même n'est pas affaibli dans nos rêves ». Hervey de Saint-Denys, au contraire, observant déjà ce qui devait faire l'essentiel des découvertes fondamentales de Freud, écrit : « Les sentiments du sommeil ressemblent parfois si peu à ceux de la veille et le sentiment du bien notamment peut se trouver en rêve perverti de telle sorte

---

1. Le fait a été vérifié par le docteur Thérèse Brosse.

266

qu'on s'imagine accomplir, comme une action la plus simple, des faits qui seraient monstrueux ou insensés en réalité. » Le lecteur sait toute l'importance que la reconnaissance de pareilles possibilités a eue pour la compréhension des motivations inconscientes de certaines conduites inadaptées, comme dans le comportement des névrosés, par exemple.

Notre auteur nie aussi avec raison que « ... la puissance d'observer avec attention ses sensations et ses pensées soit supprimée durant le sommeil ». Il s'appuie sur sa propre expérience et sur l'expérience de quelques-uns de ses amis. Nous ajouterons que, si l'on tient compte du degré d'endormissement et du « niveau de conscience » correspondant, qui peut rester fort élevé dans certains rêves nocturnes très cohérents, la pratique du « rêve éveillé dirigé » conduit à la même conclusion que celle de notre auteur.

La mémoire et l'imagination dans le songe

Hervey de Saint-Denys se livre ensuite à une discussion fort intéressante sur le rôle respectif qu'il attribue à la mémoire et à l'imagination. Si cette distinction nous paraît arbitraire, l'auteur y apporte cependant une restriction en précisant qu'il s'agit d'une *mémoire imaginative* « qui consiste à se rappeler le souvenir des objets tels qu'ils furent perçus », tandis qu'il réserve « le nom d'imagination à cette autre faculté distincte de combiner mentalement, d'une façon nouvelle, les matériaux fournis par la mémoire de manière à en former des images qu'il n'a jamais réellement vues ». Nous croyons que cette distinction devra être conservée tant que nous ne pourrons pas répondre à cette question : Qu'est-ce que la mémoire ? Nous rappellerons cependant la remarque déjà faite plus haut qu'en réalité nous ne conservons pas la mémoire exacte d'un objet vu, mais que nous en reconstruisons l'image approximative avec ce que, faute d'une meilleure définition, nous avons proposé d'appeler les « éléments souvenirs » tels que lignes droites ou courbes, surfaces, couleurs, comme si nous avions la faculté de ranimer l'excitation de certaines cellules du cortex provoquée précédemment par un objet. L'auteur nous parle d'ailleurs lui-même des « lambeaux de souvenirs » dont sont formés les « composés de l'imagination ».

Hervey de Saint-Denys examine alors l'importante question de la cohérence des rêves. Nous pensons que, de même que l'on doit distinguer des niveaux de conscience, nous devons aussi considérer des degrés de cohérence comme le fait l'auteur. Mais il nous paraît, contrairement à la tendance qu'a l'auteur de rejeter les explications physiologiques, que ces degrés de cohérence sont l'effet du degré d'endormissement du cortex.

Poursuivant sa critique du mémoire d'Albert Lemoine, l'auteur examine le cas de l'attention dans le rêve. En opposition formelle avec Albert Lemoine, il affirme que « l'attention peut continuer de s'exercer pendant le sommeil, et cela par l'action d'une volonté non suspendue ». Notre expérience vient confirmer cette assertion. Nous avons cité plus haut le cas de ce rêveur menacé d'un cauchemar, se rappelant qu'il ne faut pas descendre et prenant la décision de remonter l'escalier sur lequel il rêvait se trouver.

On ne peut qu'admirer la justesse des observations de notre auteur lorsqu'il écrit, bien avant les découvertes de Freud : « Dans ces rêves où nous croyons nous entretenir avec diverses personnes, nous attribuons à autrui des pensées ou des paroles qui ne sont autres que les nôtres... »

Nous ne sommes pas aussi certain qu'Hervey de Saint-Denys que la sensibilité à la pitié, à la joie et autres sentiments, soit plus grande dans le sommeil qu'à l'état de veille. Mais il ne faut pas oublier que cette sensibilité est très variable d'un individu à l'autre et, pour un même sujet, d'un instant à l'autre.

Un passage très curieux de la fin de cette deuxième partie est celui où il parle des réactions corporelles d'euphorie et souhaite que la physiologie les étudie. Ces phénomènes s'apparentent, comme il le remarque, à ceux que l'on observe « sur les extatiques et les nerveux », et, grâce aux moyens de contrôle objectifs tels que l'électrocardiographie et l'électro-encéphalographie, ils ont déjà retenu l'attention des physiologistes qui ont pu examiner des yoghi au cours de leurs exercices.

Le somnambulisme

De même qu'il a pressenti les découvertes de Freud, Hervey de Saint-Denys lutte contre les affirmations de certains de ses contemporains au sujet du somnambulisme. Il arrive à cette conclusion qu'il ne s'agit que d' « une modification plus ou moins anormale du sommeil et des songes naturels ». Jugement bien proche de celui que porteraient les physiologistes ou les psychologues d'aujourd'hui. En parlant des phénomènes d'hypermnésie et des conséquences qu'elle peut avoir sur les prévisions de certains événements, il dira : « Bon nombre de faits que j'ai entendu rapporter avec admiration m'ont paru s'expliquer le plus naturellement du monde par les lois habituelles de la psychologie des songes. »

Nous arrivons ainsi à la troisième partie du livre d'Hervey de Saint-Denys, dans laquelle il nous décrit les expériences qu'il a faites et les moyens qu'il a employés pour faire varier ces expériences. Telles quelles, il ne nous semble pas qu'elles aient été reprises et nous le déplorons, convaincus que nous sommes qu'avec les moyens de contrôle objectifs dont nous disposons, elles devraient permettre de répondre si, oui ou non, il existe un sommeil sans rêve, par exemple, et sans doute encore à d'autres questions du même ordre. On peut, en effet, reprocher à Hervey de Saint-Denys d'avoir encore trop souvent recours à l'introspection avec tous les inconvénients inhérents à cette méthode. La technique du rêve éveillé dirigé permet bien à un observateur de suivre chez un patient la construction et le déroulement d'un rêve. Mais, si ce rêve est fait dans un état hypnoïde, le patient est cependant plus près de l'état de veille normal que du sommeil naturel, et si des rapprochements s'imposent entre le rêve nocturne et le rêve éveillé, on ne doit pas cependant les identifier l'un à l'autre.

Parmi les moyens employés, l'auteur a suggéré des rêves à un ami en proférant à son oreille des commandements militaires à mi-voix. Il put ainsi convaincre le dormeur qu'il rêvait comme tout le monde, mais oubliait aussitôt ses rêves. Hervey de Saint-Denys pense établir, d'après des expériences analogues ,qu'il n'y a pas de sommeil sans rêve. La démonstration nous paraît insuffisante, car le fait de provoquer un bruit ou de prononcer des paroles peut tirer le rêveur d'un sommeil profond sans rêve et, dans le court instant du passage de ce moment à celui du réveil complet, un rêve peut apparaître qui est en relation avec l'excitation sensorielle qui provoque le réveil. Le contrôle par l'électro-encéphalogramme permettrait, peut-être, de trancher définitivement cette question.

Hervey de Saint-Denys pense « que l'intensité dans la vivacité des images est toujours en rapport avec la profondeur du sommeil ». Nous ne pensons pas que ce soit tout à fait vrai. D'après nos propres expériences sur le rêve éveillé dirigé et sur les hallucinations provoquées par l'ingestion du Peyotl, il nous semble préférable de dire que l'intensité et la netteté des images dépend : 1) du plus ou moins grand désintérêt à l'égard du milieu extérieur ; 2) du degré d'excitation de la zone visuelle du cortex. La première condition est d'ailleurs précisée par l'auteur lui-même un peu plus loin.

Hervey de Saint-Denys nous fait part d'une autre observation, fort importante, et qu'il serait très intéressant de vérifier à nouveau : en essayant de remonter le cours de ses propres rêves ou de ceux des autres au-delà d'un laps de temps de cinq minutes. Cette question reste d'actualité, car on sait que, pour Freud et ses disciples, l'oubli des rêves est l'effet d'une censure. Nous ne partageons pas ce point de vue et nous pensons que l'oubli est dû à ce que les conditions nécessaires pour qu'il y ait remémoration ne sont pas remplies. Ces conditions sont : 1) intensité du stimulus (interne ou externe) qui a provoqué le rêve ; si elle est trop faible, elle ne retient pas l'attention ; 2) si l'attention n'a pas été détournée par un stimulus plus intense ; 3) s'il y a répétition du stimulus ou — ce qui revient au même — contemplation assez longue de l'image provoquée par le stimulus. Le stimulus peut être une excitation sensorielle venue de l'extérieur, une excitation viscérale, ou encore, un sentiment (excitation sous-corticale).

La remémoration des rêves

Hervey de Saint-Denys remarque aussi que la durée apparente des rêves dépasse de beaucoup le temps réel qu'ils ont pris à se dérouler. Enfin, il revient longuement sur la disparition ou non de l'attention et de la volonté dans le rêve. Nous avons déjà vu qu'il conclut qu'elles ne sont pas nécessairement suspendues et dit que nous partagions cette conviction. Cependant, il nous paraît nécessaire de préciser que si, pour notre auteur, la volonté reste implicitement libre dans le rêve, il nous paraît, au contraire, qu'elle est prédéterminée. Il convient, en effet, de considérer ici tout ce que Freud a découvert sur le rôle des « pulsions instinctives dans l'élaboration des rêves ». Il convient avec Pierre Janet de faire une distinction entre pensée et sentiment, et avec Freud entre désir ou crainte et volonté. Le choix dans le rêve n'est pas le fait de la volonté libre ; il est, comme nous le montre la psychanalyse, la réalisation d'un désir ou l'expression d'une crainte. Le jugement de l'auteur reste vrai dans l'ensemble mais ne tient pas compte des données de l'expérience freudienne, qu'il ignorait. Il fait preuve, d'ailleurs, d'une extrême prudence, et admet l'absence de la volonté dans certains cas. Il reconnaît, en particulier, le rôle des émotions violentes, qui débordent la volonté, et fait cette remarque importante que « la crainte de voir apparaître une image suffit généralement pour en provoquer l'apparition immédiate ». Nous ajouterons que c'est précisément ce qui permet de connaître les sentiments profonds du rêveur à travers le symbolisme de ses rêves.

Hervey de Saint-Denys nous invite à suivre l'entraînement qu'il s'est imposé et qui lui a permis d'assurer la liberté de sa volonté dans le rêve et la conscience de son état de rêveur au cours du sommeil. Nous voulons bien croire qu'une telle expérience soit possible, mais cette ascèse nous paraît bien pénible pour les résultats qu'on peut en attendre. C'est donc cette possibilité elle-même qu'il était intéressant de mettre en évidence. La question est de savoir dans quel état de sommeil elle peut se manifester. Nous pensons, contrairement aux opinions d'Hervey de Saint-Denys, que cette possibilité n'apparaît que dans des états hypnoïdes très voisins de l'état de veille, c'est-à-dire un peu avant le réveil, pendant le court moment où — d'après les remarques mêmes de l'auteur — la remémoration des rêves est réalisable. L'analyse des diverses modalités d'action de la volonté « sous forme de désir » ou « dirigeante », établit des distinctions qui ne nous paraissent pas devoir être retenues. La volonté, dans le rêve, se manifeste toujours pour réaliser un désir, et c'est la nature de ce dernier qui nous intéresse.

L'un des rêves les plus intéressants qu'Hervey de Saint-Denys nous raconte est un cauchemar qu'il fit plusieurs fois et dont il craignait le retour tant l'impression de terreur que celui-ci provoquait en lui était forte. A la quatrième répétition, l'auteur, au cours de ce cauchemar, éprouva « le désir de combattre ces illusions », ce qui lui permit de dompter « sa terreur instinctive » en contemplant les hideux fantômes que, jusqu'alors, il avait plutôt entrevus que regardés. Ce cauchemar ne se reproduisit plus spontanément. Cette observation doit être rapprochée d'une remarque de C. G. Jung qui dit des personnes névrosées que, lorsque, dans leurs rêves, elles peuvent prendre une attitude active devant les images qui les médusaient précédemment, leur guérison est proche. Nous avons tiré de cette remarque un procédé systématique de guérison des névroses en provoquant ces cauchemars par le « rêve éveillé dirigé » et en obligeant le sujet à faire face à ses monstres pour les dominer.

L'auteur fait ensuite une remarque dont on peut dire qu'elle résume déjà ce qu'il y a d'essentiel dans la découverte de Freud ; il écrit : « Un rêve étant comme un reflet de la vie réelle, les événements qui semblent s'y accomplir suivent généralement, dans leur incohérence même, certaines lois de succession, conformes à l'enchaînement ordinaire de tous les événements véritables. » Suivent encore quelques réflexions fort intéressantes sur des moyens employés par l'auteur pour modifier les images de ses rêves comme, par exemple, d'imaginer qu'il met la main sur ses yeux pour faire disparaître une vision d'objet ou de paysage. Nous employons nous-même des moyens analogues, qui se montrent très efficaces et permettent à nos patients de modifier les images qu'ils ont dans leurs rêves éveillés.

Hervey de Saint--Denys s'est attaché également à observer ce que devient la faculté de raisonner et de juger. Les exemples qu'il donne semblent bien prouver que cette faculté n'est pas entièrement abolie, et nous pourrions citer de nombreux exemples analogues. Cependant les raisonnements en question sont très simples et sont plus des réflexions que des raisonnements proprement dits, et il reste certain que, dans le sommeil, le rêve ne permet qu'un exercice réduit de la raison. En outre, l'exemple dans lequel le rêveur entend sonner l'heure à l'horloge de l'église voisine, d'où il déduit qu'il est à Paris, n'est plus fait dans l'état de sommeil profond mais dans un demi-sommeil : et le rêve, à ce moment-là, devient de la rêverie plus ou moins consciente. Nous pensons aussi que tout le raisonnement concernant le malaise dû à une mauvaise position, telle qu'elle provoque des images désagréables que l'auteur désire modifier, est fait dans un demi-sommeil très proche d'un réveil total, si même ce réveil ne s'est pas produit complètement pendant une durée de quelques secondes seulement. Nous avons pu vérifier maintes fois, au cours des rêves éveillés de nos patients, la justesse des « observations analytiques » que fait Hervey de Saint-Denys à propos de son rêve sur les chouettes, et, en particulier, que le rêveur « croit voir ce qu'il a entendu ». Enfin, le rapprochement que fait l'auteur avec Albert Lemoine entre la folie et l'état de rêve nous paraît tout à fait pertinent. Nous avons fait un rapprochement analogue entre les dessins ou peintures de fous et ces productions spontanées, intimes, que font beaucoup de peintres *sans les montrer*. Ils illustrent une rêverie à laquelle l'artiste désire conserver son caractère intime, alors que le fou étale cette rêverie qui traduit un état permanent. Autrement, il n'y a aucune différence entre les deux genres de production.

Puissance de la remémoration au cours de certains rêves

Hervey de Saint-Denys passe alors à une analyse du rôle respectif de la mémoire et de l'imagination. Il cite, à ce propos, les conclusions de Maury, auxquelles il s'associe, et qui sont résumées dans ce passage : « L'œil, l'oreille et, en général, les sens jouissent d'une faculté de combinaison qui tient à la force créatrice de l'imagination. Les éléments dont ils se servent sont fournis par des sensations déjà perçues, mais leur mode d'assemblage et de groupement est nouveau et il en résulte des images et des sons différents de ceux qui ont été antérieurement perçus. » Nous avons dit que nous arrivions à la même conclusion, qui nous paraît s'imposer de la façon la plus évidente dans la composition musicale.

Notre auteur s'émerveille de la puissance de remémoration que l'on peut constater au cours de certains rêves. Nous citerons à l'appui de cette remarque une observation personnelle parmi d'autres : au cours d'un long séjour en province, j'avais confié certaines clés de mon appartement à ma mère. De passage à Paris, j'eus besoin de la clé d'un meuble et je la réclamai à ma mère qui me dit ne jamais l'avoir eue en garde. Très étonné, je m'isolai et fis un rêve éveillé avec le simple désir de retrouver l'endroit où pouvait être cette clé. Je vis se dessiner lentement, mais avec précision, l'image d'un secrétaire dont j'ouvris le tiroir supérieur droit. Je ne reconnus pas ce meuble, mais, ma mère possédant un secrétaire, je la priai d'en ouvrir les tiroirs. La clé n'y était pas. Quelques jours après, revenu en province, la première chose qui retint mon attention fut un secrétaire que je reconnus aussitôt pour celui de mon rêve éveillé. J'ouvris le tiroir supérieur droit et y trouvai la clé cherchée. Ainsi donc la remémoration avait été possible dans l'état hypnoïde de la rêverie, alors qu'elle ne l'avait pas été à l'état de veille. Nous sommes donc tout à fait d'accord avec Hervey de Saint-Denys lorsqu'il écrit : « Les efforts de notre attention ne serviraient qu'à la (la mémoire) troubler ou à la dérouter. »

Il en est de même sans doute de prétendues prémonitions dans lesquelles il ne faut voir que le jeu d'une induction dont nous ne sommes pas toujours capables à l'état de veille.

L'auteur relate ainsi un rêve extrêmement curieux, au cours duquel une somnambule, qui connaît ses plus secrètes pensées, lui donne des conseils remarquables. Il en déduit que, les réponses de l'interlocuteur imaginaire se faisant sans aucun effort de notre part, il en résulte des raisonnements et des retours de mémoire qui nous étonnent. Nous pensons qu'une notion nouvelle doit être introduite dans l'étude des rêves, notion qui est déjà bien familière à tous ceux qui ont pratiqué le « rêve éveillé dirigé », celle du « niveau du rêve ». Les phénomènes décrits par Hervey de Saint-Denys ne se constatent que dans un état de relaxation musculaire et de détente psychique, de calme intérieur aussi parfait que possible, que beaucoup de personnes n'atteignent pas spontanément mais peuvent atteindre par un entraînement adéquat.

Etudiant la création scientifique ou artistique dans le rêve, notre auteur note très justement que, si le rêveur pouvait se souvenir exactement de ce qu'il a cru créer, il serait parfaitement déçu à l'état de veille. Personnellement, nous pensons que, si l'on peut trouver dans le rêve nocturne ou le rêve éveillé l'inspiration et même les « matériaux » d'une création artistique, celle-ci ne peut prendre réellement corps que par une élaboration et l'emploi de moyens techniques, travail qui ne peut se faire qu'à l'état de veille avec une pleine conscience, s'il s'agit, comme le précise l'auteur, « d'ouvrages qui exigent, tout à la fois, le libre usage d'une saine critique, d'une inspiration contenue et d'un jugement réfléchi ».

L'une des observations les plus profondes d'Hervey de Saint-Denys est celle où il parle d'un problème d'échecs dont la solution exacte est trouvée en rêve. Et il écrit que cette faculté à l'état de veille ou dans le rêve est due à la possibilité qu'ont certains esprits « d'embrasser un très grand nombre de combinaisons possibles, pour ainsi dire d'un seul coup d'œil de la pensée ». On croirait lire, avant la lettre, ce qu'Henri Poincaré écrivait de l'intuition.

Hervey de Saint-Denys se montre fort bien inspiré en étudiant les rapprochements que l'on peut faire entre les rêves nocturnes et le comportement diurne des gens et il écrit : « Il est, d'un autre côté, bon nombre de personnes, et surtout de dames, dont on apprendrait mieux à connaître les inclinations par leurs songes que par leur manière d'agir en réalité. » N'est-ce pas ce que devait démontrer Freud en édifiant la psychanalyse ?

L'auteur met aussi l'accent sur la difficulté « d'apprécier la mesure des influences externes ou internes sur l'origine et le développement de nos rêves ». Ces difficultés ne sont pas résolues à notre époque, mais, si l'on veut procéder à une étude complète des rêves, il faudra nécessairement tenir compte de cette double influence possible afin d'éviter bien des erreurs d'interprétation.

Revenant sur le lien que l'on doit établir entre l'état de l'organisme et la structure des rêves, Hervey de Saint-Denys remarque que les éléments du rêve « n'auraient point la même signification chez certains de nous ». Cette remarque très justement prudente condamne d'avance « tout dictionnaire des symboles » que certains psychologues, consciemment ou non, se construisent, et qui les mène à des interprétations littéralement délirantes.

Les rêves à répétition

Au sujet des rêves à répétition, Hervey de Saint-Denys reconnaît déjà leur caractère morbide et fait cette observation tout à fait étonnante pour l'époque : « Les images homogènes qui assiègent [le dormeur] de leurs apparitions incessantes peuvent sans doute se montrer successivement sous des formes modifiées, mais elles portent toujours dans leur nature, dans leur marche, dans les émotions qu'elles provoquent, un caractère d'identité qui trahit la cause morbide ou l'idée fixe dont elles sont la constante manifestation. » N'est-on pas tenté de penser que notre auteur a découvert la psychanalyse des rêves avant Freud ? Hervey de Saint-Denys fait suivre l'observation qui précède de la relation d'un rêve tout à fait remarquable. Ce n'est d'ailleurs pas le lien évident qui existe entre certains détails de ce rêve et la contusion de l'épaule dont souffre l'auteur que nous retiendrons ici. Ce qu'il y a de frappant, c'est l'ascension accomplie dans ce rêve, c'est l'apparition d'une euphorie qui va *crescendo* en même temps que la servante du début se transforme en fée jusqu'au moment ineffable où, le plaisir étant porté à son paroxysme, le dormeur s'éveille. La signification érotique de ce rêve s'impose ici selon les vues de Freud d'une façon évidente. Nous dirons toutefois que ce serait une très grande erreur d'interprétation que de donner ce sens à tous les rêves d'ascension. Le rêve éveillé dirigé, au cours duquel une ascension est suggérée, provoque une euphorie, mais celle-ci revêt toutes les formes possibles, qui ne sont pas nécessairement sexuelles au sens commun de ce mot, et cette réserve reste valable pour beaucoup de rêves nocturnes.

Soucieux d'une interprétation plus complète des rêves, Hervey de Saint-Denys se pose le problème suivant : faire la distinction entre les rêves d'une personne soustraite à toute excitation extérieure, rêves qu'il suppose construits uniquement par des associations d'idées, et ceux du rêveur soumis à des influences extérieures. Malheureusement son ignorance du symbolisme du rêve fait croire à l'auteur que la loi d'association des idées est l'ordre chronologique dans lequel les souvenirs se sont classés dans la mémoire, et il arrive à une interprétation pour le moins incomplète, sinon tout à fait fausse, de l'association entre la baigneuse du *Tepidarium* de Boulanger et la vieille arquebuse. Pour un psychologue moderne, le symbolisme de l'arquebuse est évident et, par son caractère phallique, s'associe immédiatement à l'image de la baigneuse. Si la chronologie des souvenirs peut expliquer quelques associations, ce n'est certainement pas une loi générale. En revanche, la simultanéité de deux événements peut être une raison d'association, car, là, jouent les lois de l'activité nerveuse supérieure d'I. Pavlov qui président à l'établissement des réflexes conditionnels ou des schémas dynamiques sous-tendant notre comportement aussi bien à l'état de veille que dans le sommeil. Malgré cette erreur minime, Hervey de Saint-Denys a un tel sens de l'observation qu'il écrit : « En réfléchissant à cette étroite solidarité qui s'établit, dans notre mémoire, entre certaines sensations et certaines notions qui en dépendent, telles que la douleur d'une piqûre et l'idée d'un insecte... j'avais fait souvent la réflexion que ce phénomène si constant et si simple reposait uniquement sur le principe d'association qui s'établit entre des idées simultanément acquises. » Cette remarque suggère déjà tout l'enseignement que devaient nous apporter plus tard Freud et Pavlov. Guidé par cette intuition remarquable, Hervey de Saint-Denys passe à des expériences tout à fait nouvelles pour l'époque. Il cherche à associer, à l'état de veille, un parfum inconnu de lui précédemment aux souvenirs d'un séjour dans le Vivarais. Puis, de retour à Paris, il fait exciter son odorat par ce même parfum pendant son sommeil et à son insu. Il constate qu'il revoit, dans son rêve, les montagnes du Vivarais. Cette expérience vérifie son hypothèse de travail si remarquable. Il constate même que ce réflexe conditionnel qui s'est ainsi établi s'éteint de lui-même. Nous savons qu'il en est ainsi de tout réflexe conditionnel qui n'est pas renforcé par l'excitation réelle primitivement associée (la vue des montagnes du Vivarais dans le cas présent).

Poursuivant ses recherches, Hervey de Saint-Denys imagine une expérience qui a une véritable valeur psychothérapique. Et, cette fois-ci, nous dirons que notre auteur a compris les vertus curatives du « rêve éveillé dirigé » avant la lettre. Il a découvert spontanément, sans les connaître, les mécanismes du déconditionnement de l'angoisse. Il s'agit du rêve où il sent que la cravate qu'il a au cou est un serpent. Cauchemar qui se reproduit plusieurs fois et qui lui est très désagréable. Il l'empêche de se reproduire en portant dans la journée, en guise de cravate, une ceinture chargée de plombs de chasse. Lorsque le cauchemar tend à réapparaître, l'image du serpent est aussitôt associée à celle de la ceinture chargée de plombs de chasse, l'esprit s'oriente sur l'idée de chasse et l'angoisse est évitée.

Plus loin, Hervey de Saint-Denys s'étonne de la discontinuité que l'on constate entre certaines parties du rêve. Il nous donne l'exemple de la partie de billard interrompue par la présence inopinée d'une charmante femme. L'auteur pense qu'il y a là une solution de continuité. Il ne le penserait plus maintenant, car il suffit de connaître la signification en argot de l'expression « carambolage » pour comprendre immédiatement le lien entre la partie de billard et l'apparition de la charmante femme. Néanmoins, si cet exemple n'est pas convaincant, nous pensons qu'une excitation extérieure peut interrompre un rêve auquel se substituera un autre rêve tout à fait étranger au premier.

Les expériences qui suivent, et qui tendent toutes à provoquer des rêves variés par des excitations sensorielles associées préalablement à des scènes vécues, sont fort ingénieuses mais mettent simplement en évidence les lois de formation des réflexes conditionnels. Il en tire, à leur propos, des recommandations fort intéressantes quant aux précautions à prendre pour les renouveler et cette remarque que l'excitation sensorielle est ressentie et non perçue par la conscience du dormeur. Fait que, comme nous l'avons déjà dit, nous pûmes souvent constater dans les rêves éveillés de nos patients.

L'abstraction dans les associations d'idées

Hervey de Saint-Denys nous explique ensuite le rôle de ce qu'il appelle très justement l'abstraction dans les associations d'idées. L'abstraction est le caractère commun à des objets de nature très différente ; il cite l'escalier qui, mal éclairé et très profond, évoque l'idée d'un puits ou l'embonpoint d'une dinde et celui d'un monsieur. Il note encore, bien avant Freud, le rôle des jeux de mots, voire des calembours plus ou moins faciles, dans nos rêves.

Enfin, dans un dernier chapitre, Hervey de Saint-Denys complète les observations précédentes par des exemples destinés à mettre en relief la justesse des déductions qu'il tire de ses expériences. Nous en retiendrons quelques remarques complémentaires comme cet aphorisme : « Craindre une chose, c'est en avoir la pensée ; avoir la pensée d'une chose, en songe, c'est en avoir aussitôt la vision. » Il nous montre ainsi les lois de déroulement du scénario du rêve, qui perd alors son aspect incohérent, en soulignant la logique des associations d'idées qui donnent leur valeur significative à nos songes. En passant, notre auteur nous décrit encore un rêve en apparence très extravagant, mais où l'enchaînement des associations, finement analysé, est parfaitement logique. Ce rêve, qui est un véritable cauchemar, exprime un malaise physique réellement éprouvé.

Une observation nouvelle dont l'explication donnée nous paraît très pertinente est celle-ci : il arrive que, dans les rêves nocturnes — et cela est aussi vrai pour les rêves éveillés — nous voyons un livre ou un manuscrit qu'il nous est impossible de déchiffrer. Cette impossibilité de lire est attribuée par Freud à une censure qui nous interdit de prendre conscience de celles de nos impulsions que condamnerait notre système moral. Il y a des cas où cela peut être juste, mais, le plus souvent, c'est l'explication d'Hervey de Saint-Denys qui nous paraît valable. La voici : « ... dans le rêve où l'on éprouve tant de peine à déchiffrer un texte, le seul cliché-souvenir véritablement ravivé est l'image du livre, du manuscrit ou de la lettre, abstraction faite de leur contenu. En voulant connaître ce contenu lui-même, nous demandons à la mémoire et à l'imagination des notions étrangères au contingent des idées qui leur sont présentes. Prises au dépourvu, ces facultés font appel à des réminiscences plus ou moins vagues qu'aucune pensée dominante ne dirige et ce travail pénible n'engendre que de très pauvres résultats. » Nous ajouterons qu'il peut arriver que le texte en question soit le symbole de quelque chose que le sujet ignore ; il en est ainsi d'une image fréquente dans les rêves éveillés dirigés au cours desquels le rêveur voit « le livre de sa destinée ». Il a le sentiment d'un destin plus ou moins déterminé, mais il ignore ce qu'il sera.

Hervey de Saint-Denys nous raconte encore l'étonnante impression qu'il éprouva en rêve de quitter son corps et de faire un long voyage ; en revenant, il vit son corps endormi avant d'en reprendre possession. Au cours de leurs rêves éveillés, certains de nos patients ont eu également le sentiment de se désincarner et de n'être plus qu'un point lumineux fondu dans la lumière.

Nul doute que ce genre de rêve, plus fréquent qu'on ne serait tenté de le croire, ne soit à l'origine des croyances spirites en un monde surnaturel, l'Astral, qu'il est permis à certains d'explorer et où nous vivrions après notre mort. Notre auteur, qui est spiritualiste, se borne à émettre un doute sur cette interprétation.

Hervey de Saint-Denys examine enfin certains rêves de caractère immoral. Il cite Maury et donne lui-même une interprétation différente par la « suppression momentanée du libre arbitre ». Freud parle dans ce cas de la « censure exercée par le Surmoi qui est débordé » par l'intensité des pulsions instinctives. Nous pensons que le système éthique choisi par le dormeur ne doit pas être confondu avec le « Surmoi » freudien. Ce dernier est un tissu d'habitudes imposées dès l'enfance, non réfléchies, extrêmement peu labiles, tandis que le système éthique choisi après mûres réflexions est acquis tardivement, et, de ce fait, reste relativement labile en tant que réflexe conditionnel de sorte que le frein exercé par le cortex à l'état de veille sur la zone sous-corticale, qui est celle des réactions passionnelles, est considérablement diminué par le sommeil.

Concluons cette longue analyse des expériences d'Hervey de Saint-Denys et des idées qu'il en a déduites. Nous avons pu admirer, tout au long de cet ouvrage, quelle méthode, quel sens critique, l'auteur a apporté à ses observations et combien son jugement est sûr, compte tenu des découvertes qui devaient être faites après lui. Nombre de ses conclusions sont encore valables et souvent nous sommes surpris de l'étonnante intuition qui fait d'Hervey de Saint-Denys un véritable précurseur. Nous sommes même persuadés que beaucoup de ses expériences et de ses observations devraient retenir l'attention de nos modernes psychologues, trop tentés parfois d'interpréter les faits par l'intervention d'un inconscient qui est devenu leur panacée et leur interdit toute analyse nouvelle des phénomènes, alors qu'une attitude plus objective les amènerait à des conclusions plus proches de la réalité.

A ce titre, *Les Rêves et les moyens de les diriger* restent un exemple et un modèle du genre.

DOCTEUR ROBERT DESOILLE

Chapitre VI

Les phénomènes d'autoscopie

La volonté peut surmonter des obstacles qui apparaissent au premier abord infranchissables sur le plan matériel. Elle touche dans certains cas au paranormal, ou rend celui-ci possible.

Les chamans esquimaux s'efforcent d'acquérir volontairement des pouvoirs paranormaux qui sont à leurs yeux une manifestation essentielle de leur art.

Celui qui désire devenir chaman doit s'adresser à un ancien chaman en lui disant cette formule caractéristique :

« Je viens à vous parce que je désire voir. *»*

Il s'agit de voir au-delà des sens ordinaires.

Une pratique des initiés esquimaux est de voir son propre squelette et les organes internes. Ce phénomène est appelé autoscopie.

Il peut se produire aussi chez des malades. Certains d'entre eux ont longuement été étudiés par le docteur Sollier dans le texte ci-dessous. L'autoscopie se divise en plusieurs catégories de faits.

Nous n'avons normalement qu'une représentation très faible de nous-même, soit que nous considérions nos attitudes, notre démarche, nos gestes, nos expressions de physionomie, c'est-à-dire notre personne extérieure, soit que nous considérions nos différents organes dans leurs modifications fonctionnelles, c'est-à-dire notre personne intérieure.

Lorsque nous nous représentons notre personne extérieurement, soit dans son ensemble, soit dans ses parties constituantes, à l'état de repos ou en mouvement, ce n'est que par le souvenir des images visuelles, soit directes pour les régions accessibles à notre vue, soit indirectes, au moyen de glaces, de photographies, de statues, etc., pour celles qui sont en dehors de notre champ visuel. Et même pour les premières, il nous est plus difficile de les imaginer, les yeux fermés, dans leur forme réelle, que de nous les représenter chez d'autres personnes. Un peintre peut beaucoup mieux faire, de souvenir, le portrait de quelqu'un que le sien propre.

Quant à notre personne intérieure, sa représentation est encore beaucoup plus vague. Elle correspond dans la conscience à une notion d'ensemble, formée par le souvenir de toutes nos impressions internes, cénesthésiques, qui sont loin d'atteindre le degré de netteté et de conscience de nos sensations externes. C'est un sentiment assez confus, même s'il est intense comme dans les cas où il y a de la douleur dans un organe, plutôt qu'une représentation précise, et si nous pouvons relativement nous rendre compte du siège de nos différentes fonctions, rien ne nous permet de nous en représenter les organes.

Or, il est des cas dans lesquels la représentation de notre personne extérieure est possible. Elle se projette alors au-dehors de nous, sous forme d'une véritable hallucination, l'*hallucination deutéroscopique,* ou mieux *autoscopique.* Ces cas, pour rares qu'ils soient, sont bien connus aujourd'hui et aucune discussion n'existe à leur sujet.

Plus rares, plus nouveaux, et par cela même plus contestés, et même niés par certains, sont les cas dans lesquels il y a représentation de tout ou partie de notre personne intérieure, où le sujet aperçoit nettement au-dedans de lui certains de ses organes dans leur forme, leur situation, leur structure et leur fonctionnement. C'est exactement le même phénomène que le précédent, et d'ordre cénesthésique comme lui. La seule différence entre les deux est que dans l'un il y a objectivation et extériorisation de la sensation cénesthésique, tandis que dans l'autre il n'y a pas de projection au-dehors.

Dans les deux cas, ce qui est fondamental en somme, c'est le fait de se représenter sa propre personne, soit extérieure, et par conséquent vue du dehors, soit intérieure, et par conséquent vue du dedans. On voit donc qu'il n'y a pas réellement d'hallucination dans le premier cas : il n'y a, comme dans le second, qu'une sensation cénesthésique à laquelle, par un mécanisme que nous examinerons ultérieurement, le sujet donne une forme pour se la représenter. En lui donnant ainsi une forme, le phénomène purement cénesthésique prend un caractère visuel en apparence. C'est ce caractère que le radical *scop* rend très justement, et le terme d'*hallucination autoscopique* serait parfaitement juste s'il s'agissait réellement d'un phénomène hallucinatoire.

Dans la représentation des organes internes, cet aspect hallucinatoire disparaissant, le premier auteur (Comar) qui les a décrits avait donné à ces phénomènes le nom de phénomènes d'*auto-représentation* pour bien marquer qu'il ne s'agissait que d'une représentation. Mais en réalité il ne s'agit pas plus d'une représentation que d'une hallucination, il s'agit d'une *sensation* cénesthésique qui donne au sujet la connaissance de sa forme, soit extérieure, soit intérieure, connaissance qui se traduit par une sorte de visualisation inhérente à la notion même de forme. Le terme d'*autoscopie* me paraît donc beaucoup plus juste dans les deux cas. Il a l'avantage d'être déjà appliqué à une partie des phénomènes que nous allons décrire et d'être ainsi plus familier. Il suffit en outre de lui accoler l'épithète *externe* ou *interne* pour avoir les deux variétés essentielles qu'on y rencontre : l'*autoscopie externe* correspondant aux hallucinations autoscopiques, c'est-à-dire à l'aperception de notre personne extérieure ; l'*autoscopie interne* s'appliquant à l'aperception de nos organes internes, c'est-à-dire de notre personne intérieure.

Nous allons les étudier successivement, examiner les conditions de leur production, leurs rapports réciproques, leur véritable nature, l'interprétation de leur mécanisme, les critiques qu'elles soulèvent et leurs conséquences au point de vue psychologique.

Quand Goethe, Musset et Maupassant percevaient leur double

L'autoscopie consiste dans le fait de se voir soi-même devant soi. L'historique de ce phénomène, qu'on ne peut pas qualifier absolument de pathologique, car il s'est montré d'une manière trop transitoire, trop accidentelle chez des individus, d'ailleurs non malades vraisemblablement, est très court. La plus ancienne mention qui en soit faite sans doute se trouve dans Aristote [1] qui parle d'un homme qui voyait sa propre image venir au-devant de lui quand il se promenait. Wigan [2] cite un homme intelligent qui avait le pouvoir d'évoquer sa propre image devant lui ; il riait en voyant son double qui riait toujours aussi. Il finit par entrer en discussion avec ce double qui réfutait parfois ses arguments. On retrouve là quelque chose d'analogue à certaines hallucinations psychomotrices chez les aliénés.

Michéa [3] rapporte d'après Nider le cas d'un homme qui voyait constamment son double, même au lit.

Mais c'est Brierre de Boismont [4] qui donne à ce phénomène le

1. Aristote, *Météor.*, lib. III, ch. IV.
2. Wigan, *New View of Insanity*, p. 126 ; 1844.
3. Michéa, *Délire des sensations*, p. 137 ; 1846.
4. Brierre de Boismont, *Des hallucinations*, p. 55 et 408.

nom de *deutéroscopie* que lui donnaient déjà les psychiatres allemands. Il le considère comme une variété d'illusion. Il rappelle que
« dans les montagnes de l'Ecosse et dans quelques contrées de l'Allemagne, on croit encore à la réalité d'une apparition merveilleuse qui
est, dit-on, le présage d'une mort prochaine. On voit, hors de soi, un
autre soi-même, une figure en tout semblable à la sienne, pour la
taille, les traits, les gestes et l'habillement ».

Ce genre d'hallucination ne serait donc pas très rare, puisqu'il
est assez connu du public pour donner naissance à une légende.
Et de fait certains hommes célèbres y ont été sujets. Goethe [1] rapporte qu'après une séparation qui l'avait beaucoup attristé, il vit,
« non avec les yeux de la chair, mais avec ceux de l'intelligence,
un cavalier qui s'avançait sur le même chemin que lui ; c'était lui-
même ; il était vêtu d'un habit gris bordé d'un galon d'or, comme il
n'en avait jamais porté ». Il se secoua pour chasser cette hallucination qui disparut.

Remarquons la justesse de la distinction que Goethe fait des yeux
de la chair et de ceux de l'intelligence, qui prouve bien qu'il a saisi
la vraie différence entre le phénomène autoscopique et l'hallucination
visuelle commune. L'impression du sujet est toute différente dans les
deux cas.

Shelley voyait aussi sa propre personne qui parfois lui adressait
la parole. Mais le poète qui a présenté l'autoscopie externe la plus
nette est certainement Musset, qui l'a parfaitement décrite dans *la
Nuit de décembre* et qui a dû l'éprouver dans les circonstances les
plus émouvantes de sa vie, quand il dit :

> Du temps que j'étais écolier,
> Je restais un soir à veiller
> Dans notre salle solitaire.
> Devant ma table vint s'asseoir
> Un pauvre enfant vêtu de noir,
> Qui me ressemblait comme un frère.
>
> Son visage était triste et beau :
> A la lueur de mon flambeau,
> Dans mon livre ouvert il vint lire.
> Il pencha son front sur sa main,
> Et resta jusqu'au lendemain,
> Pensif, avec un doux sourire.

Ce personnage lui apparaît dans les diverses phases de son existence mouvementée :

---

1. Goethe, *Œuvres complètes*, t. XXVI, p. 83.

Je m'en suis si bien souvenu,
Que je l'ai toujours reconnu
A tous les instants de ma vie.
C'est une étrange vision ;
Et cependant, ange ou démon,
J'ai vu partout cette ombre amie.
. . . .
Partout où j'ai voulu dormir,
Partout où j'ai voulu mourir,
Partout où j'ai touché la terre.
Sur ma route est venu s'asseoir
Un malheureux vêtu de noir
Qui me ressemblait comme un frère.
. . . .

Et le poète se demande :

Qui donc es-tu, qui donc es-tu, mon frère.
Qui n'apparais qu'au jour des pleurs ?

Guy de Maupassant y était aussi sujet, sous deux formes que nous aurons l'occasion de distinguer, la forme positive et la forme négative. Un de ses amis intimes a rapporté qu'en 1889, c'est-à-dire au moment où il entrait dans la paralysie générale, il avait eu cette hallucination d'une façon très nette un après-midi, et qu'il la lui avait racontée le soir même.

Etant à sa table de travail dans son cabinet, où son domestique avait ordre de ne jamais entrer pendant qu'il écrivait, il lui sembla entendre sa porte s'ouvrir. Il se retourna et ne fut pas peu surpris de voir entrer sa propre personne qui vint s'asseoir en face de lui, la tête dans la main, et se mit à dicter tout ce qu'il écrivait. Quand il eut fini et se leva, l'hallucination disparut. Du reste, le *Horla* de cet auteur n'est que l'ébauche de l'hallucination cénesthésique que nous décrivons ici. G. de Maupassant dit en effet qu'il le sentait près de lui sans cesse, qu'il pénétrait en lui-même, mais qu'il ne le distinguait ni ne le voyait — ce qui prouve qu'il s'agissait bien d'une hallucination autoscopique véritable, à la différence des autres cas où il n'y a que sensation cénesthésique.

Encore convient-il de faire le départ entre l'hallucination spéculaire au sens strict et l'hallucination autoscopique. L'épithète plus extensive d'*autoscopique* est dans la plupart des cas de loin préférable, car si parfois le sujet se voit comme dans un miroir, souvent aussi il peut se voir avec des *attributs* autres que ceux du moment actuel.

Il rapporte le cas d'un médecin diabétique et atteint d'un cancer de la vessie auquel il succomba. « Plusieurs mois avant sa mort, lorsqu'il marchait déjà avec peine et avait des hématuries abondantes, il se trouvait dans le corridor d'une maison où il entrait pour la première fois, lorsqu'il s'arrêta brusquement à la vue de son image qu'il croyait reflétée dans une glace. Depuis, la même hallucination s'est reproduite souvent, en général vers le soir, dans sa propre maison. Elle n'a plus reparu à partir du moment où il a pris définitivement le lit. Dans toutes les circonstances, la vision reproduisait l'attitude et les gestes. »

C'est là l'hallucination spéculaire proprement dite.

La perte de la vision spéculaire

Enfin il n'est pas jusqu'à la forme négative que ne puisse recouvrer l'autoscopie externe. De même qu'on peut avoir l'autoscopie positive, telle que nous venons de la voir à différents degrés, consistant à se voir comme dans une glace, ou à voir un fantôme qu'on sent identique à soi-même, et tellement identique même qu'on le considère comme sa propre personne, tandis que notre corps réel ne représente plus notre vrai moi, on peut, en se regardant dans une glace, ne pas s'y voir.

Cette hallucination, Guy de Maupassant — c'est là une particularité assez curieuse de la retrouver chez lui après ce que j'ai rapporté plus haut — l'a eue aussi et l'a décrite dans *Le Horla*. La coexistence chez lui de l'hallucination autoscopique spéculaire, de l'hallucination cénesthésique simple et de celle-ci tend à montrer le rapport entre ces trois variétés d'hallucinations.

J'ai connu personnellement un jeune garçon de quatorze ans qui n'avait d'ailleurs pas présenté d'autres hallucinations. Un jour qu'il était en train de faire sa toilette et se regardait dans l'armoire à glace pour mettre sa cravate, il ressentit tout à coup comme deux coups de marteau aux tempes et cessa de se voir dans la glace. Il ne voyait pas davantage les meubles s'y réfléchir. Pour lui la glace lui paraissait comme un verre à vitre. Il voyait tout autour de lui, mais comme s'il y avait eu un peu de fumée dans l'atmosphère, et les contours des objets étaient un peu indécis. Au bout d'une demi-heure environ, il ressentit de nouveau comme deux coups de marteau aux tempes et l'hallucination négative cessa, en même temps que la vue redevenait claire.

L'on m'en a rapporté également un exemple chez un jeune garçon de treize ans, non hystérique, paraît-il, mais sujet à des extases, à des hallucinations nombreuses et variées (la sensibilité n'a pas été examinée).

En face d'un miroir il lui arrive souvent de ne plus se voir, mais en revanche de se trouver devant toutes sortes de scènes et de per-

Plusieurs écrivains, de Musset à Maupassant, ont décrit le phénomène du dédoublement corporel, et parfois l'apparition de spectres (gravure de Gustave Doré).

sonnages inconnus, jusqu'à ce que ou bien tout à coup il revoie son image, ou bien remarque avec étonnement qu'il s'est déplacé.

Mais ce cas, remarquons-le, n'est pas tout à fait pur, car il y a substitution d'images hallucinatoires à l'image réfléchie du sujet dans le miroir.

Quoi qu'il en soit, nous pouvons établir, dès à présent, une première division dans l'autoscopie externe et distinguer la *forme positive* et la *forme négative*.

Dans la première, le sujet se voit, ou se reconnaît dans le fantôme qu'il perçoit en face ou près de lui. Dans la seconde, il ne se voit pas quand il se regarde dans une glace.

Examinons maintenant comment se produit le phénomène dans les deux cas. Dans l'*autoscopie négative,* le nombre des observations est trop restreint pour qu'on puisse rien dire de précis. C'est un phénomène rare dont je n'ai été témoin qu'une fois. Il semble qu'il se montre d'une façon inopinée, passagère. Les sujets n'en paraissent pas autrement effrayés, mais étonnés.

A quels troubles est-il lié ? Dans mon cas personnel, le jeune garçon qui l'avait présenté avait ressenti au moment de son apparition et de sa disparition comme deux coups de marteau le frappant aux tempes. Dans les deux autres on ne signale aucun trouble physique, douloureux ou non, coïncidant avec. L'explication de ce phénomène est donc très obscure. On peut le rapprocher seulement des hallucinations négatives suggérées chez certains hystériques. Mais l'interprétation elle-même de ces hallucinations n'est pas établie.

Tout ce qu'on peut dire c'est que, dans deux cas, sur les trois connus, il y avait coïncidence de l'autoscopie négative avec les autres formes d'autoscopie positive, ce qui permet de supposer qu'il s'agit de phénomènes de même ordre, de même nature.

L'*autoscopie positive* est mieux connue dans ses manifestations, et l'interprétation en est plus facile.

Tous les *degrés* peuvent se présenter depuis la simple impression qu'on va se trouver en présence de soi-même, jusqu'à la vision nette de son image comme si on se voyait dans une glace.

Suivant la forme du phénomène les *conditions* de son apparition et de sa persistance sont variables. Lorsque le sujet s'aperçoit devant lui comme dans une glace, l'apparition est ordinairement brusque, inopinée, et ne dure que très peu de temps. Il est d'ailleurs généralement incapable d'apprécier la durée du phénomène qui survient ordinairement dans un moment de distraction ou de réflexion profonde, et qui le surprend assez pour qu'il ne s'occupe que de sa manifestation extérieure. Une excitation quelconque suffit à le faire disparaître.

Quand le sujet se voit avec des attributs différents de ceux qu'il a actuellement, la durée du phénomène est ordinairement beaucoup plus longue et peut persister des heures, avec des variations dans l'intensité. Il en est de même quand le double est seulement senti à côté de soi.

Le *moment d'apparition* du phénomène est presque toujours le soir, à la tombée de la nuit ou pendant la nuit dans des pièces faiblement éclairées par des lampes et des veilleuses. C'est encore au moment du réveil, lorsque les impressions du dehors ne sont pas encore nettement perçues, qu'il y a une légère somnolence, un certain engourdissement cérébral. Ces conditions sont à rapprocher de celles que M. Régis signale dans les hallucinations oniriques. C'est aussi dans des cas de rêverie qu'on le voit se produire. De sorte que ce qui paraît fondamental pour son éclosion, c'est l'affaiblissement de la conscience et de la sensibilité générale.

La *distance* à laquelle se montre ou se sent le fantôme est très variable. C'est tantôt à quelques mètres devant soi, tantôt tout contre soi. Tantôt le fantôme marche au-devant du sujet et s'efface tout à coup, tantôt il tourne autour de lui pour disparaître, tantôt encore il se meut à côté de lui, reproduisant tous ses mouvements.

Le plus souvent le personnage autoscopique est *muet*. Quelquefois cependant nous avons vu qu'il peut y avoir dialogue entre les deux moi. Dans ce cas il y a ordinairement contradiction entre eux. Tantôt l'échange de paroles se fait sous la forme des hallucinations psychiques, tantôt sous la forme psychomotrice.

Autoscopie externe et interne

Si, au lieu d'objectiver extérieurement le sentiment général qu'on a de soi-même, et qui constitue ce que nous venons d'étudier sous le nom d'autoscopie externe, on se perçoit en partie seulement et on prend conscience de ses organes internes dans leur forme, leur situation, leur structure, leur fonctionnement, nous avons ce que j'ai appelé l'autoscopie interne. La seule différence entre les deux réside, comme je le disais précédemment, dans le fait de l'objectivation, qui existe dans l'une et pas dans l'autre. Il est évident que si je projette au-dehors le sentiment que j'ai de ma personne tout entière, je me la représente comme elle est extérieurement, comme j'ai l'habitude de la concevoir, et de la connaître. Si au contraire cette extériorisation n'existe pas, ce ne peut être que mes organes internes dont j'objective au-dedans de moi les impressions qu'ils envoient à mon écorce cérébrale. Ce phénomène nous apparaît donc comme identique dès maintenant dans les deux cas. Si j'ajoute que, dans certains cas, les sujets, après avoir ainsi pris connaissance de leurs organes et les avoir situés à leur véritable place, sous la forme d'autoscopie interne, objectivent ces sensations internes au-dehors d'eux comme dans l'autoscopie externe, et que dans d'autres cas on voit coïncider les deux formes d'autoscopie, on comprendra que cette identité nous apparaisse comme difficile à mettre en doute.

Ce pouvoir de voir ainsi en nous-même n'est pas un fait absolument nouveau. A l'état physiologique, il se produit quelquefois pendant l'inconscience du sommeil, sous la forme de ce qu'on a appelé les rêves prémonitoires. Le sujet se voit atteint d'un mal local, dont à l'état de veille il n'existe encore aucune manifestation, et qui n'éclate que plus tard.

Ceci dit, passons aux faits. Ils sont nombreux et probants. Je ne citerai donc que les quelques cas qui me paraissent vraiment caractéristiques. En voici un, par exemple, qui, par certains côtés, offre un intérêt tout spécial au point de vue des conditions et du mécanisme du phénomène. Il a ceci de particulier qu'il s'est produit à un moment où j'étais loin de m'y attendre et, en outre, que c'est à l'état de veille que la malade l'a éprouvé, et non comme beaucoup d'autres au cours de séances de réveil cérébral dans l'hypnose. Il s'est de plus accompagné d'impulsion à dessiner ce que la malade sentait et voyait en elle-même, ce qui m'a donné l'occasion de saisir comment les sujets transforment en représentations visuelles leurs sensations cénesthésiques, et comment ils y ajoutent des représentations colorées.

Les circonstances dans lesquelles le phénomène s'est produit ont une assez grande importance.

Il s'agit d'une jeune femme de vingt-huit ans, d'imagination très vive, qui se représente les choses sous la forme visuelle surtout ; elle a aussi des associations d'odeurs avec ses souvenirs ; tantôt c'est le souvenir qui évoque l'odeur, tantôt c'est l'odeur qui évoque un souvenir. Elle n'a jamais présenté de dédoublement de la personnalité physique, mais elle a parfois senti dans sa tête comme deux voix, une à droite de la nuque, qu'elle appelle l'instinct (l'inconscient), l'autre à gauche qu'elle appelle la raison. Ce dédoublement s'accuse de jour en jour. Elle remarque que c'est la voix de l'instinct qui ne la trompe pas, qui lui dit toujours ce qu'elle doit faire utilement. Elle parle très fort, tandis que l'autre parle lentement et avec hésitation. Si elle suit les conseils de cette dernière, elle se trompe toujours. Elle a en somme conscience de son inconscient. Elle se rend parfaitement compte qu'elle agit tantôt consciemment, à l'aide de motifs raisonnés, ou au contraire inconsciemment.

Par le fait de la restauration de l'activité cérébrale, du réveil cérébral plus complet, plus profond, elle reprend donc de plus en plus conscience d'elle-même. Les hallucinations, dont elle était affectée il y a peu, et qui n'étaient que la manifestation de son dédoublement, disparaissent en même temps. Maintenant tout s'unifie : la continuité de sa personne morale s'établit. Elle peut raccorder ensemble le conscient, qui était le plus faible, avec l'inconscient, qu'elle sentait en elle le plus fort ; elle peut partir de la sensation consciente actuelle pour descendre au fond d'elle-même ; elle parcourt ainsi une échelle beaucoup plus étendue de son moi. Elle se sent parallèlement modifiée dans ses jugements ; son caractère est plus pénétrant ; elle est plus pondérée, plus maîtresse d'elle-même, parce que les motifs lui apparaissent mieux et en plus grand nombre pour les idées et pour les actes.

Elle se croyait libre d'elle autrefois ; elle est étonnée de voir son inconscient marcher seul avec plus de précision et de justesse que sa raison. Aujourd'hui, où tout redevient conscient, elle commence à se croire de nouveau maîtresse d'elle-même et ne plus être une machine comme elle était. Toutefois cette impression que tout marche en elle suivant un mécanisme déterminé lui apparaît ·nettement, et elle qui est très religieuse, très spiritualiste, ne peut s'empêcher de remarquer : « Mais alors nous ne sommes donc que des machines ! »

Une connaissance infuse de son anatomie

C'est à la suite d'une longue séance, à la fin de laquelle elle s'était réveillée spontanément, qu'elle présenta pour la première fois des phénomènes d'autoscopie interne.

Elle n'osa pas me les confier d'abord, dans la crainte de me paraître ridicule, et les raconta d'abord à mon interne.

Voici en quoi ils consistèrent. Il lui semble que dans certaines parties du cerveau — précisément celles où elle avait avant la séance de réveil de l'anesthésie plus ou moins marquée — elle *sent* et *voit* des petits cônes de formes diverses, plus ou moins gros, mais en réalité très petits et tout hérissés de filaments entremêlés. Ces filaments ont une couleur blanc verdâtre ou lie de vin. Ils sont durs, raides, et entourés d'un lacis comme de petites veines très abondantes et très emmêlées. « Qu'est-ce que c'est ? lui demandai-je. — Je ne sais pas ; c'est une sensation, je crois. » Elle voit cela quand elle ferme les yeux et secoue sa tête pour la réveiller. Tous ces cônes sont rigides, et quand elle secoue la tête pendant les séances de réveil « ils remuent, remuent, puis ils se ramollissent, ils deviennent comme de la gélatine », ils se fondent et enfin disparaissent ; et elle ne voit plus rien. Alors elle se trouve bien et sent sa tête libre et dégagée. Au-dessous de ces cônes se trouve une masse, « c'est ce que j'appelle· mon cerveau, dit-elle, c'est inerte ». Pour lui faire préciser je lui dessine la figure suivante en lui demandant si c'est bien cela.

FIG. 1.

Alors elle me prend le crayon et me fait le dessin suivant :

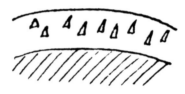

FIG. 2.

Je crois qu'il est difficile de ne pas reconnaître là la structure du cerveau avec son écorce, ses cellules, et sa substance blanche. Il est à remarquer que cette dame, tout en ayant de l'instruction, ne s'est jamais occupée de questions de physiologie ou de médecine. Elle ne connaît du cerveau « que les cervelles qu'elle mange ». Je cherche à lui faire dire indirectement si elle a vu des coupes du cerveau, des descriptions des cellules cérébrales. Mais elle n'en a jamais vu, et d'ailleurs en me parlant de ses petits cônes, elle n'a pas cherché à les comparer avec les cellules cérébrales. Bien plus, ce qu'elle me décrit comme étant son cerveau, cette masse inerte au-dessous des cônes, c'est seulement la substance blanche. J'ajouterai qu'elle n'osait me parler de ces phénomènes, et que leur apparition coïncide avec la fin du réveil cérébral, comme c'est la règle dans les autres observations.

Dans une séance ultérieure de réveil général elle éprouve de nouveau de la gêne à la poitrine, des points douloureux à l'estomac, des fausses régurgitations, des spasmes de l'estomac, etc., bref, tous les signes habituels du réveil du centre gastrique cortical, lequel était un des plus anciennement atteints, car ses troubles digestifs et son anorexie remontent à plusieurs années, quoique n'ayant jamais atteint une grande intensité.

Or, le lendemain, après avoir très bien dormi pendant la nuit, elle est obsédée, dès le réveil, par l'idée de dessiner ce qu'elle voit en elle en fermant les yeux et concentrant sa pensée sur elle-même. Elle fait une douzaine de dessins en fermant les yeux et ne les ouvre qu'un moment pour tracer ce qu'elle voit et sent. Elle fait d'abord des ronds parce qu'elle « voit et sent une boule au milieu d'elle », et elle arrive enfin à ce dessin qui représente un estomac.

Fɪɢ. 3.

Mais elle ne dit pas que c'est son estomac. Elle dit : « Je *vois* ce que j'ai au centre de moi ; ça a des petites boules dedans, comme des petits boutons ; c'est mou, je ne sais pas ce que c'est (ce sont les petits points de son dessin). Je ne sais pas si j'ai bien placé ce *tuyau* (le commencement de son intestin) ; il peut être un peu plus haut. » Elle me montre le cardia : « C'est là que ça se contracte quand j'ai des renvois ; je ne vois ni le commencement ni la fin de ça (elle m'indique l'œsophage) ; ça ballotte dans moi. »

Je lui demande si elle a vu de quelle couleur c'était : « *J'ai essayé,* dit-elle, de me représenter de quelle couleur c'est ; il me semble que c'est de la couleur du dessous de la langue avec des veines comme ça. »

Cette réponse est une preuve de sa sincérité, si j'avais pu en douter. Elle ne me dissimule pas en effet qu'elle a *essayé* de se représenter la couleur, et elle n'est pas affirmative, il lui *semble* seulement que c'était de telle sorte.

Il est à remarquer qu'elle est intelligente et assez instruite pour avoir vu des figures d'estomac, et qu'elle sait dessiner assez bien.

Or, elle n'a pas dessiné du premier coup un estomac ; elle a été obsédée par le besoin de dessiner ce qu'elle voyait « au centre d'elle-même ».

Et même une fois qu'elle l'a dessiné, elle ne prononce pas le mot d'estomac, ni d'intestin, mais se sert des mots « ça » et « tuyau », comme les autres sujets. En outre, elle ne l'a pas dessiné comme on le voit ordinairement dans les livres, mais tel qu'il est réellement situé, tel qu'elle le sent et le voit. Cela l'a soulagée de le dessiner.

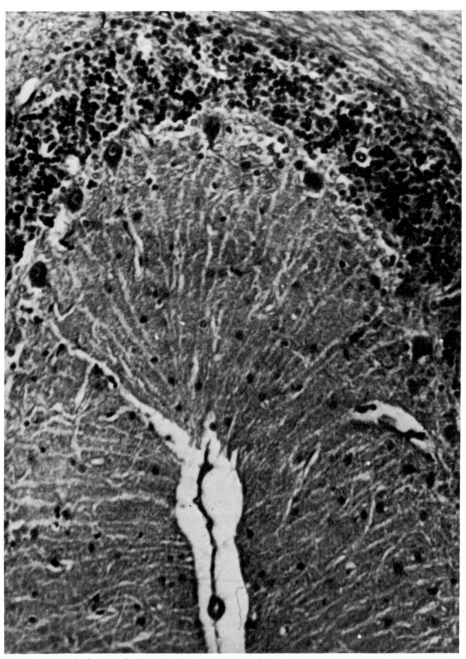

*Des malades étudiées par le Dr Sollier décrivaient, par autoscopie interne,
leur propre squelette et les vaisseaux sanguins, le cœur, les muscles, le cerveau
(ici photo d'écorce cérébelleuse).*

A la suite de cette séance, elle a vu aussi de nouveau son cerveau, mais dans un seul point, sur le dessus, au vertex. Or, dans cette région, on observe chez elle une zone d'hyperesthésie douloureuse, comme cela arrive toujours quand la sensibilité revient, et avant qu'elle ne soit tout à fait normale. Elle me dit à ce propos : « Je vois cela comme dans un liquide ; on n'a pourtant pas d'eau dans la tête, et je ne vois cela qu'où je souffre. »

Je l'interroge sur la façon dont elle peut voir en elle, et voici notre dialogue textuel à propos de sa vision de l'estomac : « Comment donc voyez-vous cela ? — Mais, en moi. — Oui, mais comment, comme avec vos yeux ? — Oui, je vois et je *sens* aussi (elle s'arrête, ferme les yeux, fait le geste de palper un objet entre ses mains). Quand je prends un objet dans les mains les yeux fermés, en même temps que je le sens, je le vois ; eh bien ! c'est la même chose. »

A la suite d'une autre séance de réveil, elle me raconte qu'elle a vu la forme de son estomac et que la *peau intérieure* n'est pas comme la peau, mais lisse et luisante. « Et la couleur, comment l'avez-vous vue ? lui dis-je. — Mais, comme je voyais l'estomac. — Mais vous me disiez que vous vous le représentiez, que vous le voyiez comme on voit un objet qu'on palpe les yeux fermés, que vous le sentiez plutôt ; alors, comment voyez-vous la couleur ? l'avez-vous vue spontanément comme la forme ? — Ah ! non, c'est *à force d'y penser* que j'ai essayé de voir la couleur, et je n'ai trouvé comme ressemblance que le dessous de la langue. »

C'est donc par une sorte d'amplification de son imagination, par un besoin de compléter sa représentation visuelle, qu'elle donne une coloration à cette représentation visuelle, comme elle traduit sa sensation cénesthésique sous une forme visuelle aussi.

Quelque temps après, elle m'en donna une nouvelle preuve à propos de son cœur. Comme elle en souffrait, je le lui avais fait ressentir. Le lendemain de la séance elle me dit : « Il m'est arrivé quelque chose qui m'a fait bien peur hier soir. Je ne sais comment vous expliquer cela, il me semblait sentir mon cœur hors de la poitrine, comme si je l'avais tenu dans mes mains (et elle en faisait le geste en même temps), c'était comme une masse rouge, sanglante : je sais bien que ça n'était pas, mais j'en avais la sensation ; c'était très désagréable et ça m'a bien duré une heure, avant de m'endormir. » Quoique moins précis que pour l'estomac, le phénomène est bien le même.

Cette observation est des plus intéressantes car elle éclaire d'un jour nouveau la question de la manière dont les sujets transforment leurs sensations cénesthésiques en représentations visuelles, et comment ils peuvent dire qu'ils voient la couleur des organes qu'ils se représentent.

La perception des corps étrangers

Dès 1903, le docteur Comar avait d'ailleurs déjà fait état de ce genre de phénomènes. Je le cite textuellement [1] :

« Une grande hystérique [2], M..., que je soignais par le traitement mécanothérapique ayant pour but le réveil de la sensibilité, était prise tout à coup de fièvre. La température monta graduellement jusqu'à 40°, la malade n'ayant pour tout symptôme qu'une sensation douloureuse dans la région iliaque droite. Pas de ballonnement du ventre, pas de nausées, pas de vomissements, pas de constipation. Devant l'absence de tout signe pouvant expliquer cette température, je restais dans l'expectative, pensant me trouver en présence d'une fièvre hystérique avec péritonisme localisé dans la région coecale Je me contentai de prescrire par précaution une alimentation liquide et de la glace en permanence sur l'abdomen. Cet état fébrile dura trois semaines avec défervescence progressive. Au cours de cet état la malade étant dans l'hypnose me parla à plusieurs reprises de la petite peau qui entourait ses intestins et qui était très rouge, surtout à un endroit. Sous l'influence du repos et de la glace, les phénomènes s'étant amendés, la malade se releva, mais ne reprit pas une alimentation normale. Par prudence, je la laissai au régime liquide lorsque, au bout de quelques jours, les mêmes faits se reproduisirent avec des symptômes cette fois plus nets, nausées, ballonnement abdominal, constipation, douleur lancinante au niveau de l'appendice et fièvre dont voici la courbe.

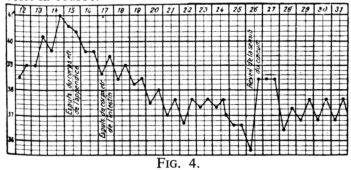

FIG. 4.

Le jour où la fièvre atteignit 40°, je fis mettre la malade dans des bains frais. Les mouvements provoqués occasionnèrent une exacerbation de la douleur et amenèrent le troisième jour une crise

---

1. « L'auto-représentation chez les hystériques », *Presse médicale,* 17 janvier 1903.
2. Il semble que dans les années 1900, on ait imputé à l'hystérie toutes les manifestations somatiques résultant de conflits inconscients. La médecine psychosomatique est aujourd'hui moins catégorique.

paroxystique au cours de laquelle la malade me dit qu'elle voyait la petite peau plus rouge que la première fois, que surtout le petit bout de l'intestin était très malade. Je profitai de son état d'hypnose pour la questionner et lui demander ce qu'elle voyait ainsi. " Je ne vois pas bien le petit bout, je ne sais pas où il finit. — Pourquoi ne le voyez-vous pas ? — Je ne peux pas le voir parce que je ne le sens pas ; mon intestin et la peau qui l'enveloppe, je les vois parce que je les ai sentis, mais ce petit bout-là, je ne l'ai jamais senti. — Eh bien ! dis-je, sentez-le. " Elle fit des mouvements abdominaux accompagnés de vives douleurs et entrecoupés de cris et de paroles que je transcris. " Ah ! mais, ça va percer, mais c'est très mince ; la petite peau colle, elle est double et, entre ses faces, il y a une sorte de liquide sale et épais, ça se colle et ça se décolle quand je remue, mais ça va tout arracher, c'est comme quand on a un mal blanc au doigt, ça suppure, c'est ça qui me donne cette fièvre et tout autour de ce point-là c'est rouge, toute la petite peau est rouge dans tout le ventre, mais surtout du côté droit. — Sentez plus... " Les mouvements augmentent, les phénomènes douloureux paraissent plus intenses et elle me dit : " Oh ! le petit bout est plein de saletés ; ah ! que c'est sale ! mais il y a longtemps que c'est là-dedans tout ça. C'est ça qui m'a fait mal et ça ne peut pas sortir. — Sentez plus. — Ah ! je vois le bout maintenant. " Elle fait un mouvement plus vif et s'arrête tout à coup en poussant un cri : " Ah ! ça me pique. — Quoi donc ? — Mais il y a quelque chose dans le bout. — Quoi ? — Je ne vois pas très bien, car c'est entouré d'un tas de saletés : mais ça me fait très mal, je n'ose plus bouger, j'ai peur que ça ne crève. — Quoi ? lui dis-je. — Mais le petit bout ; il y a dedans quelque chose de pointu qui a irrité, mais c'est entouré de saletés et je ne vois pas bien ce que c'est ; alors si je remue, j'ai peur que la pointe ne fasse percer mon intestin. — Eh bien ! lui dis-je, continuez à sentir en allant doucement et en faisant attention à ce que ça ne perce pas. " Elle continue alors à faire, et comme avec précaution, les mouvements abdominaux qu'elle avait faits jusqu'alors pour sentir son intestin et me dit tout à coup : " Mais, ça remue, tout le petit bout de l'intestin se tortille comme un ver, et ça fait remuer ce qui est dedans, ça se déplace... ça remonte... Mais ça m'écorche en passant... ah ! ça sort du petit bout, c'est dans le gros intestin ! "

Elle continue à faire quelques mouvements et s'arrête " parce qu'elle a trop mal au ventre ". Je jugeai inutile de pousser plus loin ce jour-là, craignant, puisque la malade s'arrêtait d'elle-même, d'amener des accidents plus sérieux, et jugeant préférable de la suivre plutôt que de la guider. N'ayant pas la preuve que ce qu'elle disait était faux, je jugeai, ne fût-ce que par prudence, devoir l'admettre comme vrai. Le soir, la température non seulement n'avait plus augmenté, mais elle avait baissé de deux dixièmes. Le lendemain je mettais néanmoins la malade dans l'hypnose et lui demandai si elle voyait toujours son intestin. " Oui, me dit-elle, et la petite pointe qui me faisait mal est toujours au même endroit qu'hier. — Eh bien ! lui dis-je, réveillez votre intestin. " Elle fait alors de nouveaux mouvements et me dit que tout son intestin remue, que la petite pointe se déplace et que les saletés qui sont autour sont moins épaisses. — " Sentez plus. " Elle me dit un instant après : " Je commence à voir mieux, mais je ne vois qu'un bout, on dirait un morceau d'os, c'est pointu à une extrémité et plus large à l'autre, ça a environ un centimètre. " Elle m'indique alors comme situation dudit objet la région correspondant au côlon transverse. — " Sentez plus. " Les mouvements continuent... " Où le voyez-vous maintenant ? — Là, montre-t-elle avec son doigt, en indiquant la fosse iliaque gauche. — Vous êtes sûre ? — Mais je le vois très bien. — Eh bien ! alors, arrêtez-vous et ne cherchez plus à sentir. " Et aussitôt je lui fis administrer un lavement d'eau, pendant qu'elle était encore endormie. Je fis filtrer les matières rendues, et je trouvai dedans un petit morceau d'os de forme et de dimensions ci-dessous.

Fig. 5. — Fragment d'os sorti de l'appendice.

Le lavement expulsé, je demandai à la malade si elle voyait encore sa petite pointe. " Mais non, me dit-elle, elle est partie avec l'eau que je viens de rendre. "

A partir de ce jour la température baissa progressivement. La malade, questionnée à diverses reprises dans l'hypnose, me déclara successivement que la petite peau (le péritoine) était moins rouge, que les saletés qui en collaient les deux surfaces disparaissaient petit à petit. Elle semblait suivre jour par jour la diminution de l'inflammation péritonéale et la résorption de l'exsudat. Il n'y eut une légère élévation de température que le jour où je lui fis retrouver la sensibilité de tout le cæcum ; peut-être ce jour-là avais-je ramené un peu d'inflammation péritonéale à l'endroit qui avait été le plus atteint, au niveau de l'appendice. »

Tout en prévoyant et en réfutant les objections qui peuvent être faites à propos de ce fait, le docteur Comar insiste avec raison sur l'aspect de la courbe de température de sa malade, courbe qui ne rappelle en rien la fièvre dite d'autosuggestion. Puis il aborde le fait suivant relatif à la même malade.

« Un jour, après avoir mangé à son repas une bombe glacée, cette malade accusa une sensation douloureuse dans l'estomac et me dit elle-même (elle ne cherchait donc pas à me tromper) qu'elle croyait avoir avalé quelque chose, mais n'en était pas certaine (je fais remarquer ici que cette malade avait alors de l'anesthésie de sa muqueuse buccale et pharyngienne). Je l'endormis aussitôt et lui demandai si réellement elle avait avalé un corps étranger. " Oui, me dit-elle, je le vois, il est dans mon estomac, c'est un petit morceau de plomb. — Comment, lui dis-je, voyez-vous que c'est du plomb ? — Ah ! cela je ne le vois pas, mais c'est lourd, cela ne surnage pas dans mon estomac, et en faisant des mouvements, j'ai du mal à le faire remuer ; alors comme j'ai mangé ma glace et que j'ai failli avaler un morceau du moule, je suppose que c'en est un autre que je n'ai pas vu et que j'ai avalé. Mais ce que je vois très bien, c'est la grosseur de cette petite pointe et sa forme. Elle a un centimètre de long environ et est plus pointue à une extrémité qu'à l'autre ; elle est dans mon estomac. — Eh ! bien, lui dis-je, n'ayez pas peur, ça s'en ira tout seul. " Et je la réveillai. Le lendemain je la rendormis. Je lui demandai dans l'hypnose si le petit morceau de plomb avalé était parti et si elle le voyait toujours, lui disant qu'il devait être maintenant dans l'intestin. " Non, il est encore dans mon estomac ; il était trop lourd, il s'est seulement déplacé et il est tombé entre deux petits plis, il ne bouge plus, il ne remue un peu que quand je fais de grands efforts... "

Je ne dis rien à la malade et je lui fis avaler séance tenante un gramme d'ipéca, étant toujours endormie. Je restai auprès d'elle et un quart d'heure après elle vomissait devant moi le petit morceau de plomb en question de forme ci-dessous et correspondant bien à la description faite par elle.

FIG. 6. — Petit morceau de plomb vomi

Questionnée ensuite, elle me répondit qu'elle ne voyait plus rien. »

A quelque temps de là, le docteur Comar interrogea cette malade sur la façon dont elle voyait ce qui était en elle, corps étrangers et organes. « Les voyez-vous comme vous voyez avec vos yeux quand vous regardez un objet ? — Ah ! mais non ; je les vois, mais pas de la même façon. D'abord ça me fatigue beaucoup plus dans la tête que lorsque je vois avec mes yeux. Quand je veux arriver à voir une place en moi, les nerfs de la partie que je veux voir me tirent à la partie correspondante de ma tête. — Qu'est-ce que vous voulez dire ?

— Eh bien ! toutes les parties de mon corps ont une partie correspondante dans ma tête. Si l'une dort, l'autre dort aussi. Ainsi vous savez bien que quand je sens mes jambes, ça me tire derrière ma tête ; mon cœur, ça me tire au milieu de ma tête ! Eh ! bien, si je veux voir mon cœur, il faut que je le sente en même temps dans ma tête. Je ne vois un organe que s'il se réveille en même temps dans ma tête ; autrement, je le vois très mal et même, s'il est bien engourdi, je ne le vois pas du tout. — Donc quand vous ne sentez plus un organe, quand vous avez fini de le sentir, vous ne le voyez plus ? — Ah ! si, quand je l'ai déjà senti bien, je le vois encore, mais moins. Il est vrai que c'est très curieux ce qui se passe alors : je le vois sans le voir, on dirait que je me rappelle plutôt l'avoir vu. Mais toujours, quand je veux regarder en moi, ça me fatigue beaucoup. — Mais voyez-vous les couleurs ? — Je ne sais pas, il me semble que oui. Ainsi, quand la petite peau de mon ventre (péritoine) est irritée, je vois bien qu'elle est rouge. Quand j'ai uriné du sang, je voyais bien que dans ma vessie, c'était du sang qu'il y avait et pas autre chose... Tout ce que je sais bien, c'est que quand je regarde un point de mon corps, ça me tire tout de suite dans ma tête. »

Une opération réussie

La deuxième observation du docteur Comar est tout aussi intéressante. Elle se rapporte également à un corps étranger ingéré.

« La malade dont il s'agit avait avalé une épingle, qu'elle avait mise dans sa bouche, étant endormie. Tous les efforts, toutes les tentatives pour la lui faire rendre avaient échoué, ou bien l'épingle avait été rendue à l'insu de la malade et avait passé inaperçue ; ses selles avaient été surveillées, examinées, pendant plus d'un mois ; puis la malade ne se plaignant pas, on avait cessé la surveillance et il n'avait plus été question de l'épingle, si peu question que, lorsque l'on m'avait amené la malade quatre mois plus tard pour les accidents hystériques qu'elle présentait, on ne m'avait même pas parlé, ni elle, ni les siens, de l'incident de l'épingle.

Il s'agissait cette fois encore d'une grande hystérique vigilambule chez laquelle je n'hésitai pas à employer la méthode de traitement qui m'avait donné de si bons résultats. Cette malade présentait en particulier la manie d'avaler dans l'hypnose tous les menus objets qui lui tombaient sous la main. Un jour où je lui disais, au cours d'une séance, de réveiller la sensibilité de son intestin, de le sentir, elle s'arrêta tout à coup, en disant qu'elle ne pouvait plus continuer " parce que ça la piquait ". Je pensais qu'elle traduisait ainsi une des manifestations douloureuses causées par le réveil de la sensibilité et j'insistai. Elle fit encore quelques mouvements et s'arrêta de nouveau en disant que " ça lui faisait réellement trop mal, que ça la piquait trop. — Quoi donc ? — Je ne vois pas bien, mais c'est pointu, ça doit être une petite épingle que j'ai avalée il y a deux mois. — Sentez plus et faites attention ". Elle fait alors des mouvements moins étendus et moins rapides, localisés surtout d'un côté et me dit après quelques minutes : " Mais je vois très bien, ce n'est pas la petite épingle que j'ai avalée il y a deux mois, c'est celle que j'ai avalée il y a six mois, je la reconnais, mais je croyais bien l'avoir rendue depuis longtemps. — Comment la reconnaissez-vous ? Vous la voyez donc ? — Oh ! mais oui, elle était beaucoup plus grosse que l'autre et je la reconnais bien ; elle est longue et a près de trois centimètres, mais elle est piquée dans mon intestin de telle façon qu'elle ne pourra plus partir, et je vois maintenant qu'en faisant des mouvements tout à l'heure, je l'ai enfoncée davantage. Je souffre beaucoup. "

J'interrompis la scène ; ceci se passait un jeudi. Au réveil la malade se plaignait de souffrir beaucoup dans le ventre, d'un côté, et de ressentir une sensation de piqûre très douloureuse ; elle me demanda ce qu'elle avait ou ce que je lui avais fait, et ne parla nullement de son épingle. Je la questionnai alors, lui demandant entre autres choses pourquoi on ne m'avait jamais parlé de ce fait. Elle me répondit que c'était sans importance et que depuis sept mois il devait y avoir longtemps que l'épingle était ressortie. Je la laissai étendue toute la journée avec une alimentation liquide et de la glace sur l'abdomen.

Le lendemain, je rendors la malade et la questionne de nouveau. Elle me décrit comme la veille les dimensions et la situation exacte de l'épingle. Je lui demande alors si elle peut la déplacer. Elle fait quelques mouvements et me dit que c'est très difficile, car chaque mouvement l'enfonce davantage ! " Il faudrait, me dit-elle, que je fasse remuer mon intestin en sens inverse, et c'est très difficile. — Essayez. " Elle fait d'autres mouvements, puis me déclare : " Elle bouge, je l'ai fait bouger d'un centimètre, elle commence à ressortir, mais ça saigne et je n'ose plus bouger. "

J'arrête la séance. Journée mauvaise avec hoquet, nausées, sensation de douleur et de chaleur dans l'abdomen.

Le troisième jour je la rendors. Elle me dépeint " tout l'intérieur de son ventre rouge et à l'endroit de la piqûre la tête de l'épingle a fait un petit trou et s'est collée dedans ". Je lui demande de me décrire exactement la situation de l'épingle et si elle la voit assez bien pour me dessiner avec un crayon sa situation. Elle acquiesce. Je lui donne un crayon et du papier, et, dans l'hypnose, sans hésiter une minute, elle fait le dessin suivant, m'expliquant que la tête de l'épingle est en haut et qu'elle traverse la paroi intestinale sans cependant en prendre toute l'épaisseur, puis ressort en bas d'un centimètre environ.

Elle prend même son drap de lit et le replie sur son doigt pour mieux m'expliquer comment l'épingle est piquée : " Elle passe, me dit-elle, sous la petite peau mince qui entoure l'intestin : heureusement qu'elle ne la traverse pas aussi ; sans cela mon intestin serait crevé. " (L'épingle est donc piquée dans l'épaisseur de la paroi, elle a traversé la muqueuse et la musculeuse, respectant la séreuse, et, un centimètre au-dessous, elle ressort dans l'intérieur du tube intestinal, comme le montre bien le dessin de la malade.) Je lui demande encore si c'est dans le gros intestin. " Vous voyez bien que non ", me dit-elle en montrant son dessin. Et en effet elle a bien dessiné une anse d'intestin grêle.

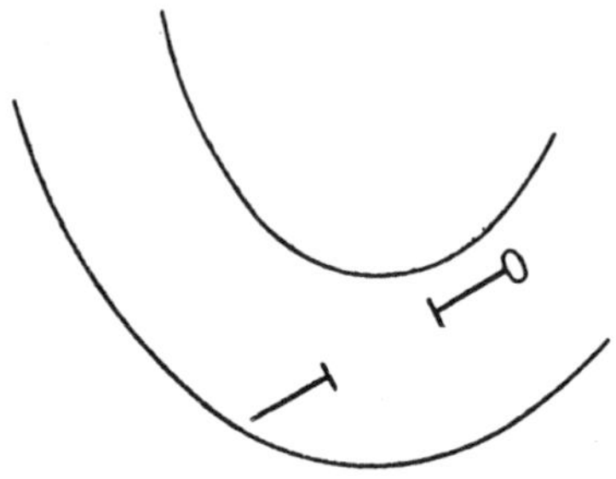

FIG. 7.

Je m'arrête, car elle souffre trop. Je la laisse reposer et continue dans la journée l'alimentation liquide et la glace sur l'abdomen.

Le lendemain, nouvelle séance. Je lui dis de faire partir l'épingle de la place occupée. Elle fait des efforts qui paraissent très douloureux et en allant avec beaucoup de précautions. Je comprends à ses explications qu'elle est obligée de faire faire à son intestin des contractions antipéristaltiques. Elle me dépeint toutes les positions successives que prend cette épingle, tous les mouvements qu'elle fait : elle se repique, elle s'accroche, elle tourne, elle bouge, elle se heurte à la paroi, etc. Enfin, après un quart d'heure environ, l'épingle est sortie, elle est maintenant libre dans l'intestin. " Mais, ajoute-t-elle, il faut que je la fasse descendre, car elle est restée si longtemps à cette place qu'elle pourrait avoir tendance à y revenir, et j'ai eu trop de mal à la faire partir pour recommencer. "

Elle me dit que " l'endroit de la piqûre saigne un peu et que ça fait une plaie ". J'arrête la séance. Le cinquième jour, je recommence ; l'épingle a fait du chemin avec les liquides absorbés par la malade. Elle me dit qu'elle est passée dans le gros intestin. Enfin, le sixième jour, je l'endors et je lui dis de faire avancer l'épingle.

Elle fait toujours des mouvements abdominaux, mais me dit à la fin qu'elle a peur que l'épingle se pique au bout de l'intestin. Je lui fais administrer un lavement pour en faciliter l'expulsion. Elle me dit à ce moment que l'eau arrive bien jusqu'à l'épingle et l'entraîne, et elle rend enfin cette épingle, qui était bien conforme à sa description, en disant : " Ça y est, elle est sortie ! " L'épingle était dépolie par les liquides intestinaux. Je réveille la malade, je la lui montre ; elle n'hésite pas une seconde : " C'est bien celle-là ", dit-elle.

Les jours suivants, la malade me décrivit dans l'hypnose les progrès de la cicatrisation de la petite plaie causée par l'épingle : sur l'endroit ulcéré s'était déposée de la sérosité qui s'était transformée en une petite croûte molle très mince. " Il ne faut pas que je mange, disait-elle, car le plus petit fragment de nourriture entraînerait ma croûte et mon intestin serait percé, pas tout à fait cependant, car il y a encore la petite peau qui l'entoure ; mais elle est bien rouge et j'ai grand-peur qu'elle ne se perce aussi. " Elle se perce, en effet, malgré l'immobilité absolue et la diète alimentaire. Puis, c'est la croûte qui se décolle à moitié, mais qui, heureusement, finit par se recoller. Enfin, au bout de quelques jours, la cicatrisation s'opère, l'inflammation péritonéale diminue et la malade put bientôt reprendre l'alimentation normale, me disant qu'il n'y avait plus qu'une petite cicatrice et une petite dépression de la paroi intestinale à l'endroit où la tête de l'épingle avait appuyé si longtemps.

Depuis, la malade a repris son travail et ne s'est plus jamais plainte de son intestin. »

Interrogée par Comar, comme la précédente, sur la façon dont elle voyait, elle lui répondit textuellement : « Quand je veux voir, je n'ai qu'à suivre les nerfs qui partent du point de ma tête correspondant, et qui descendent dans mon dos et vont enfin jusqu'à l'endroit que je veux voir ; mais je ne les vois pas comme avec mes yeux... Il y a des endroits que je ne peux pas bien voir, il faut que ça parte de ma tête où je le sens en même temps. Quand je sens bien un organe, je ne le vois plus. Ainsi vous m'avez fait sentir mes jambes, je les voyais, je voyais dedans ; maintenant que je les sens bien, je ne les vois plus de la même façon ; je les vois seulement dessus avec mes yeux. Ce que je ne sens pas un peu, je ne le vois pas, il faut d'abord que j'aie trouvé à quel endroit de mon corps et de ma tête est l'organe que je veux voir...

« Mais, quand vous avez vu l'épingle dans votre intestin, comment l'avez-vous vue ? — Je ne sentais pas mon ventre avant, je ne voyais rien ; quand j'ai commencé à sentir, j'ai commencé à voir. Or, un jour, le 17 octobre (c'est, en effet, le 17 octobre exactement qu'elle m'a dit voir l'épingle), j'ai mieux senti mon intestin, alors j'ai bien vu l'épingle en entier. — Vous l'avez vue ? — C'est-à-dire que j'ai senti qu'il y avait quelque chose dans mon intestin. Alors j'ai regardé dans ma tête avec les nerfs de mes yeux, les nerfs qui sont en arrière de mes yeux, et à l'endroit qui, dans ma tête, correspondait à mon intestin, j'ai vu comme une ombre sur un voile, une raie noire ayant la forme d'une épingle, et en même temps que je voyais ça dans ma tête, je le sentais dans mon ventre. »

Et le docteur Comar termine par ces quelques réflexions sur l'interprétation possible de ces phénomènes si singuliers en apparence et où la vérification expérimentale a été faite de la réalité des sensations éprouvées par les sujets et de leur sincérité. « J'ai transcrit textuellement, je le répète, les paroles de mes deux malades. Toutes deux m'ont, en résumé, dit la même chose. Leurs paroles me semblent fournir une explication du phénomène décrit. Les malades sentent d'abord et interprètent ensuite les phénomènes de sensibilité. Peut-être y a-t-il cependant un phénomène plus complexe qui reste inexpliqué, et qui a été traduit imparfaitement par ma deuxième malade, me parlant, à propos de l'épingle, de l'impression qu'elle a eue de la projection d'une raie noire sur un voile. »

Y a-t-il là les éléments d'une autre interprétation de ces phénomènes paranormaux ? Peut-être se composeraient-ils alors de deux phases successives dont la première serait certainement un trouble de la sensibilité périphérique transmis aux centres cérébraux, et la deuxième phase une interprétation faite par la malade et où entreraient en jeu la mémoire et les notions secondairement acquises. Il y a là, en résumé, à côté d'un phénomène de sensibilité, anesthésie ou hyperesthésie, un phénomène spécial, difficile à élucider dans l'état actuel de nos connaissances.

DOCTEUR PAUL SOLLIER

Chapitre VII

Qu'est-ce
qu'une hallucination ?

Le dédoublement corporel, la perception directe des organes internes sont-ils des phénomènes hallucinatoires ?
Nous avons vu combien la complexité de certains cas appelle la prudence.
Mais qu'est-ce qu'une hallucination du point de vue de la psychiatrie ?

Bien des définitions ont été proposées, et l'une des plus anciennes, puisque nous la devons au fondateur de la psychiatrie, Esquirol, est encore la moins contestée : « Un homme, écrit-il, qui a la conviction intime d'une sensation actuellement perçue, alors que nul objet extérieur propre à exciter cette sensation n'est à la portée de ses sens, est dans un état d'hallucination. » En résumant cette proposition, l'on peut dire que l'hallucination est « une perception sans objet ». Certes, l'on ne s'est pas fait faute de critiquer cette formule en indiquant que celle-ci contenait une contradiction dans ses termes, en ce sens qu'une perception suppose toujours la présence d'un objet capable d'affecter les sens ; mais, d'autre part, on peut bien se persuader que l'halluciné, convaincu de voir ou d'entendre, perçoit très clairement des images visuelles ou auditives, mais dont le caractère singulier tient dans ce qu'elles ne correspondent à aucun objet extérieur. Aussi la définition précédente n'apparaît pas si défectueuse et nous l'utiliserons pour ne pas retomber dans de monotones répétitions.

Mais il est un point sur lequel il convient d'être immédiatement fixé : si le sujet halluciné doit avoir, selon Esquirol, la conviction intime d'une sensation actuellement perçue, qu'est-ce à dire ?

Doit-on entendre par là que, pour être un authentique halluciné, il est indispensable de croire fermement que cette sensation perçue correspond à un objet réel, ou seulement qu'il éprouve réellement une sensation ou une perception, alors que sa critique et son jugement lui interdisent d'admettre la présence réelle, derrière l'image virtuelle, visuelle, auditive, olfactive, tactile, qui se présente à lui, d'un véritable objet ?

Ainsi, un malade qui croit apercevoir très distinctement des bêtes qui courent sur son lit, ou voir des personnages grimaçant devant lui, mais dont l'esprit critique demeure assez vif pour lui faire rejeter ces phantasmes, doit-il être tenu pour un authentique halluciné ? Deux conceptions s'opposent : selon certains auteurs, et des plus éminents, pour que l'hallucination soit authentique, il faut que le sujet soit persuadé que l'image qu'il perçoit correspond à un objet réel ; pour d'autres, au contraire, tout sujet qui a la conviction de voir, d'entendre, de percevoir en un mot par l'un de ses sens, alors que rien ne peut agir du dehors sur ses sens, est un halluciné.

Cette façon de voir nous semble la plus juste pour plusieurs raisons : la première tient en ce que le phénomène hallucinatoire dégagé de son enveloppe et des symptômes psychologiques qui l'accompagnent est le même dans les deux éventualités ; la seconde dans ce fait bien souvent vérifié : savoir que le même sujet passe très facilement de l'hallucination critiquée ou consciente à l'hallucination non critiquée, laquelle serait seulement, nous le répétons, pour quelques auteurs, l'hallucinations vraie.

Hallucination, illusion, interprétation

Tout à côté de l'hallucination vient se placer un autre trouble des perceptions dont le mélange ou l'intrication avec la perception sans objet, apparaît de plus communs : c'est l'*illusion*. Celle-ci n'est plus une perception sans support matériel, sans objet, c'est une perception déformée. Comme le dit Lasègue : « L'illusion s'appuie sur la réalité mais elle la brode ; l'hallucination invente de toutes pièces, elle ne dit pas un mot de vrai. »

Pour reprendre notre exemple précédent : un sujet qui voit s'ébattre des bêtes sur sa couche, alors qu'il n'existe rien de tel, est victime d'une hallucination ; mais un malade qui, dans les plis d'un manteau ou d'un rideau agité par le vent, aperçoit des spectres ou des personnages, est en proie à une illusion.

Ajoutons enfin qu'à l'hallucination et à l'illusion s'opposent les « interprétations ».

Il ne s'agit plus ici de troubles psycho-sensoriels, mais de perturbations proprement intellectuelles qui consistent dans l'appréciation d'un fait réel mais déformé par un altération du jugement. Ainsi un malade qui, en entendant le sifflement d'une sirène, s'imagine reconnaître le signe de ralliement des ennemis qui le poursuivent, doit être considéré comme un interprétant et non pas comme un halluciné.

Remarquons que si cette distinction est facile à établir dans l'abstrait, elle s'avère d'application beaucoup moins aisée dans la vie concrète toujours mouvante et chargée d'éléments divers. C'est pourquoi, contrairement à ce que l'on pourrait penser *a priori,* assurer que tel sujet est véritablement un halluciné se heurte parfois à de bien sérieuses difficultés, sans compter celles qui témoignent d'une activité de jeu ou de mystification.

Les hallucinations que nous avons en vue, qu'elles soient ou non critiquées, correspondent donc à une perturbation psycho-sensorielle, ce qui veut dire que si le dispositif nerveux d'un ou de plusieurs sens entre en jeu, la perception sans objet comprend aussi un état psychologique particulier, lequel n'apparaît pas de même essence chez tous les hallucinés.

Poursuivre l'étude d'un halluciné, ce n'est donc pas seulement préciser la qualité et l'authenticité de l'hallucination, mais c'est encore découvrir les éléments psychologiques qui l'entourent, en bref replacer la perception sans objet dans l'ambiance psychologique au sein de laquelle le phénomène a éclos et s'est développé.

D'autre part, attacher une grande importance à ce que l'on appelle l'*esthésie*, c'est-à-dire l'intensité de l'image visuelle, auditive, olfactive ou autre, ce n'est nullement considérer que la vividité de cette pseudo-perception constitue le tout de l'hallucination. Aussi bien que l'esthésie ou la sensorialité, la qualité de l'hallucination doit être précisée. Et, de même que les images dont nos rêves sont peuplés, les images hallucinatoires dont les malades nous dépeignent les aspects multiformes ne sont pas quelconques, mais représentent une part de la personnalité du sujet, de ses sentiments, de ses tendances, de ses appétits, de ses affections ou de ses haines, de ses idées enfin.

Et il est bien certain qu'apercevoir devant soi un ange, la Vierge, le démon, ou voir des bêtes terrifiantes, ou encore des animaux innocents dont le jeu est amusant à regarder, ne peut être tenu pour une même chose.

Sous cette disparité se cache une signification qu'il ne faut pas négliger. Et, comme nous le montrerons plus loin, puisqu'il n'y a point de hasard dans la nature et qu'il n'est rien jusqu'à nos rêves qui n'ait un sens, comme l'a très bien vu Freud, les hallucinations elles aussi, ont une signification. Que celle-ci soit occulte ou transparente, le problème n'est pas là ; ce qui importe au clinicien, c'est de dévoiler, derrière ces apparences sensorielles, la tendance, la signification cachée qu'elles masquent ou qu'elles recèlent.

Les différentes sortes d'hallucinations affectant les cinq sens

Ainsi qu'on peut le deviner, il existe autant de modalités d'hallucinations que nous possédons de sens. Et il n'est aucun psychiatre qui n'ait observé des hallucinations de la vue, de l'ouïe, de l'odorat, du goût, du tact ou du sentiment de notre corps, la cénesthésie.

Mais le tableau serait incomplet si nous n'y ajoutions les hallucinations de la sensibilité proprioceptive qui nous donne le sentiment des attitudes de nos membres, enfin les hallucinations si curieuses dont l'image de notre corps est l'objet.

Cette variété d'hallucinations du moi corporel que nos prédécesseurs rattachaient à des perturbations de la cénesthésie, c'est-à-dire de la sensibilité organique, grâce à laquelle nous prenons conscience de la substance de notre corps, nous en comprenons aujourd'hui beaucoup mieux l'essence car l'état de nos connaissances sur ce que l'on a appelé « l'image de soi », ou mieux, l'image corporelle (*the bodily image* des auteurs anglo-saxons) s'est singulièrement approfondie.

Les hallucinations visuelles n'offrent, dans leur essence, aucune complication ; elles peuvent se manifester par l'apparition de formes élémentaires, de lumières plus ou moins vives, les photopsies, ou par celle de visions formelles très différenciées et donnant la parfaite apparence des êtres animés ou des choses (normopsies). Il est beaucoup plus exceptionnel d'observer des hallucinations visuelles verbales analogues à ce *Mané Thécel Pharès* qui illustra le repas du Pharaon. Cette variété qui, je le répète, semble de la plus grande rareté, se distingue radicalement des précédentes car, ici, l'hallucination porte, non pas sur une image tirée du monde extérieur, mais sur les mots, par conséquent sur cette chose très intellectualisée qu'est le langage.

Beaucoup plus compliquées que les visuelles, les hallucinations de l'ouïe ont retenu surtout l'attention des psychiatres parce que celles-ci, particulièrement riches de signification, permettent de porter un jugement sur la qualité du trouble mental dont sont atteints les sujets qui les présentent, puis aussi parce que ces illusionnelles perceptions portent en elles le témoignage d'une désorganisation de l'esprit infiniment plus profonde que les phantasmes de la vue.

Mais sur ce point, il importe tout de suite de bien préciser le problème qui doit nous retenir, car celui-ci a été rendu particulièrement difficile à entendre en raison de l'obscurité et de la confusion qu'une langue mal élaborée y a introduites. De même que pour les autres sens, l'audition peut donc être l'objet de perceptions sans objet ; et, ici comme ailleurs, l'on reconnaîtra les hallucinations *élémentaires* formées de bruits et de sons mal différenciés, des hallu-

cinations *communes* qui répondent à des phénomènes sonores significatifs d'un objet : le sifflement d'une sirène, le tintement d'une
cloche, telle mélodie musicale, par exemple ; enfin des hallucinations de la parole entendue, c'est-à-dire des hallucinations *auditives
verbales.*

PROFESSEUR JEAN LHERMITTE

*Jean Esquirol, l'un des fondateurs de la psychiatrie au XIXe siècle, a donné
une définition de l'hallucination qui reste actuelle, y compris par les
incertitudes qu'elle contient.*

Sainte Thérèse d'Avila (1515-1582) a manifesté de nombreux phénomènes paranormaux, de l'extase à la lévitation et aux visions, qu'elle a parfois relatés elle-même dans ses récits spirituels.

Chapitre VIII

Les visions mystiques

Les mécanismes psychologiques impliqués dans la manifestation des prodiges mystiques obéissent peut-être aux mêmes lois que celles étudiées en psychopathologie.

Ils en diffèrent pourtant sur un point important, celui du contexte où ils ont lieu et des résultats.

Les grands mystiques de toutes les religions ont, entre autres particularités, une capacité de travail qui ne s'observe pas dans les hôpitaux psychiatriques, même lorsque les mystiques sont de purs contemplatifs comme Thérèse d'Avila.

Ces mécanismes, d'apparence analogue au plan nécessairement matériel où se situe l'expérimentation scientifique, sont-ils mis en activité par des causes différentes ?

Un certain nombre de mystiques, et nous pensons d'abord à Thérèse d'Avila, ont été l'objet d'auditions, c'est-à-dire de paroles et de visions dont ils ne pouvaient croire qu'ils en fussent les créateurs.

Du seul point de vue scientifique où nous nous plaçons, en quoi ces phénomènes diffèrent-ils d'avec les hallucinations des sens et les hallucinations psychiques, que nous observons très communément en psychopathologie [1] ?

Aussi bien chez le mystique que chez l'halluciné commun, ce qui forme le caractère spécifique du phénomène, c'est son imprévisibilité, sa soudaineté, sa vivacité, sa richesse, son incoercibilité, enfin, parfois, son dépouillement de toute extériorité. Le sujet entend et voit

---

1. Jean Lhermitte, *Les hallucinations*, G. Doin, 1951.

par une oreille ou un œil intérieur ; et ce qu'il voit et ce qu'il entend, on ne peut le persuader qu'il en est l'auteur. Que les visions et les auditions soient l'œuvre d'un autre que lui-même, il en a la plus absolue conviction [1].

Sainte Thérèse de Jésus revient souvent dans ses ouvrages sur les auditions ou visions corporelles en montrant en quoi elles se différencient d'avec les « imaginaires » et les « intellectuelles ». Des premières, la sainte d'Avila ne possède que peu d'expérience, car jamais elle n'a entendu ou vu par images sensibles, extériorisées par rapport au corps, c'est-à-dire spatialisées [2].

De toute évidence, si les perceptions sans objet : auditions, visions, sensations corporelles non motivées, répondent exactement à nos hallucinations auditives, visuelles, somatiques, olfactives, cénesthésiques, il est plus difficile de se prononcer sur ce que sainte Thérèse désigne par les termes de visions et d'auditions imaginatives ou imaginaires.

Les paroles imaginaires ne ressemblent pas à celles qui paraissent frapper nos oreilles ; elles ne peuvent se confondre avec une sensation puisqu'elles sont dépourvues de sensorialité, ou, comme on dit, d'esthésie. Cependant, ces paroles sont entendues si clairement qu'elles retiennent absolument l'attention, elles sont dominatrices et passivement reçues.

Grâce à ces caractères, nous sommes en mesure de ne pas en faire l'expression du langage intérieur qui sous-tend notre idéation. De celui-ci nous sommes maîtres, celles-là nous les subissons en apparence, elles ne semblent pas notre œuvre. Du moins, c'est le sentiment qu'elles nous donnent : elles semblent produites par un principe qui nous est étranger. Et, pour le mystique, ce sera Dieu ou le démon. Observons, cependant, que le mystique ne se résout à cette interprétation qu'après avoir lutté et longtemps douté si tous ces phénomènes étranges ne seraient pas sa propre œuvre inconsciemment réalisée.

Mais du fait qu'un sujet possède la conviction profonde, disons même la certitude, que les paroles qu'il entend dans l'intime de son esprit ne sont pas prononcées par lui, devons-nous en conclure qu'elles ne sont point son œuvre dissimulée ?

A cette question, saint Jean de la Croix [3] semble répondre : « Quand un esprit rentre en lui-même et s'applique à la contemplation de quelque vérité en s'y absorbant, il parle de lui-même avec soi-

---

1. Cf. Albert Farges, *Les phénomènes mystiques distingués de leurs contrefaçons humaines et diaboliques*, 2 vol., Lethielleux, 1923, t. II.
2. En réalité, à deux reprises, sainte Thérèse a été l'objet de fausses perceptions corporelles.
3. Saint Jean de la Croix, *La Montée du Carmel*, l: II, ch. XXVII, XXVIII, XXIX,

même et il se répond comme si un homme s'entretenait avec un autre homme. »

Poursuivant son analyse, l'auteur de *La Montée du Carmel* nous enseigne que les « paroles successives », lesquelles correspondent aux paroles et aux visions imaginaires, se produisent toujours lorsque l'esprit est plongé dans quelque considération.

Il semble au sujet qu'il n'est pas l'auteur des paroles qu'il entend intérieurement, mais « que c'est une autre personne qui forme ces raisonnements dans son intérieur qui répond ou qui enseigne ». Et saint Jean de la Croix de poursuivre : « L'esprit a bien raison, en vérité, de le penser ainsi, car il raisonne avec lui-même et se répond comme s'il se trouvait avec une autre personne. Bien que ce soit le même esprit qui agisse comme instrument, l'Esprit Saint l'aide souvent à produire et à former ces pensées, ces paroles et ces raisonnements pleins de vérité [1]. »

Pour ne laisser place à aucun doute, le grand mystique insiste : « L'âme qui en est là ne pourra jamais se persuader que ces mots et ces paroles ne lui viennent pas d'une tierce personne, car elle ne sait pas avec quelle facilité l'entendement peut de lui-même former des paroles sur les pensées et les vérités qui lui sont communiquées par une tierce personne !

J'ai connu une personne qui formait ces paroles successives. Or, au milieu de quelques paroles très vraies et très substantielles qui regardent le Très Saint Sacrement de l'Eucharistie, il y en avait d'autres qui étaient une hérésie manifeste. Ce qui se passe de nos jours est quelque chose d'effrayant ; une âme quelconque est-elle parvenue à quatre maravédis de méditation, et entend-elle quelques paroles intérieures, qu'aussitôt elle baptise le tout comme venant de Dieu... et elle répète : " Dieu m'a dit ceci, Dieu m'a répondu cela. " Or, il n'en est rien... Ce sont des âmes qui se parlent à elles-mêmes [2]. »

Ce rappel de quelques éléments de la doctrine de saint Jean de la Croix nous fait voir à quel degré ce docteur de l'Eglise est en plein accord avec les préoccupations du temps présent où le goût du merveilleux ne s'est pas émoussé : « De ce que nous venons de dire, conclut saint Jean, il suit que ces paroles successives (ou imaginatives) qui sont communiquées à l'entendement peuvent provenir de trois causes : de l'Esprit divin qui le meut ou l'éclaire, ou de la lumière naturelle de l'entendement, ou enfin du démon qui peut lui parler par suggestion [3]. »

Ce que nous attribuons aux causes pathologiques, mieux étudiées de nos jours qu'au XVIᵉ siècle, rentrerait dans la deuxième des catégo-

1. *Ibid.*, l. II, ch. XXVII.
2. Saint Jean de la Croix, *ibid.*, l. II, ch. XXVII.
3. *Ibid.*

ries ci-dessus énumérées par saint Jean de la Croix : une explication naturelle peut être normale ou déviée. Le saint le dit lui-même et c'est ce qui ressort de nombreux traits rapportés par le R. P. Bruno dans la vie de saint Jean de la Croix.

Contemporain de Thérèse d'Avila, saint Jean de la Croix a décrit une voie mystique. Il a connu des faits paranormaux sur lesquels il a porté un jugement précis et austère. L'essentiel de sa doctrine est la recherche du dépouillement de plus en plus complet pour atteindre le divin (portrait d'époque conservé à Ségovie).

Les paroles formelles et le sentiment de présence

A côté de ces paroles successives ou imaginaires, se classent les paroles formelles : « Elles sont comme des pensées qui sont communiquées à l'esprit sous la forme d'une réponse ou autrement, comme si on lui parlait ; quelquefois ce n'est qu'un mot ; elles instruisent l'âme et discutent avec elle sans que l'esprit y prenne part, et tout se passe comme si une personne s'entretenait avec une autre [1]. »

Nous sommes ici tout près de cet automatisme mental dont nous

1. Saint Jean de la Croix, *ibid.*, l. II, ch. XXVIII.

devons plus loin faire l'analyse. Aussi saint Jean nous enseigne-t-il que « l'âme ne doit faire aucun cas de ces paroles formelles ; les traiter comme les paroles successives... ce serait s'exposer à être très facilement trompé par le démon ».

La troisième modalité des phénomènes que nous étudions répond aux paroles ou aux visions intellectuelles, c'est-à-dire sans images, dépouillées absolument de tout élément sensible. Cela se passe dans l'intime de l'âme d'une manière à la fois claire et secrète.

Visions et paroles intellectuelles ou « intellections » [1] sont spécifiées par leur dénuement sensoriel ; elles font comprendre d'une manière intuitive, soudaine, ineffable, la profondeur d'un mystère.

« Mais comment se souvenir de ces choses, se demande sainte Thérèse, puisqu'elles ne contiennent aucune image qui les représente et que les puissances de l'âme n'en ont pas l'intelligence ? C'est là encore une chose que je ne comprends pas [2]. »

Effectivement, ces paroles et visions intellectuelles s'opposent violemment, en apparence, aux visions corporelles et imaginatives dans lesquelles l'activité de l'esprit est soutenue par des images. Ici, nous sommes seulement en face d'une présence, de quelque chose qui influence la pensée, l'illumine et, d'une manière ineffable, lui communique des révélations que jamais « les puissances de l'âme » n'eussent pu acquérir. Sans doute, ces visions intellectuelles se distinguent, par leur mode plutôt que par leur contenu, des visions imaginatives ; toutefois, il n'est pas interdit de penser que les phénomènes imaginatifs ne sont pas séparés des phénomènes intellectuels par un abîme infranchissable. Et avec M. Maréchal [3], on peut se demander si certaines visions intellectuelles, vues du dehors, ne pourraient pas être justement attribuées à un mécanisme hallucinatoire.

En réalité, toutes les nuances se retrouvent entre les visions intellectuelles, toutes dépouillées d'images, et les visions imaginatives, et même les visions corporelles. Aussi bien, sainte Thérèse nous invite-t-elle à suivre cette voie quand elle écrit : « Il me fut représenté comment toutes choses se voient en Dieu... et pourtant je ne puis assurer avoir vu quelque chose. Cependant, il doit bien y avoir eu une vue quelconque puisque je puis me servir d'une comparaison. Peut-être ne sais-je pas bien me rendre compte de ces visions qui me semblent sans images. Il peut se faire que, pour quelques-unes, il y ait eu réellement image, mais les puissances sont ravies et ne peuvent ensuite reconstituer ce que le Seigneur leur a montré [4]. »

1. Intellection : acte par lequel l'esprit assimile les choses et les comprend.
2. Sainte Thérèse, *Château de l'âme*, VI, chap. IV.
3. Maréchal, cité par Quercy, *Les hallucinations*, vol. II, p. 298.
4. Sainte Thérèse, *Sa vie*.

Nous ferons remarquer qu'il est, en pathologie mentale, des états de transes au cours desquels le patient exprime par sa mimique des émotions qualifiées, où l'on sent distinctement que se déroule un drame intérieur sans que pour cela le sujet soit en mesure de décrire la scène qu'il vient de vivre ; tout ce qu'il peut dire, parfois, c'est qu'il vient d'assister à une scène terrifiante.

« Ainsi, nous explique sainte Thérèse, je vis un jour de fête du glorieux saint Pierre, près de moi, ou plutôt, je sentis le Christ, car je ne vis rien, ni des yeux du corps, ni de ceux de l'âme ; il me semblait qu'il était tout près de moi et que c'était lui qui me parlait... Il me semblait marcher toujours à côté de moi, mais je ne voyais pas sous quelle forme. Car ce n'était pas une vision imaginaire. Toutefois je sentais, d'une manière évidente, qu'il se tenait toujours à ma droite et qu'il était témoin de toutes mes œuvres [1]. »

Certes, il est des occasions où l'on pourrait douter d'une vision, mais ici l'hésitation n'est pas possible, car « l'âme demeure en possession d'une telle certitude que ce doute n'a aucune prise sur elle [2] ».

En réalité, le sentiment de certitude des mystiques ne diffère pas de celui des hallucinés. Comment, d'ailleurs, après une période d'hésitation et de trouble, ceux-ci comme ceux-là pourraient-ils douter de la nature d'un phénomène qui se répète et qui s'affirme étranger à leur propre personnalité ?

Une demoiselle très intelligente et fort cultivée, ancienne secrétaire d'un personnage très élevé dans l'Enseignement, m'a conté que, depuis une vingtaine d'années, elle est accompagnée par un cavalier qui se tient à sa droite. Cette apparition se réalisa pour la première fois un jour qu'elle descendait les Champs-Elysées. Ce personnage, me dit-elle, est bien un élégant cavalier monté sur un magnifique cheval. « Je ne l'aperçois pas très nettement le plus souvent ; c'est plutôt comme une ombre avec quelques scintillements, mais la masse du cheval est imposante. » Ce cavalier demeure toujours muet. « Mais, lui dis-je, avez-vous entendu le bruit de ses sabots sur la chaussée ? — Oui, me répondit-elle : Un jour que je m'approchai trop près de lui, son cheval fit un écart et ses sabots claquèrent fortement sur le sol. » Cette demoiselle, évidemment douée d'une grande imagination, n'était nullement une aliénée, encore qu'hallucinée.

Dans un chapitre annexé à son ouvrage *les Grands Mystiques chrétiens*, Henri Delacroix s'efforce d'approfondir le concept du sentiment de présence chez les mystiques. Et cet auteur insiste sur ce que l'impression de présence s'observe le plus généralement dans le

1. *Ibid.*, note 5, p. 296.
2. *Ibid.*

L'extase et les visions ne sont pas le but de l'ascèse chrétienne, mais leur concomitance avec cette dernière dans la prière fait s'interroger sur les forces paranormales que déclenchent les grands mystiques, ou leur contact avec le surnaturel.

moment où l'oraison détache le sujet du monde de la réalité en laissant s'épanouir un groupe de sentiments privilégiés. Lorsqu'il est profond, le recueillement de l'oraison libérerait une certaine aptitude à l'automatisme, qui est le principe même de tous les dédoublements.

Sans contester la part de vérité que cette remarque enferme, on doit faire observer que ce sentiment de présence surgit bien souvent en dehors des états d'absorption spirituelle. Nous venons d'en fournir des exemples. A notre avis, ce qui compte à l'origine de cette très singulière impression, c'est le surgissement d'un groupe d'émotions conçu comme témoignage d'accompagnement d'une présence déterminée. En sorte que l'apparition soudaine dans la conscience de certains sentiments définis peut donner lieu, dans des conditions particulières d'ébranlement de l'esprit, à l'illusion de la présence de l'être auquel se rapportent précisément ces émotions.

Un langage ineffable

Il semble que, pendant longtemps, les visions et les auditions sans images aient été regardées comme la pierre de touche des phénomènes mystiques. Effectivement, si l'on supposait que les paroles et visions imaginatives pouvaient être l'expression d'un processus psychophysiologique, car on en connaissait des exemples, sinon identiques, du moins comparables, les créations sans images paraissaient résister à la critique et ne trouver aucune correspondance en psychophysiologie. Les études plus récentes ont fait perdre à cette opinion beaucoup de son poids.

En effet, après Baillarger, on a reconnu l'existence d'un phénomène très singulier qui tient dans le sentiment qu'un langage différent du langage intérieur retentit dans la conscience sans qu'on en puisse distinguer nettement les éléments. Ces communications intellectuelles et affectives apparaissent comme quelque chose d'inexprimable par des mots. En vérité, il semble qu'une âme parle à une autre âme sans paroles véritables ; et cependant la pensée « de l'autre » est parfaitement comprise et s'imprime dans le souvenir.

Des communications analogues se réalisent dans le demi-sommeil de la *prædormitio* et dans le rêve où l'on comprend tel personnage en face de qui l'on se trouve et dont les lèvres cependant ne prononcent aucun son. « Très souvent, avons-nous écrit, au cours des rêves les plus communs, nous croyons converser avec des personnes qui nous sont connues ou que nous n'avons jamais rencontrées : nous croyons entendre leur conversation et nous y répondons. Mais qu'on analyse bien le phénomène, et l'on verra qu'il ne s'agit point d'images auditives véritables. Nous saisissons la pensée, mais nous n'entendons pas réellement des voix. » Il y a là un phénomène très particulier qu'on ne peut s'empêcher de rapprocher de ce qui arrive à certains sujets qui déclarent qu'on « leur parle par la pensée [1] ».

Comme l'ont exprimé J. Séglas, Marchand et Clérambault, l'hallucination psychique dépouillée de tout élément sensoriel n'est qu'une « fausse perception bornée à l'intelligence », « une hallucination abstraite » : une fausse hallucination. Le patient croit qu'on lui parle « de pensée à pensée », « d'âme à âme ». Assez différentes des hallucinations véritables, on peut les désigner par le terme d' « hallucinations aperceptives ».

A la vérité, qu'on en fasse des hallucinations d'un certain mode comme le voulait Baillarger ou qu'elles soient considérées comme de fausses hallucinations, des hallucinations abstraites, comme le voulait Clérambault, la chose est de peu d'importance. Ce qui doit retenir notre attention, c'est qu'un langage « *averbal* », des « communications de pensée à pensée », « d'âme à âme » se retrouvent en dehors des états mystiques où ils peuvent acquérir le plus vif éclat.

Ce que nous venons de dire à propos des « intellections » pourrait être repris au sujet des sentiments. Des joies soudaines, comme d'ailleurs des tristesses s'emparent de certains sujets qui s'en trouvent décontenancés, parce qu'ils en cherchent en vain une origine naturelle. Pénétrés d'un sentiment d'influence ou d'emprise, certains le rapportent au démon ou à tel principe occulte.

Ainsi, contrairement à ce que nombre de théoriciens de la mystique ont soutenu, toutes les visions, toutes les auditions, ne peuvent être tenues pour la conséquence d'un processus extra-naturel.

Ce n'est donc pas en s'appuyant sur les extases, et encore moins sur les visions, les locutions ou les sentiments imposés, qu'il convient d'apprécier l'authenticité mystique. Celle-ci est d'un ordre infiniment plus élevé. Saint Jean de la Croix y a insisté avec la plus grande force : « Ainsi, pour arriver à cette union de Dieu si parfaite, l'âme doit veiller à ne s'attacher en rien à ces visions imaginaires, formes, représentations ou connaissances particulières, car elles ne peuvent lui servir de moyen proportionné et prochain pour atteindre un tel but ; elles y seraient plutôt un obstacle... Voilà pourquoi l'âme doit s'en détacher et s'appliquer à les fuir... Ainsi plus l'âme s'applique à demeurer dans la nuit et le néant par rapport à toutes les choses extérieures et intérieures qui peuvent lui être communiquées, plus aussi elle avance dans la foi et, par conséquent, dans l'espérance et la charité [2]... »

Et sainte Thérèse de Jésus, dans son *Château de l'âme* [3], nous

---

1. J. Lhermitte, *Les Rêves*, P.U.F., 1948.
2. Saint Jean de la Croix, *La Montée du Carmel*, l. II, ch. XIV.
3. Sainte Thérèse, *Sixièmes demeures. Œuvres complètes*, Edit. du Seuil, p. 944 et suiv.

donne ses propres critères : « Etant donné que les visions et les locutions peuvent être l'œuvre du démon, ou de la maladie, il convient de s'en défier. Aussi, je dis que, dans les débuts, le mieux est de les combattre sans cesse... Les marques les plus certaines pour reconnaî-tre que les paroles viennent de Dieu sont les suivantes :

La première et la plus sûre consiste dans l'autorité et l'emprise qu'elles apportent : elles sont paroles et œuvres tout à la fois ;

La seconde marque consiste dans la paix profonde dont l'âme est inondée ;

La troisième marque tient en ce qu'elles ne s'effacent pas long-temps de la mémoire ; quelques-unes de ces paroles ne s'oublient jamais. Celles de Dieu impriment la certitude la plus profonde.

Lorsque les paroles que l'on entend sont le produit de l'imagina-tion, elles n'ont aucune des marques dont nous venons de parler ; elles ne confèrent ni certitude, ni paix, ni joie intérieure. De plus, elles ne sont jamais aussi claires ni aussi distinctes, mais elles res-semblent à une chose à demi-rêvée.

Bien souvent, l'on ne pense point aux choses que l'on entend. Ces paroles se font entendre à l'improviste et parfois au milieu d'une conversation. »

Et sainte Thérèse ajoute cette remarque qui éclaire singulièrement notre objet : « Bien des fois, elles (les paroles) répondent à une pensée qui passe rapidement ou que nous avons eue précédemment. »

Ce jugement de la grande mystique est d'un poids considérable ; mais ce qui différencie de la manière la plus absolue les visions et locutions des mystiques d'avec les hallucinations pathologiques, ce sont les effets qui en résultent pour la conduite ; et saint Jean de la Croix appelle « substantielles » les visions ou locutions dont la vertu est si puissante qu'elle donne vigueur, courage, charité, amour. A une âme plongée dans la tristesse ou abîmée dans le désespoir, Dieu infuse tout ensemble deux choses : la vision et la vertu ; la vision n'est qu'un accessoire.

Avec sainte Thérèse, avec saint Jean de la Croix, nous ne doutons pas que des manifestations extérieures impressionnantes puissent découler d'une source surnaturelle et apparaître divines dans leur cause première ; nous avons seulement à nous demander si, physio-logiquement et psychologiquement, les visions et les locutions divines ne sont pas des actions humaines mises en branle par une puissance qui nous dépasse et que nous appelons Dieu. Ainsi « Dieu reprendrait à la nature sommeil, rêve et hallucinations, pour les faire lui-même en nous : mais pleins, cette fois, de lui-même et de ses desseins [1] ».

Dans cette perspective, les visions, locutions, auditions, ne de-

---

1. R. Quercy, *L'hallucination. Philosophes et mystiques*, t. II, p. 330.

vraient donc pas être comprises comme l'expression de mécanismes surnaturels, inconcevables d'ailleurs pour le clinicien et le psycho-physiologiste, mais bien comme le travail du surnaturel dans l'âme et dans le corps de certains êtres privilégiés. Toutefois, si grands que soient les mystiques, ils sont faits de la même pâte que nous, sujets aux mêmes affections, leurs mécanismes cérébraux ne diffè-rent point des nôtres. S'ils sont plus grands que nous, c'est qu'ils ont des idées, des sentiments plus élevés, que leur conduite leur a mérité de plus grandes grâces, mais ils restent des hommes.

Pouvons-nous penser que Dieu se livre à un perpétuel miracle en créant des mécanismes nouveaux chez certains sujets, alors qu'il existe en eux précisément tous les dispositifs nécessaires pour trans-mettre à l'esprit, à la conscience, les idées les plus élevées aussi bien que leur fournir les joies de l'extase ou du ravissement ?

« Certification par Dieu, conformité à la foi, certitude immédiate, créent entre les visions et leurs contrefaçons, entre les hallucinations divines et les hallucinations morbides un système complexe et subtil de différences, mais n'apportent pas au croyant la démonstration qu'il ne demande pas [1]. »

Le psychophysiologiste peut donc renoncer à découvrir des mar-ques spécifiques aux manifestations que nous avons en vue ici. Dans chacune de celles-ci, un même mécanisme est engagé, seul se dévoile, distinct dans ses conséquences, le principe qui les fait éclore.

PROFESSEUR JEAN LHERMITTE

1. Quercy, *op. cit.*

Bibliographie

Outre les ouvrages cités dans l'*Origine des textes* (voir plus loin), on pourra consulter aussi les livres suivants, dont la liste n'a rien d'exhaustif. Ils ne font que confirmer les orientations du présent volume, en ce qui concerne les thèmes qui y sont développés.

ALLENDY (René), *Rêves expliqués* ; Paris. Gallimard, 1938.

ANAND (B. K.), CHHINA (G. S.) and SING (B.), « Some Aspects of Electroencephalographic Studies in Yogis » ; *Electroenceph. Clinic. Neurophysiol.,* Amsterdam, 1961, 13 : 452-456.

ARTIGUES (R.), *Essai sur la valeur seméiologique du rêve.* Thèse, Paris, 1884.

BAILLY (J.-C.) et GUIMARD (J.-P.), *Mandala, essai sur l'expérience hallucinogène* ; Paris, 1969.

BARBIZET (Dr Jacques), *Pathologie de la mémoire* ; P.U.F., Paris, 1970.

BAUDOUIN (Charles), *Introduction à l'analyse des rêves.* Ed. L'Arche. Paris.

BISHOP (W. E.), « Successful teachers of the gifted », *Except. Child.,* 1968, *34.*

BERGSON (Henri), *L'Energie spirituelle* ; Alcan, Paris.

BERGSON (Henri), *Matière et Mémoire* ; P.U.F., Paris.

BERGSON (Henri), « Les Rêves » ; *Revue scientifique.*

BLOOM (B.), *Stability and changes in human characteristics* ; J. Wiley and sons, 1964.

BOSSARD (Robert), *Psychologie du rêve* ; Payot, Paris, 1953.

BOURGUIGNON (André), « Recherches récentes sur le rêve (métapsychologie freudienne et neurophysiologie) » ; Revue *Les Temps modernes,* n° 238, Paris, mars 1966.

BROSSE (Th.), « Psychophysiologie du Yoga et les problèmes d'Hygiène mentale » ; Les Cahiers du Sud, 1953.

BURT (C.), The Gifted child ; *Brit. J. Statis. Psychol.,* 1961.

BULLAS (Adrien), *Une mémoire prodigieuse* ; Anjnon, Antanel, 1966.

COX (C. M.), The early mental traits of three hundred genius, *Terman's Genetic Study of Genius,* II, 1926.

COY (G. L.), The mentality of a gifted child ; *J. Appl. Psychol.,* 1918.

CROCKENBERG (S. B.), « Creativity tests ; a boom or boondoggle for education ? » ; *Rev. Educ. Res.,* 1972.

DAS (M. N.) et GASTAUT (H.), *Variations de l'activité électrique du cerveau, du cœur et des muscles squelettiques au cours de la méditation et de l'extase yogique ;* Paris, Masson, 1957.

DAUDET (Léon), *Œuvres philosophiques,* éd. définitive ; Nouvelle librairie nationale, Paris, 1925.

DELACROIX (H.), *Le Temps et les souvenirs. Le rêve et la rêverie ;* Ed. F. Alcan, Paris, 1936. *Nouveau Traité de psychologie* par G. Dumas, vol. 4.

DELACROIX (H.), *Les Grands Mystiques chrétiens ;* Paris, Alcan, 1938.

DELAGE (Yves), « Sur le siège et la nature des images hypnagogiques » ; *C.R. de l'Académie des Sciences,* Paris, 1903.

DELAGE (Yves), *Le Rêve ;* Paris, 1920.

DELAY (J.), BUISSON (J.) et SADOUM, « Aux frontières du délire, la rêverie morbide » ; Revue *Encéphale,* Paris, 1955.

DELAY (J.) et BENDA (Ph.), « L'expérience lysergique (*LSD* 25. A propos de 75 observations cliniques) », *L'Encéphale,* XLVIIIe année, 1958.

D'HEURLE (A.), MELLINGER (J. C.), HAGGARD (E. A.), « Personnality, intellectual and achievement patterns in gifted children » ; *Psychol. Monog.,* 1959.

DOLBEAR (K. E.), « Precocious children », *Ped. Sem.,* 1912.

DUMAS (C.), *Le Surnaturel et les dieux d'après les maladies mentales,* P.U.F., Paris, 1946.

DUNNE (John W.), *Le Temps et le rêve ;* Seuil, Paris, 1948.

DUVAL (P.), *Nos pouvoirs inconnus ;* Encycl. Planète, 1966.

EY (Henry), « Brèves remarques historiques sur les rapports des états psychopathiques avec le rêve et les états intermédiaires au sommeil et à la veille » ; *Ann. Med. Psych.,* 1934.

FAVEZ-BOUTONIER (J.), *L'Imagination.* Cours de Sorbonne au C.D.U., Paris, 1965.

FISCHGOLD et SAFAR (S.), *Les Etats de demi-sommeil des grands classiques à nos jours ;* Lyon, 1965.

FISGHGOLD (H.), « Historique des connaissances physiologiques sur le sommeil de l'homme ». *Le Sommeil de nuit normal et pathologique,* Masson, Paris, 1965.

FISHER (C.) et DEMENT (W. C.) (New York), « Manipulation expérimentale du cycle rêve-sommeil par rapport aux états psychopathologiques » ; *Revue de Médecine psychosomatique,* tome 4, n° 1, Paris, janvier-février-mars 1962.

FISHER (Charles), « A propos du Phénomène de Poetzl ». *L'Evolution psychiatrique,* fasc. IV, Paris, octobre-décembre 1959.

FOLLIN (S.), *Les Etats oniroïdes.* Congrès de Psychiatrie et de neurologie de langue française ; Masson, Paris, 1963.

FREUD (Sigmund), *La Science des rêves ;* P.U.F., Paris, 1950.

FREUD (Sigmund), *Le Rêve et son interprétation ;* Coll. « Les essais », Ed. Gallimard, Paris, 1925.

FROMM (Eric), *Le Langage oublié ;* Payot, Paris, 1953.

FRIERSON (E. C.), « Upper and lower status children ; a study of difference ». *Except. Child.,* 1965.

GALLAGHER (J. J.) et ROGGE (W.), « The gifted », *Rev. Educ. Res.,* 1966.

GARRIC (Max), *L'Intuition dirigée ;* Paris, Dangles, 1957.

GAUDFERNAU (E. A.), *Phénomènes métapsychiques dans la solitude ;* les Editions des Champs-Elysées, Conférences initiatiques n° 1, Paris, 1946.

GELEY (Dr Gustave), *L'Etre subconscient ;* Paris, 1899.

GELLE, *Les Images hypnagogiques ;* Soc. Psych., 1903.

GÉRARDIN (F.), « Hallucinations hypnagogiques » ; Revue *Evolution psychiatrique,* Paris, 1938, n° 4.

GETZELS (J. W.) et JACKSON (P. W.), *Creativity and intelligence ;* J. Wiley and sons, 1962.

GUILFORD (J. P.), « Three faces of intellect », *Amer. Psychol.,* n° 14, 1959. « Intellect and the gifted », *Gifted Child. Quart.,* 1972.

GUYON (E.), *Les Hallucinations hypnagogiques ;* Thèse de médecine, Paris, 1903.

HADFIELD (J. A.), *Rêves et cauchemars ;* Union générale d'éditions, coll. 10-18, Paris, 1962.

HENRY (Charles), *Sensation et Energie ;* Institut général psychologique, Paris, 1911.

HILDRETH (G.), « Three gifted children ; a developmental study » ; *J. Genet. Psychol.,* 1954.

HOLLINGWORTH (L. S.), « The comparative beauty of the faces of highly intelligent adolescents » ; *J. Genet. Psychol.,* n° 47, 1935.
— « Subsequent history of E. ten years after the initial report », *J. Appl. Psychol.,* 1927.

JACOBS (J. C.), « Effectiveness of teacher and parent identification of gifted children as a function of school level » ; *Psychol. in the School,* 1971.

JASPERS (K.), *Psychopathologie générale.* Ed. F. Alcan, Paris, 1928.

JESPERSEN (O.), *Die Sprache,* Heidelberg, 1925.

JOUVET (M.), « Recherche sur les structures nerveuses et les mécanismes responsables des différentes phases du sommeil physiologique ». *Archiv. Ital. Biologie.* 1962, tome 100, n° 2.

JOUVET (M.), *Paradoxical Sleep. A Study of its Nature and Mechanisms. Sleep Mechanisms in Progress in Brain Research.* Elsevier, 1965.

JUNG (C. G.), *L'Homme à la découverte de son âme ;* Ed. du Mont-Blanc, Genève, 1962, collection « Action et Pensée ».

JUNG (C. G.), *Essai d'exploration de l'Inconscient ;* Editions Gonthier, Paris, 1964.

LANCELIN (Charles), *Méthode de dédoublement personnel ;* Durville, 1912.

LARCHER (H.) et RAVIGNANT (P.), *Les Domaines de la parapsychologie.* Bibliothèque du C.E.L.P., 1972.

LEROY (E. B.) et TOBOLOWSKA (J.), « Sur le mécanisme intellectuel du rêve » ; *Revue Philosophique,* 1901.

LEROY (E.), *Les Visions du demi-sommeil (hallucinations hypnagogiques) ;* Ed. Alcan, Paris, 1933.

LÉVI-STRAUSS (Claude), « L'Efficacité symbolique » ; *Revue d'histoire des religions,* janvier-mars 1949.

LHERMITTE (Jean), *Les Rêves ;* Collection « Que Sais-je ? » aux P.U.F., n° 24.

LOMBROSO (César), *L'Homme de génie,* 1903.

LORGE (I.) et HOLLINGWORTH (L. S.), « Adult status of Highly intelligent children », *J. Genet. Psychol.,* 1936.

MACKELLAR (P.) and SIMPSON (L.), « Between Wakefulness and Sleep : Hypnagogic Imagery » ; *Brit. J. Psych.,* 1954.

MACKENZIE (Norman), *Les Rêves ;* librairie J. Tallandier, Paris, 1966.

MARÉCHAL (J.), S. J., *Etudes sur la psychologie des mystiques,* Paris, 1924.

MAURY (A.), « Des hallucinations hypnagogiques ». *Ann. Med. Psych.,* 1848.

MAURY (A.), « De certains faits observés dans les rêves et dans l'état intermédiaire entre la veille et le sommeil ». *Ann. Med. psych.,* n° 3, 1857.

MAURY (A.), *Le Sommeil et les rêves,* Didier, Paris, 1865.

MAY (Roger), *Aux confins du surnaturel.* Paris, Genève, La Palatine, 1959.

MOUFANG (Wilhelm) et STEVENS (W. O.), *Le Mystère des rêves.* Collection « Lumière interdite ». Editions Deux Rives, Paris, 1956.

OPPENHEIM (A. Leo), *Le Rêve, son interprétation dans le Proche-Orient ancien ;* Horizons de France.

ODEN (M.) et coll. : « The fullfillment of promise », *Genet. Psychol. monog.,* 1968.

O'SHEA (H.), « Friendship and the intellectually gifted children », *Except. Child.,* 1960.

NICHOLS (R. C.) et DAVIS (J. A.), « Characteristics of students of highly Academic aptitude », *Personnel and Guidance J.,* 1964.

PASSOUANT (P.), CADILHAC (J.), *Activité onirique et narcolepsie. Activité onirique et conscience ;* Symposium de Lyon, 1965.

PETRE-QUADENS (O.), *Ontogenèse de l'activité onirique chez l'homme ;* Activité onirique et conscience, Symposium de Lyon, 1965.

PONGRACZ (M.) et SANTINER (J.), *Les Rêves à travers les âges,* Buchet-Chastel, Paris, 1965.

PRESSEY (S. L.), « Concerning the nature and nurture of genius », *Scientif. month.,* 1955.

ROOT (A.), « A sociopsychological study of fifty three supernormal children » ; *Psychol. Monog.* 1921.

ROUQUETTE (Michel-Louis), *La Créativité,* P.U.F., Paris, 1973.

RUYER (Raymond), *La Gnose de Princeton ;* Paris, Fayard, 1974.

SAINT-LAURENT (Raymond de), *La Mémoire.* Avignon, E. Aubanel, 1968.

SCHAFFER (C. E.), « A psycohlogical study of 10 exceptionally creative adolescent girls »; *Except. Child.,* 1970.

SCHELER (Max), *Le Saint, le génie, le héros ;* Lyon, 1958.

SCHULMAN (D.), « Openness of perception as a condition for creativity », *Except. Child.,* 1966.

SCHOTT (E. L.), « Superior intelligence in patients with nervous and mental illness » ; *J. Abnorm. Soc. Psychol.,* 1931.

TEILLARD (Ania), *Le Symbolisme du rêve ;* Editions Stock, Delamain et Boutelleau, Paris, 1944.

TERMAN (L. M.), *Genetic study of genius,* I-V, Stanford University Press, 1920-1959.

TERMAN (L. M.) et ODEN (M. H.), « The gifted group at midlife » *Readings on the exceptional child,* Trapp et Himmelstein, édit., Appleton Century Crofts, 1972.

THOMAS (Jacques), *Aspects psychiatriques de l'endormissement.* Mémoire original communiqué par l'auteur. Paris, 1966.

TISSIE (Ph.), *Les Rêves, physiologie et pathologie ;* Ed. Alcan. Paris, 1890.

TOCQUET (R.), *Les Calculateurs prodiges et leurs secrets,* Amiot, éd., 1957.

TOURNAY (Aug.), « Sur mes propres visions du demi-sommeil ». *Rev. neurol.,* n° 73, 1941.

TORRANCE (P.), « Characteristics of creatively gifted children and youth » ; *Readings on the exceptional Child,* Appleton Century Crofts, 1972.

TYRRELL G. N. M., *Au-delà du conscient.* Découvertes et possibilités de la parapsychologie (P.B.F. 34), 1970.

VARENDOUCK (J.), *The Psychology of Day Dream in Organization and Pathology of Thought,* New York, 1959.

VIHVELIN (H.), « On the Differenciation of Some Typical Forms of Hypnagogic Hallucinations » ; *Act. Psych. Neurol.,* 1948, n° 23.

WALLACH (M. A.), Creativity in Mussen's, *Carmichael Manual of Child Psychology,* 1211-1278.

Origine des textes

Les Editions Tchou remercient les Editeurs qui leur ont permis la reproduction de textes de leurs fonds :

ALBIN MICHEL : Danielle Hemmert et Alex Roudène, *L'Univers des Fantômes*. BLOUD ET GAY : Pr Jean Lhermitte, *Mystiques et faux mystiques*. C.A.L. : Michèle Masson, « Le Rêve » in *Le Livre des Pouvoirs de l'Esprit*, ouvrage collectif. C.E.P.L. : Gabriel et Brigitte Veraldi, *Psychologie de la création*. DELACHAUX ET NIESTLE : A. R. Luria, *Une prodigieuse mémoire, Etude psychobiographique*. DOUIN & Cie : Pr Jean Lhermitte, *Les Hallucinations, clinique et physiopathologie*. DUNOD : Didier Anzieu, « Vers une Métapsychologie de la Création », in *Psychanalyse du Génie créateur*. EDITIONS PLANETE : Jacques Graven, *La Pensée non humaine* ; Aimé Michel, « Le Crépuscule du Matin » in *Les Certitudes irrationnelles*, et « Entre le possible et l'improbable » in *Le Mystère des Rêves*. EDITIONS UNIVERSITAIRES : Françoise Rougeoreille-Lenoir, *La Créativité personnelle*. FASQUELLE : Serge Voronoff, *Du Crétin au Génie*. FELIX ALCAN : Gustave Geley, *De l'Inconscient au Conscient* ; Dr Paul Sollier, *Les Phénomènes d'autoscopie*. RENE JULLIARD : Robert Tocquet, *La Mémoire — Comment l'acquérir ? comment la conserver ?* LES PRODUCTIONS DE PARIS : Robert Tocquet, *Le Calcul mental à la portée de tous*, et *Les Hommes-phénomènes*. SOCIETE BELGE DE LIBRAIRIE : Xavier Francotte, *Le Génie et la Folie*. STOCK : Rémy Chauvin, *Les Surdoués*. PLANETE : Gérard Cordonnier, « Voyance et Mathématiques » ; Jacques Mousseau, « Interview d'un calculateur prodige » ; Emilio Servadio, « L'Homme va ouvrir une porte fabuleuse ». QUESTION DE : Aimé Michel, « L'Enigme des Rêves lucides ».

Origine des illustrations

L'impression de ce livre
a été réalisée sur les presses
de l'Imprimerie Aubin
à Poitiers/Ligugé
le 25 avril 1977

Dépôt légal, 2ᵉ trimestre 1977
Editeur n° 7438. — Imprimeur n° P 7289.
Imprimé en France.